企業内学習入門

THE BUSINESS OF
CORPORATE LEARNING
INSIGHTS FROM PRACTICE

戦略なき人材育成を超えて

シュロモ・ベンハー[著]
SHLOMO BEN-HUR

高津尚志[訳]

英治出版

企業内学習入門

The Business of Corporate Learning
Insights from Practice
by
Shlomo Ben-Hur
Copyright © Shlomo Ben-Hur 2013
Japanese translation rights arranged with
Cambridge University Press
through Japan UNI Agency, Inc., Tokyo

日本の読者の皆様へ——訳者によるまえがき

　このたび、スイスのビジネススクール IMD での私の同僚である、シュロモ・ベンハー教授の著作 The Business of Corporate Learning: Insights from Practice の日本語版を皆様にお届けできることを、とても嬉しく思っています。

　日本語版を出そうと考えたのは、この本が、日本の企業社会の皆様、特に、経営者、人事・人材育成・経営企画部などのリーダーの方々、広く人材育成・能力開発・組織開発などに取り組んでいらっしゃる方々、さらには事業のリーダーとして業績の向上やイノベーションの実現に責任を持っていらっしゃる方々に、大きな価値をもたらすだろうと確信をしたからです。その価値とは、企業にとってきわめて大切な一つの営みに関して、従来とは違った角度から考えてみる機会、より全体的・包括的に検討してみる機会、結果的にその営み自体を進化させる機会を提供することであると考えています。

　そもそも、原題にある「Corporate Learning」という言葉自体、多くの方々には耳慣れないものであろうと思います。本書では「企業内学習」あるいは「コーポレート・ラーニング」と訳出しましたが、まだ日本の企業社会において市民権を得ている言葉であるようには思えません。しかし、本書ではあえてその「企業内学習」という言葉を、タイトルに持ってきました。この言葉をタイトルに使うことに関しては、熟考しました。皆様がもっと普通に使っている言葉——たとえば「人材育成」「能力開発」など——を使ったほうが、より多くの方々にこの本を手にとっていただくことができるのではないかとも考えました。

しかし、そうすることは、日本語版を世に問う、そのことそのものの意味を損なってしまう、と考えたのです。むしろ、この「企業内学習（Corporate Learning）」という言葉やそのコンセプトを真ん中に置くからこそ、読者の皆様に自らの営みを見つめ直すきっかけを提供できる、と思っています。

　日本企業の多くは、「人材育成」、まさに「人を育てる」ということは自分たちにとってきわめて大切なことなのだ、と言います。「育った人材」がやがて価値のある仕事をしてくれるであろう、という期待を持って、長期的に取り組んでいくのだ、そういった姿勢を持つ企業は少なくありません。

　しかし、残念ながら、いっぽうで日本の多くの企業が、人材育成の機能不全を訴えています。課題認識はさまざまですが、人材育成がどのような成果を生んでいるかが見えないと感じておられる方は多いようです。いったい何が問題なのでしょうか。そもそも、人材育成の「目的」とは、何でしょうか。

　企業経営という観点にたったとき、「人を育てる」ということは、とても大切ではありますが、一つの「手段」です。ビジネスの成果という目的につながってこそ意味を持つのであり、ただ「人が育つ」だけで終わってはいけないのです。変転する環境の中で、どのように「業績を持続的に向上させるか」を念頭におき、その目標に向けて行動を変革し、その行動を持続させ、必要な知識や文化を組織として獲得し活用していかなければなりません。それが「企業内学習（Corporate Learning）」の考え方なのです。いわゆる「人材育成」にとどまらない高度な経営的・戦略的視点を伴うものであり、そこに従来の人材育成が直面してきた壁を突破する可能性があると感じています。

　今日、世界で優れた業績をあげている企業が次々に、こうした「企業内学習」に取り組み始めています。その背景にある問題意識は必ずしも日本企業と異なるものではありません。私はこの本を読んだことで、「今日本で起こっていることも、世界の経済社会の大きな流れの中で起こっていることの一つの事象として説明できる部分がほとんどである」「その大きな

流れを認識することを通じてしか、本当の解を導くことはできない」と確信するようになりました。

　ベンハー教授は、ベルリンのダイムラー・クライスラー・サービス社で最高学習責任者（Chief Learning Officer）、ロンドンのBPグループで「リーダーシップ開発と学習」部門バイス・プレジデントを務めるなど、企業内学習領域の幹部として20年の経験を持っています。IMDに参画後は、リーダーシップ、タレント・マネジメント、コーポレート・ラーニング領域での研究と教育に強い情熱を持って取り組んでいます。IMDのCLO円卓会議（CLO Roundtable）の議長として、世界各国の有力企業の学習責任者に議論と研鑽の場を提供しているほか、OLA（Organizational Learning in Action）という名の5日間の公開短期プログラムのディレクターとして、スイス・ローザンヌとシンガポールで、企業の学習・組織開発・人材育成のリーダーに対する教育を行っています。

　そして、主に欧州や米国に本拠を置き、世界的に事業を展開するさまざまな企業とのコラボレーションにも積極的に取り組んでおり、この本にはそれらの企業の先進事例もふんだんに紹介されています。

　世界の経済社会の大きな流れの中で、それらの企業がどのように学習への取り組みを進化させてきたか。「企業内学習」を、どのような範囲と枠組みで考えるべきなのか。それは従来の人材育成や能力開発という取り組みとどのように重なり、どのように異なるのか。真に業績の向上に資する「企業内学習」を持続的に行っていくためには、何をしなければならないのか。

　この本を通じて、皆様にそういったことをじっくり考える機会、あるいは、ご同僚と話し合う機会がご提供できるのであれば、嬉しく思います。

　感謝をこめて

IMD日本代表　高津尚志

目次

日本の読者の皆様へ——訳者によるまえがき……3

序章　過去の軛(くびき)……13
　爆発しそこなったビッグバン……16
　歴史から学ぶ2つの教訓……20
　本書の構成……22

第1章　企業内学習戦略の策定……27
構成要素を整合させ、一貫性とインパクトを生み出す

ラーニング戦略を練り上げる……28
ミッションに信任を与える……30
　■ ミッションを特定する……31
　■ ミッションを言葉で表現する……33
スコープ（活動領域）を定める……35
　■ 誰にサービスを提供すべきか？——ターゲットとなる集団の特定……36
　■ 何をすべきか——学習の成果を特定する……38
　■ どのように事を進めるか——グローバルな環境におけるラーニング部門の役割……39
ラーニング部門のポジショニング（位置付け）……43
　■ 取締役会直属の組織……44
　■ HR直属の組織……45
　■ 他の中心的部門に所属する組織……46
運営モデルを選択する……47
　■ どのようにして企業に価値をもたらすか……48
　■ 機能主義の偉大さ……50
ポートフォリオを構築する……55
　■ ポートフォリオにおいて何を優先すべきか……56
　■ ポートフォリオをどのように作成すべきか……56
　■ ポートフォリオをどのように提示すべきか……58
まとめ……59

第2章 ラーニング・ソリューションの開発……63
ラーニングの目標とメソッドをリンクさせる

4つの隠れた脅威……64
- メソッド／ツールと目標の混同……64
- 「行動の変化」と「学習の応用」への無関心……66
- 持続力促進への無関心……68
- コンテクスト（学習環境）への配慮不足……69

整合性を確保する……70

注文管理……71

企画案策定……76

商品開発……82

まとめ……88

第3章 ラーニング・ソリューションの提供……91
テクノロジーとペダゴジー（教育手法）

なぜ学習提供をとりまく状況は変化しているのか？……92
- ますます分散化・多様化する人材……93
- 人材の世代交代……94
- 仕事の性質の変化……95
- 不況が生み出すイノベーション……95
- 手軽で安価なテクノロジーの普及……96

来たるべき変化……97

eラーニングからmラーニングへ……98

進化と革命……102

ペダゴジーへの意識の重要性……104
- 協働学習……104
- インフォーマル学習……107
- 自己主導型学習……109

[ケーススタディ] イギリスの石油会社BPの安全管理プログラム……110

ペダゴジーによってテクノロジーを最大限に活かす……112
- 質問① どのメソッド／ツールがベストか？……112
- 質問② どのように学習メソッドをブレンドすれば最大化できるか？……115

- 質問③ どうすれば従業員がラーニングに積極的に取り組むようになるか？……117
- まとめ……121

第4章 学習のリソーシング……123
人材の重要性

企業内学習の提供上の課題の変化……125
- 知識獲得から業績向上へ……126
- 「ビジネスと足並みを揃える」から「ビジネスの利益創出を支援する」へ……127
- 「テクノロジー主導」から「テクノロジー活用」へ……128

リソーシングの課題に取り組む……128

鍵となるスキル……130
- ビジネス感覚……131
- 戦略企画……131
- データ分析・編集・報告……132
- パフォーマンス・コンサルティング……133
- 行動変化……133
- 学習の提供……134
- プロセス管理……135
- コンテンツ管理……135
- ベンダー管理……136
- テクノロジースキル……136

主な役割と各スキルの関連性……137
- CLO（最高学習責任者）……138
- CLOのキャリア・パス……140
- その他の役割と各スキルの関連性……141
- 学習マネジャー……142
- 学習設計者……142
- 学習指導者……143
- 学習管理者……144
- 新たに加わった役割……144

リソーシングの際に考慮すべき重要事項……147
- 人材を育てるか？　それとも金で買うか？……147
- HRとの関係……150
- 地域格差や文化格差……151
- 外注か内製か……151

アウトソーシングの実情……152
- どんな企業がアウトソーシングを行っているのか？……153

- ■ どんな業務を外部委託しているのか？………153
- ■ なぜアウトソーシングを行うのか？　その潜在的なメリットは何か？………154
- ■ なぜアウトソーシングを行わないのか？　その潜在的なリスクは何か？………156
- ■ どうすればうまくいくのか？………158
- ■ 契約条件を明確にする………158
- ■ サプライヤーの選択の質を高める………158
- ■ 選択の正しさを検証する………159
- ■ サプライヤー管理に競争原理を取り入れる………159
- ■ 閉鎖的なシステムに陥ることを避ける………160
- ■ サプライヤーが自社に順応できるように支援する………160
- ■ アウトソーシング後の変化に備える………161
- ■ ベンダー管理能力の開発に投資する………161
- ■ サプライヤーとのコミュニケーションを高める………162
- ■ 出口戦略を用意する………162

まとめ………163

［ケーススタディ］キャップジェミニ・ユニバーシティ
高品質な学習活動を促進するシステム………164

第5章 企業内学習の価値の実証………169
「評価」という難問への解答

現在どのような評価が行われているのか？………171

なぜ形成的評価がほとんど行われていないのか？………172

新たな一歩を踏み出す………174
- ■ 学習評価の歴史を（手短に）振り返る………174
- ■ カークパトリックの業績………174
- ■ 問題点① 過度の単純化………176
- ■ 問題点② 学習イベントの満足度は必ずしも学習にはつながらない………176
- ■ 問題点③ ROI (return on investment、投資に対する見返り) への執着………178
- ■ 実態は見かけほど簡単ではない………180

行動への指針………182
- ■ 原則① インパクトの測定に全力を注ぐ………183
- ■ 原則② 評価項目について事前にビジネスサイドと申し合わせておく………184
- ■ 原則③ ビジネス目標に直結した評価指標を用いる………186
- ■ 原則④ シンプルな手法を心がけ、できれば既存の評価指標を利用する………187
- ■ 原則⑤ データの使い方について前もって計画を立てておく………188
- ■ 原則⑥ 評価活動の主導権を握り、かつ作業を分担する………189

企業内学習の報告を行う………191
- ■ 大量のデータに翻弄されないようにする………191

- 定期的な報告システムを確立する………192
- 目的や相手に合わせて報告方法を変える………193
- 必要な情報のみを報告する………194
- データの背景について説明する………194
- 目標を常に意識する………194
- 「データ報告産業」を生み出さないようにする………195
- プレゼンテーションを大切にする………195

まとめ………198

[ケーススタディ] ディズニー・ABCテレビジョン・グループの
マーケティングと指標基準………199

第6章 企業内学習のブランディング………203
人々の意欲と関与を引き出す方法

ブランドとは何か？ なぜそれが重要なのか？………204

ラーニング部門はブランディングをどのように利用しているか………206

ブランドを構成する要素………208
- 戦略………209
- 商品（ラーニング・ソリューション）………210
- ルックス（見た目）………210
- ネーミング………211
- 立地や施設………213
- 行動様式………215

ラーニング部門のブランドを開発する………218
- ステップ① 学習のもたらす付加価値を見極める………218
- ステップ② 顧客グループを特定する………219
- ステップ③ 周りからどう見られているかを見極める………219
- ステップ④ 理想的なイメージを特定する………220
- ステップ⑤ 部門全体をブランドイメージに同調させる………220
- ステップ⑥ ブランディングの素材をテストする………221
- ステップ⑦ 「エンゲージメント計画」を作り上げる………222
- ステップ⑧ 「ブランドプロミス」を果たす………223
- ステップ⑨ 望ましい行動様式を維持する………224
- ステップ⑩ ブランドの動向を監視し、微調整を行う………224

まとめ………226

[ケーススタディ] ナイキのラーニングのブランド戦略………227

第7章 企業内学習のガバナンス……233
よりよい監視とアカウンタビリティの実現を目指して

良好なガバナンスの効用……234

良好なガバナンスに向けた課題……238

ガバナンスを実行する……240

ガバナンス組織を作り上げる……242

ガバナンス委員会の役割……244
- 戦略……245
- 計画……245
- 財務管理……246
- 運営支援……246
- リスクマネジメント……247
- 監視……247

ガバナンス委員会を機能させる……248

まとめ……251

[ケーススタディ] ノバルティスの良好なガバナンス……251

終章　未来への展望……255
学習にとって最適な環境を作り出す

我々は何を目指すべきか……257
- 機能主義を重視する……258
- アカデミックな学習観から脱却する……259
- ビジネスサイドと適切な距離を保つ……260
- 競争原理を取り入れる……261
- 会社に働きかけ、ラーニングへの責任を認識させる……262

ティッピングポイント……263

謝辞……268

参考文献……272

序章

過去の軛(くびき)

　物語の書き出しと言えばお決まりなのが「昔々――」という言い回しである（少なくともたいていのヨーロッパ言語ではそう言える）。オープニングとしては悪くない表現だ。だが本書の書き出しを考えているうちに、この言い回しを使うわけにはいかないことに気付いた。なぜなら「昔々――」というオープニングには「それから彼らはいつまでも幸せに暮らしましたとさ」というエンディングが付き物だからである。そして率直に言って、企業内学習がいつまでも幸せな状態を維持できるかどうかは未知数なのだ。

　本書のテーマは企業内学習（コーポレート・ラーニング）であり、企業内学習を成功させるために企業が何をすべきかである。多くの物語と同様に、それは欲望と不満の物語であり、よき意図とちぐはぐな行動の物語だと言える。これが悲劇に終わるかどうかは現時点では不明だが、物語がある危機から始まっていることは間違いない。実際、私がこの物語をなんとしても語らねばならないと考えた理由は、この危機にあるのだ。

　2004年に大々的に報じられたある調査によると、自社のラーニング部門の業績に「非常に満足している」ビジネスリーダーは、全体のわずか17%だったという[1]。それからというもの、こうした現状を是正する方法を説いた本や記事、意見が大量に出回るようになった。だが状況は大して変わっていないらしい。なぜなら2012年の初めに行われた別の調査によって、過半

数のラインマネジャーがラーニング部門を廃止しても従業員の業績に変化はないだろうと考えていることが判明したからだ。これは非常に由々しき事態である。「たかが1つの調査じゃないか」と片づけることができればいいのだが、そうはいかない。実際のところ、過去10年間のあらゆる調査を通じて、自社のラーニング部門の業績に満足しているビジネスリーダーの割合は、20％前後にとどまったままなのだ[2]。

　世界トップレベルの学習リーダーやビジネスリーダーと一緒に仕事をする中で、私はこうした不満を日常的に感じ取っている。学習リーダーのフラストレーションは尽きることがない。ラーニング部門の予算は真っ先に削られるのが常である。彼らはこの部門が会社にとって戦略的に欠かせない存在であることを証明するためにもがいている。それでも、ラーニング部門は社内において常に再編成・再配置の対象であり続けている。こうしたシナリオ自体がすでに不安材料と言えるが、事態はさらに深刻である。予算削減のプレッシャーや教育的介入の有効性に関する懸念のあおりを受けて、学習の価値やインパクトを証明する必要性が急速に高まってきているのだ[3]。実際、昨今の学習リーダーにとって**一番**の課題は学習の価値を実証することだという[4]。こういうわけで、旧態依然でインパクトのない学習制度は、突如として世間の厳しい目にさらされることになったのである。今すぐに何らかの変化をすばやく起こす必要がある。なぜなら、過去10年にわたって、ラーニング業務という我々の仕事は概して物足りない結果に終わっているのが現実だからだ。そしてかつてないほどこの仕事に注目が集まっている現状を踏まえると、このまま成果を出せない場合、我々は残り少ない信頼をすべて失ってしまう恐れがあるからである。

　私をこの本の執筆に駆り立てたのはこうした懸念だ。そして私が最も懸念しているのは、ラーニング業務という仕事の地位の低さ自体ではなく、それに関連する2つの問題である。1つは著しい量の努力や活動にもかかわらず、我々の地位がいっこうに改善されないという事実だ。過去10年の間にラーニング・ソリューションの実践手法に数々の大きな変化が生じ、何らかの発展が起こりつつあることは間違いない。実際、論文集のページは画期的で魅力に満ちた、見たところ秀逸なラーニング・ソリューションのケース

タディで溢れている。しかし、私が興味を抱き、かつ大きな懸念を感じているのは、こうした活動とは裏腹に、進歩が起きたようには見えない点である。変化や発展がまったく生じなかったというわけではない——ただ、それらは正しい変化や十分な変化ではなかったのだ。我々は単に何かを変えるだけではなく、従来の手法よりも格段に優れた、真に画期的なラーニング・ソリューションを模索する必要がある。

2つめの懸念は、今日の学習リーダーたちが、自らの業務の価値を実証することを一番の課題と考えているという調査結果に関連したものである。この点について、私は彼らと不安を共有している——ラーニング業務の価値を示すことが課題の一つであることは確かだ。これに関しては本書で後ほど詳しく考察する。しかし、こうしたテーマを「一番の」課題としていることに対して、私は違和感を覚えている。この調査結果は、ラーニング業務に携わる人々の中に潜んでいる思い込み——「現在我々が行っていることに落ち度はない」「我々はすでに付加価値を提供している」「ビジネスリーダーの満足度は相変わらず低いが、これはある種の不当評価である」——を暴き出しているのではないか。これでは我々が直面している問題は、我々の仕事の中身自体にあるのではなく、アピールの仕方や政治的な主導権争いといった表面的な事柄に所在するに過ぎないことになってしまう。

私はこうした考え方には大反対である。私は、ラーニング業務には付加価値をもたらす能力があり、多くの場合それを実行できていることは確かだと考えている。実際に企業にインパクトを与えた仕事を何度も見てきたし、私自身取り組んできた。しかし、ラーニング業務という仕事の地位の低さはアピールの仕方だけの問題ではない。現在のラーニング業務には何らかの欠点があるのだ。欠点は、単にアピールの仕方や社内での政治的な地位を変えるだけで是正できるものではない。

このように我々は大きな危機に直面している。しかし、悲観的な要素ばかりというわけではない。本書は希望から生まれた本でもある。なぜなら、従業員のスキルが不足し、競争優位が次第に失われるにつれて、企業は内部に視線を向けざるを得なくなり、その結果、ラーニング部門のリーダーがかつてないほどの注目を浴びるようになったからだ。我々は大きな期待を背負う

のと同時に、問題を解決する舞台やチャンスを手にすることになった。実際、ある劇的な変化がすでに生じている——企業のラーニング部門は、従来の受け身の機能から「自ら課題を設定し価値を生み出していく主体」へ変身しようとしているのだ[5]。この変身が成功するかどうかは、これからにかかっている。

　私は本書で、ラーニング部門がこうした変身に成功し、社内の重要な戦略的議論のメンバーになるためには何が必要かを提示したい。この本は、ラーニング・プロフェッショナルとしての私自身の経験や、他者の観察を通じた学び、そして世界中のラーニング・プロフェッショナルとの対話の集大成である。それはまたラーニング部門が何をどう変えていけばいいのか、（そして何よりも）過去10年間のラーニング業務の変化はなぜ目に見える持続的な改善をもたらさなかったのか、といった質問への私の回答でもある。まず、この最後の質問を取り上げ、ある大提案（ビッグ・アイデア）——企業内学習の根本的な改革法として人々を魅了したが、結局は失敗に終わったもの——について考察しよう。

爆発しそこなったビッグバン

　第二次世界大戦の直後の数年間は、経済的には困窮していたが、理論家や研究者にとってはまさに急成長の時代だった。終戦直後に生まれた多くの理論の一つがシステム理論である。システム理論にはある壮大な目的があった。それは、全科学分野のあらゆるシステムの振る舞いを説明できる一般原則を突き止めることである。戦後、こうした思考から派生した分野の一つにサイバネティックスがある。生物や機械が情報をどう処理し、その情報にどう反応し、結果としてどのような変化を遂げるかについて研究する学問である。1950〜1960年代にかけて、これらの理論に触発された人々が、それを企業組織に応用し始めた。企業がシステムとしてより効果的に機能するように促すことがその目的だった。

　こうした運動のリーダー格の一人がドナルド・ショーンだ。彼の著書『Beyond the Stable State』は非常に大きな影響力を持った。1973年に出版

されたこの書籍は、一つの思想を世に広めた。それは、変化の激しい現代世界においては、刻々と変化する要請に応えることのできる柔軟なシステムでなければ効果を発揮できないという考え方である。ショーンによれば、こうした柔軟性や適応能力の鍵を握るのは「組織学習（オーガニゼーショナル・ラーニング）」だという。つまり、成功を収めるためには、企業は「学習する組織（ラーニング・オーガニゼーション）」になる必要があるのだ。

　その後の10年にわたって、ショーンはクリス・アージリスと組んで組織学習を実現させる方法を模索していった。しかし、組織学習の真の体現者であり、この言葉を聞いて真っ先に思い浮かぶ人物と言えば、ピーター・センゲである。1990年、センゲは『学習する組織——システム思考で未来を創造する』（枝廣淳子、小田理一郎、中小路佳代子訳、英治出版、2011年）という画期的な著作を発表した。同書において、彼は学習の5つの条件を提示している。

1. メンタル・モデル（人々が物事を解釈し、思考を構築する方法に対する理解）
2. チーム学習（効果的なチーム学習の可能性）
3. 共有ビジョン（組織の行方に関する共有ビジョンを構築する能力）
4. 自己マスタリー（組織内の個人が自己認識を深め、自己を高めていること）
5. システム思考（問題をホリスティックにとらえ、体系的に思考し、システムのあらゆる要素の間の関連性を理解する能力）

　センゲによれば、これらの5つの条件が揃って初めて効果的な組織学習が可能になるのだという。その結果、いわゆる「生成的学習」がもたらされる。この学習法によって、組織は単に環境に適応するだけでなく、将来を見越して変革を行うことができるようになるというのである。

　ショーン、アージリス、センゲが共に作り上げた大提案とは、「学習する組織」という理想的な状態だった。彼らはあらゆる企業はこの理想に向かって努力すべきだと考えていた。これは、組織そのものが絶えず学び続け、意図的に自分自身を変革している状態である。「学習する組織」においては、学習こそが競争優位を維持する上で欠かせない能力だったのである。

　これらがいかに過激な考え方であるかを理解しなければならない。従来の

見方では、学習とは、所定の成果（具体的な技術や知識の獲得など）を得ることを目標として、公式なプログラムという形で計画・提供されるものであった。だが新たな世界観では、学習は自発的・継続的なプロセスと化し、日々の活動の一部と見なされるようになったのである。その目標は学習のプロセス自体を促進することであって、特定の成果を挙げることではなかった。それは思慮深いアイデアであり、（民主的でオープンな共同作業を重視しているという点で）学習のみならず、企業という組織全体へのまったく新しいアプローチを約束するもののように見えた。ショーンとセンゲは自身を実務的な理想主義者と見なしており、常に理論家というよりも実践者としての姿勢を取っていた。だがそれにもかかわらず、彼らは企業世界の変革は可能であるという十字軍めいた信仰を抱いていたのである。

　1990年代初めには、アメリカ全土において「学習する組織」こそが望ましい状態であると考えられるようになった。新たな世界観に基づくこの概念はさざ波のように広がっていき、行く先々でさらなる議論やアイデアを生んでいった。こうした議論の多くは、たとえば個人が学習した内容を企業の役に立つような一般的な知識形態にまとめ上げる方法といった実用的なものだった。こうした方向性から1990年代の初めに台頭してきたのがナレッジ・マネジメント（知識管理）という概念である。それまでほとんど使われていなかったこの言葉は、1990年代の後半にはすっかりおなじみの用語になっていた。その背景には、組織学習を確実に行い、知的資本やイノベーションを強化・促進するための努力の一環として、企業が知識の生成・保持・伝達方法に重点を置くようになったという事実がある。本社HR部門やグループ戦略部の中にナレッジ・マネジメント部門を新たに設けた企業まであった。

　しかし、これほどの優位性を誇っていたにもかかわらず、この革命は行き詰まった。「学習する組織」の時代はついにやって来ることはなかったのである。確かに理想の一端を実現した企業のケーススタディはいくらでもあった。だが全般的に見れば、企業内学習という分野に変化は起こらなかった。少なくともそれは十分な変化ではなかったのだ。期待とは裏腹に、「学習する組織」の考え方を実践的に応用する例は限られていた。もちろん、まった

くインパクトがなかったわけではない。この時期に生まれた概念の多くは、今日の企業内学習に対する理解やアプローチを支える基盤になっている。企業が生き残り、成功を収め、競争優位を維持する上で鍵となる要素の一つが学習であることは、相変わらず誰もが認めるところだ。個別学習と組織学習の区別は依然として極めて重要である。両者を結び付ける方法を模索することも重要な課題であり続けている。また、学習と風土変革プロジェクトの融合が増えていることから分かるように、体系的なアプローチの重要性も以前とまったく変わっていない。

しかし、鳴り物入りで登場した「学習する組織」という概念は、結局のところ企業内学習を変革することはできなかった。我々が最も関心を寄せているのはこの失敗の理由である。主な理由は3つある。

第一に、「学習する組織」のコンセプトは、概して実際の運営のシステムやプロセス、慣習の中では実現不可能なものだった——それは容易に実行できるメカニズムに欠けていたのだ。システム思考をこれほど重んじてきた手法が、企業世界のシステムにおいて自らのコンセプトを体現できず、現実から遊離した空疎な理想論にとどまっていたのは皮肉な話である。

第二に、「学習する組織」というアプローチは、あくまで成果ではなく学習プロセス自体に重点を置いていたため、その目標を組織の優先事項や戦略に明確につなげるのが難しかった。短期的業績や経費削減、リストラがもっぱら重視されていた時代において、これは致命的な欠陥であった。

第三に、「学習する組織」のロジックの方向性と、現実の政治・経済環境の方向性はまったくバラバラだった。冷戦が終結し、国際的な貿易障壁が緩和されるとともに、企業活動および企業内学習において、グローバル化が最優先事項となった。企業内大学（コーポレート・ユニバーシティ）が世界中の企業に生まれ、議論の焦点は調整や標準化へと移った。これらの傾向自体は、元来「学習する組織」の理想に反するものではない。しかし、これを契機にして生まれた、学習を中央で調整するユニットの活動は、そうした理想とは程遠いものだった。この新しいユニットは業務プロセスに組み込まれ、トップレベルの意思決定機関と密接に結び付いていた。そして理想的なケースにおいては、企業の戦略的な優先事項をはっきりと支持するために存在して

いたのである。こうしたユニットは、「学習する組織」の理想とはかけ離れた、現代的な企業内ラーニング部門の台頭を告げるものだった。

「学習する組織」の理想に根本的な間違いがあったわけではない。だがそれは当時の環境において意味をなさないものだった。また、こうした理想は十分な基盤を持っていなかったため、学習リーダーたちはそれをどのように推進すればいいのか分からなかったのである。この先、「学習する組織」というコンセプトが再び注目されることがあるかもしれない。だが今はその時代ではない。なぜなら、当時の課題の多くが今なお存在しているからだ。

歴史から学ぶ2つの教訓

　こうした失敗例から学べるのは、企業内学習がもたらすべき改革や、現在の窮状を救うための解決策は、今日の企業の実情に即したものでなければならないという教訓である。真の変化をもたらすためには、まず周りの環境との調和を図る必要があるのだ。

　では、調和を図るべき環境とは一体どのようなものだろうか？　当然ながら我々を取り巻く環境は千差万別である。しかしある種のトレンドは確かに存在する。まず、結果重視の風潮が高まっており、数値指標に従って企業の意思決定を行うことが増えている。また、優秀な人材（タレント）の需要が増加し、供給が減少するにつれて、人材不足はますます深刻になりつつある。2020年には、インドが世界で唯一の人材純輸出国になると予想されているほどだ。企業が従業員の能力の発見と開発への努力を倍加するにつれて、「人材情報（タレント・インテリジェンス）」「人材分析（タレント・アナリティクス）」といった言葉がよく聞かれるようになった。贅肉をそぎ落としたマトリックス組織は、もはや当たり前の存在になっている。さらに組織がスリム化、マトリックス化、フラット化するにつれて、中間管理職層が圧迫され、その結果、マネジャーのストレスの度合いは高まり、部下の管理に割く時間は減ってきている。製品ライフサイクルはどんどん短くなっている。そして今や「戦略的整合性（ストラテジック・アラインメント）」という言葉を耳にしない日はない。テクノロジーが我々の働き方や学び方を変えていく一方で、我々もまた日々変わり続

けている——すなわち、働き方や職業観におけるジェネレーションギャップが顕在化しつつある。

　我々はこうした世界に生きている。この世界において我々は企業内学習のインパクトを高めるべく変革を行い、付加価値をもたらさなければならないのである。したがって、企業内学習が直面している危機への解決策は、企業内学習の業務そのものにまつわる課題だけでなく、そもそも企業自体が抱えている外的な課題にも対応したものでなければならない。ハードルは高く、それを乗り越えるのは容易ではない。なぜなら、「学習する組織」の提唱者たちと同様に、我々はある種の足かせをはめられているからだ。すべてのことと同様に、企業内学習もまた、過去の軛(くびき)を負っている。過去に由来する暗黙の前提やアイデア、コンセプト——現代には必ずしもマッチしないもの——にとらわれているのである。こうした思い込みや慣習は企業内学習に関する我々と企業内の他者のものの見方——企業内学習の役割とは何か、その役割をどう果たすべきか——にも影響を与えている。

　たとえば、「学習」という言葉そのものについて考えてみよう。この言葉は「学習とは知識の蓄積、もしくはスキルの習得である」という伝統的でアカデミックな学習観を連想させる。これは一見妥当な定義に見える。だがそこには、企業に価値を与える要素——つまり、知識やスキルの「応用」——が欠けている。したがって、本書で後述するように、企業内学習が目指しているものはいわゆる「学習」ではないし、そうあってはならない。むしろ行動の変化や業績の向上であるべきだ。知識やスキルの習得ももちろん重要である。だがそれは企業内学習の最終目的ではないし、そのテーマでもない。

　このように、我々は過去の軛にとらわれ、自らの任務を表す「学習」という言葉自体についても問題を抱えている。この窮状から脱出するために企業内学習が取り組むべき課題は、時代にマッチし、環境に即した解決法を生み出すことだけではない。実践的で簡単に適用できるアプローチを生み出すだけではまだ足りないのだ。もう1つの課題は、我々がいかに過去の前例に惑わされ、偏見を持つ傾向があるかについて理解し、より客観的でフレッシュな視野を手に入れることである。新たな一歩を踏み出すためには、過去のしがらみを断ち切る必要があるのだ。

本書の構成

　ここに我々にとっての試金石がある。我々は学習のプロフェッショナルとして、本書で提示するさまざまな解決策を、こうした見方に従って検証する必要がある——すなわち、それらの解決策は、環境に即した、簡単に適用できるものでなければならない。また、歴史に基づく偏見をできるだけ排したものでなければならない。これ以降の章では、企業内学習を構成する7つの重要な要素（図0.1）を取り上げる。また、それらに伴う課題を検証し、長年の間にラーニング業務がいかに変わったか（あるいは変わらなかったか）を考察しながら、現在直面している危機への対応策を提言していく。

　第1章のテーマは企業内学習の戦略的整合性である。この章では、明確な戦略を持ち、企業の中心に位置し、企業に真の価値をもたらすことのできるラーニング部門の作り方にスポットを当てる。第2章ではラーニング・ソリューションの開発方法を採り上げ、続く第3章ではそうしたソリューションを最良の形で提供する方法を探る。とりわけ、テクノロジーの変化が学習に与えた影響については詳しく考察していく。第4章ではラーニング部門のリソーシング（資源調達）に注目し、学習のプロフェッショナルの役割がいかに変わりつつあるか、また、どのような変化がさらに必要であるかを検証していく。さらに、学習のリソースとして企業が利用できるさまざまな選択肢（アウトソーシングを含む）を検討したい。第5章では企業内学習の価値を示し、伝える方法を採り上げたい。評価という昔ながらの厄介な問題に取り組むつもりである。第6章では企業内学習のブランディングやポジショニング、第7章ではガバナンスを取り上げ、いったん軌道に乗った後、その状態をキープするためには何が必要かを考察していく。そして本書を締めくくる終章では、今後の道筋を提案したい。

　私は上記の7つの要素を1つずつ検討しながら、その「すべて」においてなぜ、そしてどのような変化の必要があるのかを示していこうと思う。率直に言って、こうした変化を遂げるのは極めて困難な任務である。本書が提示する改革の1つ1つは小さな進化に過ぎないが、それらをすべてまとめ

図 0.1　企業内学習の 7 つの要素

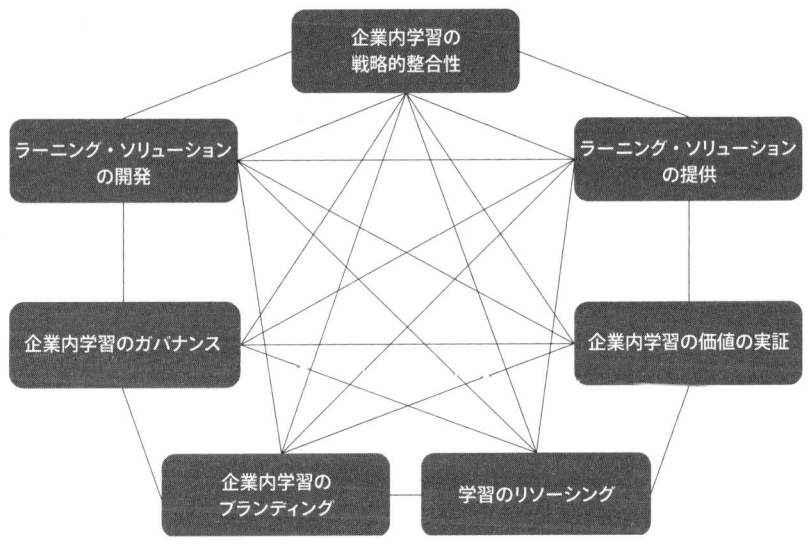

れば、まさに大革命になる。目的は、企業内学習の歴史を根本的に変えるようなティッピングポイント（転換点）を作り出すこと——そして企業内学習の立場を改善し、しかるべき戦略的地位の獲得を可能にすることである。

　私は一部の要素に関しては、何をどう変えるべきかといった詳細について確固たる見解を持っている。しかし、大部分は、学習リーダーのやるべきことをいちいち細かく指図するよりむしろ、彼らが直面するであろう重要な決断ポイントの地図を提示したい。私が決断ポイントに焦点を合わせたのは、ラーニング業務の具体的な進め方に関してある程度の経験則はあるものの、唯一絶対の方法は存在しないからだ。世界はあまりにも複雑であり、絶えず変化し続けている。学習リーダーたちに新たな模範解答を与えることには意味がない。それよりも、今後の展開に関するガイドラインを提供した方がずっと役に立つだろう。実際、学習リーダーとの仕事において私が最も多く耳にする言葉の一つは「一体どこから手を付けたらいいのか？」なのだ。

　では、次のような実例について考えてみよう。ある女性が多国籍企業の最高学習責任者（CLO）に就任することになった。彼女が真っ先にやった仕事

の一つは、自社のラーニング業務の概観図を描きだすことだった（図0.2を参照のこと）。

　この複雑なスパゲッティの塊を目の当たりにして、彼女がすっかり青ざめたのも無理はない。この塊を解きほぐすのが簡単ではないことは本人も承知だった。当然ながらこうした作業は、寸断された技術インフラや政治的問題によって、ますます困難なものになっていた——企業内学習はどうあるべきか、何をやればいいのか、誰がやるべきかについて、対立するさまざまな見解が複雑に交錯していたのである。実際、この事例では彼女の試みは最終的に失敗に終わっている。ラーニング部門の使命と権限に関して幹部レベルでの合意が基本的に欠けていたことが障壁となったのだった。

　我々の前には複雑な難題が待ち受けている。上記の事例だけではなく、過去10年間にほとんど進展が見られなかったという事実もまた、問題の複雑さを裏付けている。しかし、我々はなんとか前進する方法を見つけ出さなければならない。大げさに聞こえるかもしれないが、企業内学習の未来はその一点にかかっている。長い間、我々はぬるま湯に浸かってきた。そのおかげで低い支持率にもかかわらず、業務を継続することができたのだ（不景気の折にはリストラや予算削減が行われることもあったが）。だが、ラーニング業務のアウトソーシングの増加が示すように、蜜月の時期はとうに終わってしまった。我々がビジネスサイドの望むような成果を出せない場合、彼らはそうした成果を出せる別の相手（あるいは少なくとも成果を出せると約束してくれる別のプロバイダー）を見つけ出すだろう。

　もし我々が失敗すれば、もしラーニング業務を機能させることができなければ、我々が仕事を失うだけではなく、企業内学習という試み自体が無意味なものと見なされてしまう。それは単なる作業——本当に価値を生み出せるとは思えないが、やらないよりはましだろう、という作業——になってしまうのだ。実際、すでにそうなっている企業は多い。ビジネスリーダーは企業内学習の成果に不満を感じる一方で、相変わらず学習時間と企業の業績が直結すると信じているように見える[6]。彼らは企業内学習の実態に失望しつつも、いまだにその理論を信奉しているのである。我々はこうした信頼が消え去る前になんとか手を打たなければならない。

図 0.2 ある多国籍企業のラーニング業務の概観図

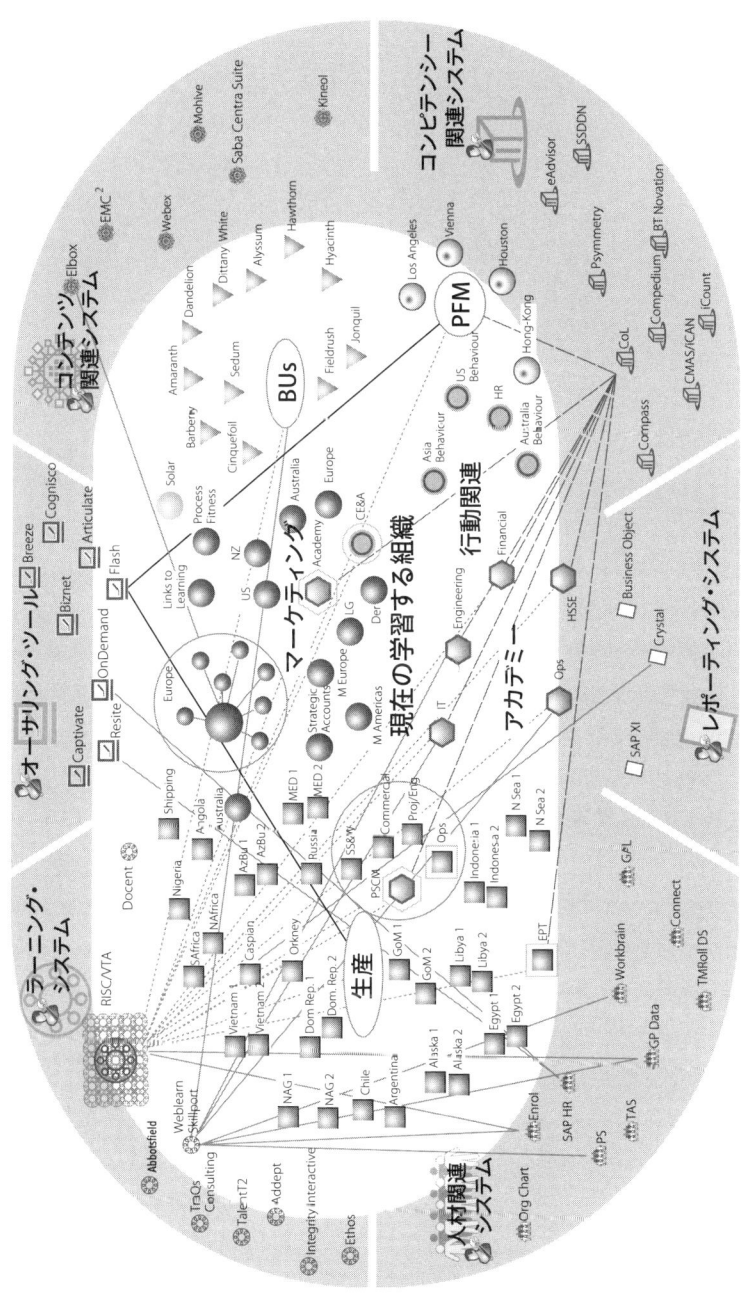

序章　過去の軛 | 25

第1章

企業内学習戦略の策定
構成要素を整合させ、一貫性とインパクトを生み出す

　1975年の大ヒット映画「ジョーズ」の中で、主演俳優のロイ・シャイダーは標的であるホオジロザメの巨体を見てこうつぶやく――「この船じゃ小さすぎる。大型船が要る」。最近ではこの台詞は解決不可能と思われる状況に出くわしたときの決まり文句になっている。序章で紹介した最高学習責任者（CLO）が、スパゲッティの塊のような概観図を初めて見たとき、実際に何とつぶやいたかは分からない。しかし、私の頭の中に浮かんだのは、このシャイダーの台詞だった。少なくとも、彼女はそうつぶやいてしかるべきである。

　誰もがこれほど複雑なスパゲッティの塊を抱えているわけではない。だが、企業のラーニング部門の大半は、似たような状況に直面しているだろう。それぞれの企業に特有の構造的・政治的・財政的なもつれを解いていかなければならないのだ。本章はそうしたもつれをうまく解き、どんなに複雑な環境の中でもシンプルさと明確さを生み出す方法をテーマにしている。この章の目的は、複雑きわまる状況を切りひらくためのツールを開発すること――すなわち大型船を造り出すことである。

　学習のプロフェッショナルが必要とする基本ツールは戦略的計画だ。ラーニング部門を新たに立ち上げるのであれ、再編・拡張するのであれ、戦略は不可欠である。しかもそれは優れたものでなければならない。優れたラーニ

ング戦略の決め手は何かと聞かれたとき、私はいつもこう答えている——「整合性、整合性、整合性だ」。人々がこの言葉を聞いて真っ先に思い浮かべるのはラーニング戦略と企業戦略の整合性の大切さだろう。これはある意味当然である。あらゆる学術論文や雑誌記事やブログがこの重要テーマを取り上げ、企業にとって価値のある企業内学習を生み出すためには、それを企業の目標と合ったものにする必要があると主張している。こうした意見は、実践に落とし込むのはなかなかむずかしいが、今や誰もが認める基本原則になっている。

しかし、私の言う「整合性」とは通常、上記のような意味ではない。私が日頃から企業内学習の戦略とビジネスの目標との「整合性の重要性」を熱心に提唱していることは確かだ。しかし両者の整合性を大前提とした上で、私はむしろ「どのように」整合性を取るかという点に注目している。学習リーダーが、自分の戦略のあらゆる構成要素と上記の基本原則をどのように整合させていくのか——さらには、それぞれの構成要素を互いにどのように整合させ、一貫性やインパクトのある、的を絞った企業内学習戦略を作り出していくのか、といったことの方に興味があるのだ。なぜなら、異端と見なされるかもしれないが、明確な企業内学習の戦略に沿ってラーニング部門の構造やプロセスの整合性を取ることは、企業内学習の戦略とビジネスの目標との整合性を取ることと同じくらい重要だと考えているからである。もしラーニング戦略とビジネスとが整合していなければ、やろうとしていることは価値のあるものとは見なされないだろう。だが、一定のラーニング戦略に沿ってラーニング部門内の整合性を取ることができなければ、あるいは、人々の信任を得た明確なラーニング戦略がなければ、ほとんど仕事らしい仕事はできなくなってしまうはずである。

ラーニング戦略を練り上げる

これからのページでは、「ラーニング戦略をどのように立案するか」「その戦略に沿ってラーニング部門をどのように整合させるか」についての地図を

示していきたい。その地図では我々が取り組むべき5つの主要な課題にスポットを当てている。そのどれもが重要な決断ポイントであり、我々はここでさまざまな選択を行い、課題(チャレンジ)を乗り切っていかなければならない(図1.1を参照)。この地図の狙いは、唯一の「正しい方法」を押し付けることではなく、「正しい質問」を提示し、それに答えてもらうことにある。戦略の策定法は、それだけでも1、2冊は本が書けてしまうような奥深いテーマである。したがって、本章の目的は一部の主要な課題を浮き彫りにすることにある。

この地図では、縦に3つの項目が並んでいる。「信任を伴うミッションの制定」「スコープの特定」「社内におけるラーニング部門のポジショニング」である。その両側には「ラーニング部門の運営モデル」と「サービスのポートフォリオの構築」という2つの要素が並ぶ。この2つは共にシステムの効果的な運営を促している。

図1.1　ラーニング部門の主要な5つの課題

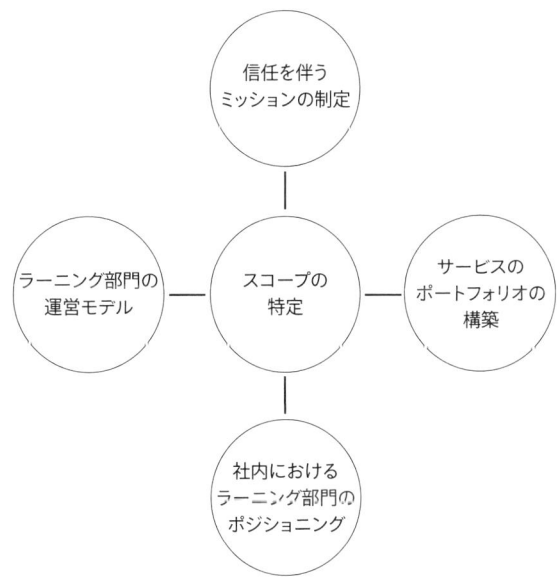

ミッションに信任を与える

　最初に直面するのは、ラーニング部門の核となる目的——そのミッションと信任に関する決断である。ここでは「ミッション」とは目的を指し、「信任」とはそれらの目的に対する支持の度合いを意味する。昔から——少なくとも1980年代から、企業や各部門の目的はミッション・ステートメントという形で明示されてきた。だがミッション・ステートメントは各方面で不評を招き、できあがったとたんに引き出しにしまい込まれ、二度と目を通すことのない、無意味な書類と見なされるのが常だった。私自身、まったく意味のないミッション・ステートメントを手渡され、それを一度も使わなかった経験は正直に言ってかなりある。とはいえ、ミッション・ステートメントという概念そのものに不備があるわけではない。単に、それらのミッション・ステートメントの実施・展開に問題があったのだ。

　残念ながら、学習リーダーの中にはこの悪評高い「ミッション・ステートメント」の作成を省略する者も出てきている。とりわけ、それを「うわべだけのもの」で時間の無駄だと見なしているような実用主義のビジネス環境ではそうなりがちである。実際、私が最近、スイスのビジネススクールIMDに集まった学習リーダーの一群に対して、自らの部門によく練られたミッションと明確な信任が存在するかどうか聞いてみたところ、驚くほど多くの人々——半数近く——がノーと答えた。私が一番言いたいのは——そしていくら強調してもし足りないのは、いわゆるミッション・ステートメントは、ラーニング部門の成功にとって絶対に欠かせない存在だということである。

　ミッション・ステートメントの作成という試みはまったく的外れだという議論もある。肝心なのは、ラーニング部門のメンバーや彼らを支える会社の経営陣が、強い信念や目的意識を持っているかどうかだ、というのである。確かに、書面による声明そのものは、決して情緒的な目的意識の代わりにはならない。どんなに立派なミッション・ステートメントを用意しても、当事者の思い入れがなければ大した成果にはつながらないだろう。しかし、だからといって、ミッション・ステートメントが不必要だというわけではないし、優れたミッション・ステートメントを持つことの効用がなくなるわけでもない。

優れたミッション・ステートメントは、ラーニング部門の存在を支える論理的根拠を示し、最も根本的な質問への答えを提供してくれる。この部門は何を期待されているのか？　社内においてどんな役割を担っているのか？　要するに、なぜこの部門は存在しているのか？　こうした問いに対して、説得力のあるはっきりした答えを出せることは重要である——それは単なる体裁の問題ではない。合意済みの目的がなければ、明確な信任を得てミッションを進めることはできない。そして信任が得られなければ、運営が行き詰まるのは時間の問題である。巨大なスパゲッティの塊を抱えていたあの多国籍企業のCLOはそれを身をもって学んだ。これは単純で当たり前のことに思えるかもしれない。しかし、私の経験によれば、信任されるミッション・ステートメントを作成することは決して簡単ではない。もしそれが簡単だと感じたのなら、おそらくやり方が間違っているのだ。

■ミッションを特定する

　ミッション・ステートメントの作成が難しいのは、次の3点での合意が必要だからだ。ラーニング部門の中核目的、その目的を達成するための小目標群、それらを言葉で表現する方法だ。最終目標は、2、3の短いセンテンスによって、分かりやすく、信頼性があり、社内全体からサポートを引き出せるようなミッション・ステートメントを作ることである。その文章は企業におけるラーニング部門の目的と達成すべき主要なミッションの両方がスッと頭に入ってくるようなものでなければならない。

　当然ながら「我々の存在理由は何か？」といった質問に答えるのは簡単ではない。簡単だったら哲学者はいらない。では、どこから手をつけたらいいのか？　出発点としてよく使われるのは、ラーニング部門を作ろうという当初の決意である。だが設立目的そのものは必ずしも明確ではないし、設立目的がはっきりしていることが不幸な場合もある。ラーニング部門設立の動機が「まわりの会社はみんなやっているから」という、単なる流行への追随に過ぎないケースも少なくない。設立目的はスタート地点としては悪くないかもしれないが、私の経験によれば、それは最適なゴール地点とは言えない。

ラーニング部門がこれまで存在してきた理由を考えることは確かに重要だ。しかし、ミッション・ステートメントにとって一番大切なのは、この部門がこれからも存在すべき理由を熟考することである。

　中核目的の一部が明文化されていない、あるいはされるべきではないケースもある。たとえば、上級幹部のみを対象としたラーニング部門は、主にCEOや役員たちが戦略的なメッセージを上級幹部層に伝えるためのフォーラムとして機能している。こうした内容は明文化しない方が得策かもしれない。同様に、既存の地域別・事業部門別の学習チームに加え、本社レベルにおいて企業内ラーニング部門が新設されるときは、コミュニケーションの重点は常に戦略的次元に置かれている。ここで重視されているのは、新たな本社の学習チームは、事業部門や地域の枠を超えた全社規模の目標を持つようになるという事実である。さらにもう一つ、あまり明文化されない目的がある。それは調整や調和、合理化を図りたいという願望である。実際、ミッション・ステートメント作成においては何を盛り込むべきかだけではなく、何を盛り込むべきではないかも重要であることが多いのだ。

　ミッション・ステートメントを作成する際には、主要な関係者(ステークホルダー)の協力を仰ぐ必要があり、そのおかげで作成のプロセスは困難なものになっている。しかし、ミッション・ステートメントから得られる価値の大部分はこうしたプロセスの中にある。そこでは、ラーニング部門の中核目的について対立した意見を持つ人々が出てくる可能性が高い。学習リーダーの役割は、これらの異なった意見を１つにまとめ上げることである。序章のスパゲッティの塊を抱えたCLOにとって、これこそが最大の課題だった――（直属の上司である）HRのトップや主要部門の責任者たちは、ラーニング部門に対してそれぞれ非常に異なった意見を持っており、CEOは彼らの間に入って問題を解決することには及び腰だったのだ。結局のところ、最後まで意見の一致は見られなかった。彼女は明確な目標も、ミッションを行使する権限もない状態で取り残されてしまったのである。この権限という要素こそが問題の核心である。ラーニング部門の中核目的や主要なミッションに関して、関係者からの明確な賛同がなければ、実際のところ我々は何の権限も行使することができない。ただ明確なミッションを持つだけでは足りない――企業全体にその

ミッションの正しさを認めさせる必要があるのだ。

■ **ミッションを言葉で表現する**

　ミッションを特定した後、それを適切な言葉で表現するのは、思いのほか難しいものである。人々を鼓舞(インスパイア)するような言葉を選ぶ一方で、大げさで説得力に欠けた表現は慎まなければならない。「力を与える（empowering）」「活性化する（energising）」「最大化する（maximising）」といった、使い古された流行語をついつい取り入れてしまう人もいるだろう。しかし、いくら巧みな言葉でうわべを飾ろうが、内容の乏しさを埋め合わせることは不可能だ。

　明確さもまた重要である。ミッションを具体的に絞り込んで定義しなければ、ターゲット層や介入するエリアを特定することが難しくなる。また、期待される成果がはっきり決まっていればいるほど、目標に到達できたかどうかの判断もしやすくなる。言い換えれば、焦点のぼやけたミッション・ステートメントを作成した場合、ミッションが成功したかどうかを検証するのが困難になるのだ。

　最後に、リアクティブ型（事後対応型）とプロアクティブ型（先読み型）のどちらに重点を置くかということも、考えてみる価値があるテーマだ。大半のミッション・ステートメントは、前者を重視している。たとえば「ビジネスニーズに敏感に反応して」といった言葉もそうした姿勢の表れである。その結果、ラーニング部門は、コンピテンシー・フレームワーク（高い業績を出す人の行動特性の枠組み）の導入や、新製品に関するトレーニングを上位階層から順次実施していくといった、リアクティブな仕事を任され、その遂行に終始することになる。あらゆる企業内ラーニング部門は、ある程度はこうしたリアクティブな姿勢を取るべきである。しかし、戦略の構築や見直しに貢献するためには、プロアクティブな姿勢も必要だ。プロアクティブなミッション・ステートメントは、ラーニング部門に、新しいアイデアを創造する、業務改善策を探求する、自社の環境、マーケット、顧客に関する企業全体の知識を向上させるといった役割を与えてくれる。とりわけ、企業が自らを「学習する組織」であると宣言している場合は、こうした姿勢がふさわしいと

言える。なぜなら「学習する組織」という概念には、創造性、批判的思考（クリティカルシンキング）、探究心といった要素が含まれているからだ。理想的には、あらゆるラーニング部門のミッション・ステートメントは、リアクティブな目標とプロアクティブな目標の双方を備えたものであるべきだろう。

　適切な言葉で表現され、明確で、合意されたミッション・ステートメントは、我々を導いてくれるコンパスとなる。それは行き詰まったときにいつでも立ち返ることのできる基準点である。そしてまた、複雑な状況を打開しようとする際に出くわすあらゆる決断ポイントにおいて、検問所の役割も果たしてくれる。さらに、こうしたミッション・ステートメントがあれば、ラーニング部門のメンバーが強い目的意識を持って働いてくれる可能性や、関係者が社内におけるこの部門の地位を理解してくれる可能性が高くなる。ラーニング部門の強さ――その正統性や企業の浮き沈みを乗り越える能力が、ラーニング業務の効用や、システムの質、スタッフの信用性にかかっているのは言うまでもない。ミッション・ステートメントとは、こうした要素を結び付け、全体を1つにまとめてくれる接着剤なのだ。

企業内学習ミッションの査定
ミッション・ステートメントを作成する際に考えるべき問い

1. 中核目的は明確か？
2. ラーニング部門のミッションは効果的に策定されているか？　明文化されたミッション・ステートメントは存在するか？
3. ラーニング部門が成し遂げるべき内容を特定できているか？
4. そのミッションはラーニング部門のスタッフや上級幹部、現場の管理者層からの全面的支援を受けているか？
5. そのミッションは会社中の人々から理解されているか？
6. ミッション・ステートメントの中に否定的に受け取られる可能性のある専門用語は入ってないか？
7. そのミッションは自社の現実の社風やビジネス慣習と相性がいいか？

> 8. 会社が置かれている環境を考慮した場合、そのミッションは現実的だろうか？
> 9. ラーニング部門は関係者全員の合意による明確な信任を得ているだろうか？
> 10. そうした信任は十分な権限に裏付けられているだろうか？
> 11. 優先事項の変更に合わせてミッションを見直し、更新できるような制度は整っているか？

スコープ（活動領域）を定める

　さて、ミッションは定まり、信任と権限も得られた。しかし、どうやってこれらの言葉を具体的な成果へと変身させればいいのか？　この変身プロセス──ミッションの現実化──は、次の決断ポイントから始まる。それはスコープを定めることである。ミッション・ステートメントにはラーニング部門の責任領域がある程度示されているかもしれない。だが、次にやるべき仕事はその具体的な境界線をはっきりと定め、合意することである。ミッション・ステートメントが我々を導くコンパスだとすれば、こうしたスコープについてのステートメントは、正しい方向に進んでいるかどうかをはっきりと見極めるための六分儀であると言える。

　境界線の設定をスムーズに行うために、ラーニング部門は次の3つの主要な決断を下さなければならない。第一に、サービスを提供すべき対象集団（顧客）の特定。第二に、対象集団ごとの戦略的ラーニング目標（成果）の特定。そして第三に、社内のその他の学習システム、体制や人材との関連性（接点）の特定である。こうした決断なしには、ラーニング部門のミッション（本来するべき仕事）と、そのスコープ（実際にやっている仕事）との整合性を取ることは不可能だと言える。

■ 誰にサービスを提供すべきか？──ターゲットとなる集団の特定

　最初の決断は「誰に？」である。ラーニング部門は社内のどんな人々にサービスを提供すべきだろうか？　対象となる集団を特定するには、まず全体をサブグループに分割し、どのサブグループをターゲットにすべきかを決めなければならない。単純で当たり前の作業に思えるかもしれないが、そこには無数のアプローチの仕方がある。それはケーキを切り分ける作業に似ている。どんな切り方をするかによって、最終的なピースのサイズや形が決まってくるのだ。ここで気をつけなければならないことがある。個人や企業にはたいてい、昔ながらの定番のサブグループ分類法が存在するため、学習リーダーがそれを当然の前提として受け止め、その他の分類法を試す気になれない可能性があるのだ。

　想定される分類法の一つとして、内部の従業員と外部の顧客やサプライヤーという単純な分け方がある。たとえばIBMは社内の技術研修の一部を外部の顧客に販売している。もう一つのケーキの切り分け方は、ジョブファミリー（職種）、あるいは専門分野による分類法だ。たとえば、（専門性を重んじるドイツの伝統に深く根差した）VWコーチングは、ラーニング・ソリューションの一部をいわゆる「プロフェッショナル・ファミリー」に従って構成している。ここには最下位グループ向けから最上位グループ向けまでのあらゆる学習サービスが揃っており、そのプログラムは技術系の専門スキルだけでなく非技術系の専門スキルも扱っている。同様に、スペイン最大の銀行、バンコ・サンタンデールは高度な学習システムを取り入れ、特定の専門分野や職能を持った人々に社内資格を与えている。実際、会社によっては、対象集団としての技術的グループや機能的グループが注目を浴び、機能別のアカデミーの様相を呈しているところもあるほどだ。こうした「アカデミー」は一流の専門家を引き寄せ、知識や専門技術の蓄積や共有を可能にしている。また、第3章で取り上げているように、新たな学習テクノロジーによって、よりインフォーマルな知識共有アカデミー──オンライン上の「実践コミュニティ」──も誕生している。

　いずれにせよ、ジョブファミリーによる分類法のメリットは、対象集団が

企業の成功にとって不可欠と思われる特定の能力に基づいて定められていることだ。そのおかげで、ラーニング・ソリューションと企業のニーズをしっかりと整合させることができる。一方、この手法の難点は、ラーニング・ソリューションが特定の職種の技術的スキルだけでなく、一般的な職業スキルを取り扱うようになった場合、ジョブファミリーの間に重複が生じることである。

　おそらく最も一般的なケーキの切り分け方はレベルによる分類だろう。この手法がデフォルトになりがちなのは、レベルによって開発ニーズが変わってくるからであり、またリソースが限られている場合、どのグループが最大のインプットを受け取るかについて、戦略的決断を下さなければならないからである。ともあれ、他とは別個の存在として第一に浮かび上がってくるのは幹部集団だ。通常、上級幹部は最も重要なターゲット・オーディエンスと見なされている。事実、こうした集団のみに焦点を絞って設立されたラーニング部門も存在するほどである。

　レベル別の分類を促進しているもう一つの要素は、タレント・マネジメントの必要性、将来的に企業の中核を担うことになる幹部候補生を育成する必要性である。ここでの最大の課題は、タレント・マネジメント部門とラーニング部門の境界線があいまいなケースが多く、重複の可能性がかなり高いことだ。我々の経験によれば、問題は境界線が具体的にどこに引かれているかではなく、それが実際の業務にどう反映しているかである。両部門に緊張関係が生じるのは必至だが、大切なのは、政治的な縄張り争いを通じてではなく、戦略的な全体像や長期的な影響を視野に入れながら、そうした問題を解決していくことだ。

　さらに、大半の企業内ラーニング部門は、遅かれ早かれ活動範囲を拡大することを強いられる（もしくはそのチャンスを得る）。多く場合、この動きはリーダー層やタレント層に含まれない前線の管理職や初級管理職をどうすべきかという問いへの答えである。こうした拡大への動きは必然的なものかもしれないが、決して簡単な作業ではない。大量に存在する中間管理職や幹部補佐をまとめ上げるのは最も難しい仕事だからだ。この課題にはロジスティクス面と政治面がある。ロジスティクス面では、少数の上級幹部グループや

タレント層を対象とする場合に比べて管理すべき関係者の範囲が格段に広がるという問題がある。大量の管理職層と連絡を取り合うのは大変な作業であり、各拠点の学習マネジャー、HRやラインのマネジャーを介してそうした関係を管理するシステムやプロセスが必要になってくることが多い。したがって、純粋にロジスティクス上の理由で、こうした集団を受け入れることは簡単ではない。一方、そこには政治的な側面もある——支配力を失い、予算争いに敗れることへの恐れから、縄張り意識に満ちた感情的な反応が返ってくることが多いのだ。この問題については後でまた取り上げる。差し当たりは、こうした反応が頻繁に起こることや、その取り扱いが厄介なことを指摘しておきたいと思う。

当然ながら、多くの企業では、対象となる集団はジョブファミリーとレベルの双方に基づいて定められており、ケーキはますます複雑な姿になる。どんな分類法を採用するにせよ、重要なのは自分がどのように事を進めているか（そしてどのように事を進めていないか）を自覚することだ。唯一の「正しい」方法があるわけではない。しかし、慎重な選択をするためには、さまざまな選択肢の存在を意識すべきである。

■ 何をすべきか——学習の成果を特定する

「誰に？」に付き物なのは「何を？」という問いだ。すなわちラーニングの目標の特定である。これは対象集団とダイレクトに対応していることがある（たとえば、幹部向けにはこのプログラム、中間管理職向けにはこのプログラムといった形だ）。しかし、中にはそうではない場合もあり、その場合、対象集団とラーニングの成果がちぐはぐなものになる可能性が高い。大切なのは、2つの重要事項——対象集団とラーニングの成果——を整合させること、そしてさらに、これらとラーニングのミッションを整合させることである。

こうした活動範囲を視覚化するには、「誰に？」（対象集団）を一方の軸にとり、「何を？」（ラーニング目標）を他方の軸にとった、簡単なグラフを書いてみるといい。このシンプルなグラフは戦略的学習マトリックスの機能を果たし、関係者たちにスコープをはっきりと示してくれる。

厄介なのは、学習上の優先事項を決める主体が、対象集団によって異なっている場合が多いことだ。たとえば幹部グループが対象集団の場合、何を学ぶべきかを決めるのは本社の中枢部かもしれない。しかし、基礎的な管理能力や技術能力を養成するプログラムの場合は、個々の事業部門が内容を決める傾向がある。この場合（そして実際のところ、あらゆる場合において）、ラーニング部門の仕事は（それがどんなに素晴らしく、価値のあるプログラムであれ）本来のミッションの意図から逸脱したプログラムを提供する羽目に陥らないようにすることである。なぜなら、ミッションと実際のスコープのずれが大きければ大きいほど、ラーニング部門が企業に価値をもたらすことは難しくなるからだ。

　もう一つのポイントは、できるだけ無駄をそぎ落とし、ラーニング目標の数を最小限にとどめることである。ただでさえ、人々の行動を変化させるのは難しい。成功の可能性を最大限に高めるには、あいまいな指示を避け、何をすべきかをはっきりと提示しなければならない。そのためには、いろいろなメッセージを一度に送らないことが一番だ。仮に毎年たった1つの行動を変えてもらい、その行動が業績改善に結び付いたとしたら、それは成功と呼べるはずである。毎年5〜6つものラーニング目標を定め、中途半端な結果に終わるよりも、目標を1つに絞り、それを完全にマスターする方がはるかにいいだろう。

■どのように事を進めるか――グローバルな環境におけるラーニング部門の役割

　中枢的なラーニング部門の権限を規定する上で最も難しいのは、企業のあちこちに存在する学習に関するその他の体制、プロセス、人材との関係である。当然ながら、企業が大きくなればなるほど、この問題の難度は増す。中小企業の中には、こうした問題とは無縁なところもあるかもしれない。だが、たいていのラーニング部門にとって、それは厄介な選択や駆け引きをもたらす悩みの種である。さらにこの問題は、部門の活動が拡大したり、変化したりするたびに、繰り返し生じる可能性があるのだ。

　こうした関係においては、中央集権化への欲求や、調整、標準化、合理化

への願望が頭をもたげてくることが多い。この緊張関係の核心にあるのは、各地域の「城」であり、かつては別会社だった可能性もあるそれぞれの部署や事業部門の「主」が、学習活動に関する支配力をなかなか手放したがらないという問題だ。グローバルな視点に立ったラーニング・ソリューションの構築を目指すうちに、ラーニング部門は集権化VS分権化という大論争の瀬戸際に立たされることもある。こうした決断に迫られているCLOに対して、私は警告を発しておきたい。彼らはまず、ミッションを行う権限や、それを効果的に行うためのリソース、そして、否応なしに生じる政治的な緊張関係に対処してくれる後ろ盾を確保すべきである。

さらに、ラーニング業務の中央集権化という動きが、上級幹部の公式な関与なしに、インフォーマルな形で起こることは珍しくない。そうした場合、ラーニング部門が本来のミッションや与えらえた権限の枠から逸脱し、窮地に陥る危険がある。したがって、中央集権化へのステップは、慎重に、かつ表立った形で、幹部レベルの支持を取り付けながら進めることが極めて重要である。

また、大半のラーニング部門が直面する選択は、集権化か分権化か、といった白か黒かの選択ではない。それはむしろ、どの部分を集権化し、どの部分を分権管理のままにしておくか、といった選択と度合いの問題である。完全な集権化（非常にまれなケース）から緩やかに調整を図る体制まで、会社が取るポジションの選択肢は無数に存在する。一例として、図1.2を参照してほしい。ここでは集権化を4つの段階に分けて説明している。

そういうわけで、ラーニング部門が権限の範囲を定める際に、真っ先に講じるべき重要な措置は、社内のラーニング関係の代表者によって構成された統合組織（しばしば学習委員会や学習審議会と呼ばれる）を作り上げることである。その目的は、集権化、標準化、調整をどういったレベルで、どう取り入れていくかについて話し合い、合意を形成することであり、それによって中央のラーニング部門と企業全体の関係を明確に規定することである。

たとえば、最も一般的な統合活動の一つは、企業全体で共有されるコア・カリキュラムの作成である。その目的は共通の学習経験を確保し、スケール

図 1.2　集権化の 4 段階

専門知識の拠点
- 内部コンサルタントの機能を果たす小規模で中枢的な「専門知識の拠点」(CoE)
- 社内のあちこちに分権化された学習チームが存在する
- さまざまなガイドラインやツールが用意されている
- さまざまな共通システムが用意されている

実践のコミュニティ
- 内部コンサルタントの機能を果たす小規模で中枢的な「専門知識の拠点」(CoE)
- 機能別・部門別の学習チームと中枢的学習部門が緩やかな関係で結ばれている
- ガバナンス委員会の承認を得たガイドラインとツール
- ガバナンス委員会の承認を得た共通システム

連合型
- 機能別・部門別の学習チームは、各地のリーダーと中枢的学習部門の双方の管理下にある
- 中枢的学習部門によって定められた方針や基準
- 義務付けられた共通システム

完全な集権化
- 全レベルにおける学習の集中管理
- 全てに対して共通の方針や基準をあてはめる
- 義務付けられた共通システム

メリットを生み、最低限の基準を満たすことだ。これに関連する問題として、企業のラーニング・ソリューションのラインナップをどの程度合理化すべきかという選択がある。こうした選択はとりわけ分権化の歴史を持った大企業にとって有益だと言える。特筆すべき一例として、シーメンスがラーニング・プログラムの数を 3000 から 200 に減らしたことが挙げられる。もう一つの検討事項は、望ましい外部のサプライヤーのリストを作成し、見積もり内容の査定や外注のプロセスを標準化すべきか（もしそうする場合、どのようにそれを実行すべきか）という問題である。この問題については、第 5 章で企業内学習のリソースの調達について考察する際に再び取り上げたい。

　その他の決断ポイントとしては、システムに関するオプションがある。たとえば、多くの企業はグローバル・レポーティング・システムを採用している。こうした報告システムがないため、ラーニング・ソリューションの総数や、学習費用の総計といったデータを正確につかむことができない企業も存在する。これに関連したオプションとして、学習テクノロジーのシステムを

共通のシステムに集中させ、オンラインコンテンツや、学習過程のロジスティクス、学習記録を管理できるようにするという方法がある。上記のオプションはどれも、ロジスティクス的・財務的・政治的にかなりの障壁に直面する可能性があるが、こうしたシステムから得られる情報は、影響力を発揮し、変化を起こすための強力な手段になり得る。

このように、中枢的なラーニング部門とその他の社内の学習チームや学習活動との関係を管理する方法は1つではない。集権化を具体的にどのレベルまで進めるかは、企業文化や、各事業部門のラーニングに関する伝統の違い、主要な意思決定者の間のミクロ政治学といった多くの要素に左右されるのだ。そしてどういった決断を下すのであれ、CLOの実行力はその説得能力にかかっている。なぜなら企画の実現は、人々の協力や理解を取り付けられるかどうかで決まるからだ。

ミッションや権限を定めることと同様に、スコープを規定することも重層的で複雑な作業である。それは選択——一見して分かりきった選択とは言えないもの——の連続である。とはいえ、そこには大きな意味がある。実際、こうした作業がこの先さらに複雑で重要なものになっていくことは間違いない。その背景として、予算削減のプレッシャーをかけられ、少ない予算でより多くを達成するように求められているラーニング部門が増えていることや、全体の約半分の企業において、「学習活動」と「その他の人事に関連する活動」（タレント・マネジメントや組織開発、業績管理など）との統合が進んでいることなどが挙げられる[7]。従来のスコープの境界線が引き伸ばされ、ぼやけていくにつれて、自らがどんな選択を行っているか（あるいは行っていないか）をはっきりと自覚することは、ますます重要かつ困難になっていくだろう。

スコープの査定
スコープを特定する際に考えるべき質問
1. 活動の形態と対象となる集団の双方が明確に規定されているか？
2. 対象集団をどのように特定したかを明確にできているか？

3. 規定された対象集団と活動は、ラーニング部門のミッションや権限としっかり整合しているか？
4. 優先順位は明確になっているか？
5. 対象集団と活動は、企業の戦略的目標としっかり整合した形で規定されているか？
6. ラーニング部門は何がスコープの「外」にあたるのかを把握しているか？
7. 規定されたスコープの枠内で、ラーニング部門がプログラムやサービスのポートフォリオを効果的に構築することは可能だろうか？
8. ラーニングのミッションを実現するためにはどの程度の集権化が必要か？
9. ラーニング戦略のために必要な集権化のレベルについて、最高幹部間の意見は一致しているか？
10. 集権化する必要のないものは何か？
11. 各事業部門から統合組織（委員会）に選抜すべき候補者は特定できているか？

ラーニング部門のポジショニング（位置付け）

　3つめの決断ポイントは、会社の組織構造におけるラーニング部門のポジション、すなわち、ラーニング部門と会社の意思決定プロセスや運営システムを結び付けている複雑な指揮命令系統や相互関係である。こうしたポジションは、自ら選択したものではなく、前任者から受け継いだ既定のものであることが多い。しかし、私はあえてこの項目を主要な決断ポイントの一つに挙げた。なぜなら、社内におけるラーニング部門のポジションは、ミッションを遂行し、スコープを実現できるかどうかを大きく左右する要素だからだ。にもかかわらず、規定の要素であるがゆえに、ポジションという要素はしばしば見過ごされ、ラーニング戦略の中心事項として扱われなくなって

いる。我々に必要なのは、こうした既定の条件を強く意識し、意識的かつプロアクティブな形で、できるだけその影響を緩和することである。この件に関しては、特に以下の4点に注意しなければならない。

1. ラーニング部門のポジションは、会社上層の意思決定者たちと社内における主要なターゲット層の双方へのアクセスに影響を与える。ラーニング部門がうまく機能するかどうかは、CLOの人を動かす力や当人の上層部へのアクセスの有無にかかっている。
2. ラーニング部門の実行力は、周りから見たその社内地位によってある程度決まる。その地位自体が、上級幹部のラーニングへの関与やラーニングに対する期待を大きく左右する強いメッセージになる。そのため、地位はラーニングの成果自体に影響する。
3. ラーニング部門をどのように位置付け、指揮命令系統をどのように定めるかによって、この部門の自律性の度合いが決まる。
4. たとえ明確かつ信任されたミッションを持っているとしても、ラーニング部門のポジショニングが不適切で十分な権限を得られない場合は、ラーニングの実行は難しくなる可能性が高い。あいまいなポジショニングや他部門との不明瞭な関係は、ラーニング部門がミッションを遂行する上で大きな障壁になり得る。

　会社の組織構造におけるラーニング部門のポジションは、自分ではコントロールできない場合も多い。しかし、最も典型的ないくつかのポジションを意識しておくことは有益である。

■取締役会直属の組織

　新たに設立されたラーニング部門において、特にCEOがプロジェクトの推進役の場合に、時々見かけるポジションだ（CEO直属のラーニング部門もここに含まれる）。このポジションのメリットは、CEO（および広い意味では取締役会）にラーニング部門の戦略展開を直接コントロールしてもらえる点であ

る——このことは、大規模な変革を伴う計画が存在する場合に大いに効果を発揮する。

　こうしたモデルの一例が、ドイツの保険会社、アリアンツのアリアンツ・マネジメント・インスティテュートだ。同インスティテュートは当初、社内のトップリーダー900名を対象にしていた。もともとHRの外に置かれていたこの組織は、CEOおよび経営委員会（エグゼクティブ・コミッティー）の直属だった。その意図は、最高幹部による完全な戦略的コントロールにあった。経営委員会メンバーは各プログラムの「スポンサー」になり、自らその企画や実行に携わっていた。こうした緊密な組織のおかげで、CEOは上級幹部とのコミュニケーションにおいて強力な基盤を築き、一部の組織だけではなく、会社全体への忠誠心や帰属感を養うことができたのである。

　取締役会直属という位置付けを支持する根拠としてよく挙げられるのが、ラーニング部門をHRの外に設置することによって、社内における注目度や威信が高まるという点である。しかしこうしたポジショニングにも欠点がある。他の主要部門、とりわけHRとの接点が弱まってしまうことである。その結果、タレント・マネジメントや、社員の採用、後継者育成といった人事業務との結び付きを維持することが難しくなり、そうした重要なプロセスとラーニング・ソリューションの間に距離が生じてしまうリスクがあるのだ。さらには、時とともに取締役会の関心が当初よりも薄れていく可能性もある。経営陣が変わり、前CEOが立ち上げた組織の立場が危うくなることも当然あるだろう。こうした理由で、取締役会直属のラーニング部門は、業務開始から数年経った頃に、よりHRに近いポジションに移されることが多い。

■HR直属の組織

　圧倒的に多いケースがHR直属のラーニング部門である。これには多くの長所がある。中でも注目すべきメリットは、HRに属することによって、ラーニング業務と他の人事関連業務が直結しやすくなることだ。HRのトップを通じて取締役会への窓口も開かれている。ただし、簡単には事が運ばないケースもある。たとえば、CLOがHRのトップの直属の部下ではない場合、

さまざまな問題が生じるかもしれない。実際、上層部から戦略に関する明確な信任を得るためには、ラーニング部門のヒエラルキーがある程度高いことが不可欠である。さらに、HRの中に配置されることによって、ラーニング部門は良くも悪くも社内におけるHRの評判を否応なしに受け継ぐことになる。たとえば、HRがいまだに人材開発における戦略的ビジネスパートナーの役割を引き受けておらず、昔ながらの総務や人事管理といった役割に固執している場合、さまざまな問題が浮上してくる可能性がある。こうしたケースでは、ラーニング業務は単なる「リアクティブなサービス機能」と受け止められてしまうに違いない。

■ 他の中心的部門に所属する組織

これは3つのポジションの中で最も珍しいケースであり、私の経験によれば、最も問題のあるケースでもある。たとえば、ある多国籍保険会社では、ラーニング部門が戦略・イノベーション部門の中に設けられていた。そしてこの部門のトップは、社内で最も影響力のあるシニアマネジャーであり、当初は新しい学習構想の推進者だった。しかし、新たな優先事項が浮上し、別のプロジェクトへ関心が移るにつれて、ラーニング部門は十分な支援のないまま、宙に浮いた状態になってしまった。このラーニング部門は社内の別のポジションへの配置換えをアピールしていたが、それはとうてい無理な話だった。こうした状況下では、ラーニング部門の自律性や権威、上層部へのアクセスが危うくなってしまう。

このように、完璧なポジションというものは存在しない。しかし、自らの立ち位置とその影響について十分に理解しておくことは重要である。

ポジショニングの査定
ポジショニングがもたらす影響を考察する際に考えるべき問い

1. ラーニング部門のポジショニングは部門のミッション遂行能力を最

適化するものになっているか？
2. ラーニング部門は上級幹部への適切なアクセスを有しているか？
3. ラーニング部門は主要な対象集団への適切なアクセスを有しているか？
4. CLOの直属の上下関係は効果的な意思決定プロセスを可能にしているか？
5. ラーニング部門のポジショニングは、社内におけるこの部門の注目度や正統性の評価にどのような影響を与えているだろうか？
6. ラーニング部門のポジショニングは、この部門が活動する上での自律性や権限にどのような影響を与えているだろうか？
7. ラーニング部門は全社レベルと事業部門レベルの双方において、HR業務と効果的な接点を持っているか？
8. ラーニング部門とタレント・マネジメントとの接点は明確に定義されているか？

運営モデルを選択する

　4つめの決断ポイントは、大きな選択を迫るものである。すなわち、どんな運営モデルを選ぶかという選択だ。ここでいう「運営モデル」とは、ラーニング部門が採用する内部設計、プロセス、システムを指す——すなわち、運営の基盤である。ラーニング部門にとって鍵となる重大な問いは「我々はどんな任務を担っているのか？」だ。つまり、人より抜きん出るためには、自分の仕事が何であるかをはっきり理解している必要がある。ここでのテマは具体的な目標やプログラム、プロセスではない。「どのようにして企業に価値をもたらすか」が肝心なのである。

　言うまでもなく、究極的にはどのラーニング部門も同じ任務——パフォーマンスの支援と改善を通じて企業の収益アップをはかること——を担っている。すべての活動は、最終的に個人や企業のパフォーマンス改善に結び付か

なければならない。しかし、物事の解決方法は1つだけとは限らない。企業に価値をもたらすというラーニング部門の役割をどう思い描くかによって、この部門のシステムや編成が決まってくるのだ。

たとえば、何百もの技術研修プログラムを提供する任務を担っている場合は、製造業や小売業と同じような運営モデルが必要になってくる。その役割は、大量生産や効率アップ、スケールメリットを重視した研修工場のようなものになるだろう。反対に、組織開発や変革促進に焦点を合わせている場合、企業内コンサルティング部門のような色合いが強くなることが予想される。一方、このどちらにもあてはまらず、幹部育成がテーマの場合、おそらくその運営モデルは、ビジネススクールと共通点の多いものになるだろう。

このように、どのようにして企業に価値をもたらすかという命題は、適切な運営モデルの基盤となる。だが残念ながら、こうした明確な価値提案が欠けている企業があまりにも多すぎる。

■どのようにして企業に価値をもたらすか

では、我々はどんなビジネスに身を置いているのだろうか？ ラーニング部門の価値提案とは何か？ 最適な運営モデルを特定するフレームワークは山ほどある。だがここでは、ラーニング部門が果たすことのできる4つの基本的な役割という観点から考えてみたいと思う（図1.3を参照）。あらゆるラーニング部門はこれらの役割の少なくとも1つを果たしている。なかにはそのすべての役割を引き受けているラーニング部門もあるだろう。学習リーダーにとっての重要課題は、これらのどの役割を果たすべきかを決定し、それらの役割をうまく果たすには異なったシステム、文化、スキルが必要であることを理解することである。そして、それに応じて自らの部門を編成し、リソースを確保することである。

プロデューサー（ラーニング・プロダクトの開発を担当）
ラーニング部門が企業に価値をもたらす方法として最も一般的なのは、社内の顧客に供給あるいは販売されるラーニング・プロダクトを開発するとい

図1.3　ラーニング部門の基本的な役割

プロデューサー ラーニング・プロダクトを 開発する	ディストリビューター ラーニング・プロダクトを 提供する
プロバイダー ラーニングのプロセスを 支援する	ブローカー 知識・助言を売る コンサルティング

うやり方だ（いわば、自動車メーカーのような役割）。たとえば、ラーニング部門が研修プログラムを作り、それを外部のサプライヤーや社内の各拠点組織が供給する形がこれだ。

ディストリビューター（ラーニング・プロダクトの供給を担当）

　もう一つの一般的な役割は、既存のラーニング・プロダクト（外部のサプライヤーが作成する場合もある）を利用し、こうした商品を顧客へ供給することだ（いわば、スーパーマーケットのような役割）。ディストリビューターはプロデューサーの役割も兼ねている場合が多い。とはいえ、なかには供給者の役割のみに特化したラーニング部門もある。現在、この役割は著しい変化を遂げている。その背景事情として、多くの企業がよりコストパフォーマンスの高いラーニング・プロダクトの供給方法を求め続けていること[8]、また、ラーニング・プロダクトの供給先を拡大し、さまざまな顧客やパートナーを対象とする企業が増えていることが挙げられる[9]。

プロバイダー（インフラ支援を担当）

　3つめの役割は少し毛色が違っている。これまでの2つの役割は、何らかのプロダクトを顧客に販売することに関わっていた（プロダクトの開発と供給）。一方、インフラ・プロバイダーは、インフラを使用する権利を与え、さまざま

なプロセスを支援することによって、企業に価値をもたらしている（いわば、鉄道網のような役割）。ラーニング部門のなかには、たとえば研修センターの運営やITシステムの提供によって、会社全体の学習インフラを整備しているところもある。このような場合、通常はラーニング部門がインフラの所有権を保持し、その使用を管理している。したがって、（よくあることだが）こういった形のラーニング部門が総務管理やプロジェクト・マネジメントも支援するような場合、スタッフ数を維持し、そのリソースを貸し出すことになる。プロバイダーの役割のみに特化しているラーニング部門はほとんど存在しないものの、付加的なサービスとしてこの役割を引き受けるラーニング部門の数はますます増えている。

ブローカー（コンサルティング・サービスを担当）

　最後に紹介する役割はブローカー（仲買人）である。ここでは、サービス提供者と顧客のマッチングによって価値が生み出される（いわば、不動産仲介業のような役割）。この役割の場合、学習マネジャーが内部コンサルタントとして機能し、各事業部門やリーダー、社内チームと提携しながら学習に関するニーズの診断を手伝い、それらを満たすような内製もしくは外注のラーニング・ソリューションを提供していく。

　ラーニング部門の役割を特定する上で最大の課題は、多くの場合、明確なスコープの欠如である。また、あまり目立たないが、個人的傾向、つまりCLOの好みも課題の一つだと言える。ラーニング部門がどのようにミッションを果たし、企業に価値をもたらすことになるのか、できるだけ明確に、そして客観的に熟慮することが重要だ。そして、いったん考えがはっきりしたら、（我々が呼ぶところの）「機能主義」をしっかりと取り入れる必要がある。

■機能主義の偉大さ

　字面だけを見れば、「機能主義」はあまり心躍るような言葉ではなく、「偉大さ」という言葉の横に置くのにふさわしいとはとても思えない。これは残

念なことである。なぜなら、私の経験から言って、機能主義的なアプローチは、企業内学習の成功には絶対不可欠だからだ。言葉の響きこそ味気ないものの、その考え方は非常に実用的で焦点がはっきりしている。機能主義とは、物事の設計は求められる機能に即したものでなければならない、という考え方を指す。こうした発想は重要である。なぜなら、ラーニング部門のプログラムの質がどんなに高く、そのスタッフがどんなに有能であっても、その構造やプロセス、システムのすべてが（互いに整合しているだけでなく）部門の中核目的とうまく整合していなければ、ミッションを成し遂げることは不可能だからだ。このことは至極当たり前に聞こえるかもしれない。だが、私の経験では、こうした考えは往々にして当たり前のこととして見過ごされ、実はきちんと検討されていない。

ここで考慮すべき3つのポイントは、ラーニング部門の人材、構造、ビジネスモデルである。人材をはじめとするラーニング部門のリソースの調達については、第4章で考察する。差し当たりは、ラーニング部門の構造とビジネスモデルとの整合性にスポットを当てみたいと思う。

構造を選ぶ

ラーニング部門によく使われる基本的な構造とは何か？ 人々は直感的に、多くのラーニング部門が採用しているいくつかの（少なくとも1つの）スタンダードなモデルがあると考えているかもしれない。だが驚くべきことに、そういったものは存在しない。実際、私がこれまでに出会ったラーニング部門の内部構造は、途方に暮れるほどバラバラであり、それぞれの企業が独自の構造を作り出していた。したがって定番の基本的な構造があるわけではない。このことの良い面は、運営上のニーズに合わせて構造を一から自由に作り上げられるという点である。一方、マイナス面は、標準的な構造が存在しないために、リーダーが交代したり、部門が再編成されたりした場合、システムがころころ変わってしまい、継続性に欠けてしまう点だ。

スタンダードな構造はないものの、スタンダードな構成要素はあるようだ。たとえば、私が目にしてきた構造の多くには、プログラムの企画と提供を担当

するチームが存在していた。また、これらのチームは通常、学習管理システム（LMS）やその他のITアプリケーションを担当する別のチームによって支えられていた。ロジスティクスやイベント管理を担当するチームを擁しているところも多かった。なかには、社内の主要な顧客グループとの連絡を担当するビジネスパートナー的な職種を設けているラーニング部門もあった。

こうした構成要素から生まれた共通構造の一つが、企画・IT・総務管理チームから成る「専門知識の拠点（センター・オブ・エキスパティーズ）」である。こうした構造では、地域別のチームが流通・供給やビジネスパートナーの役割を果たしている。もう一つの構造として、ラーニング部門が社内の主要な顧客集団のニーズに従ってサービスを企画するという方式がある（これらの集団にはそれぞれ独自の「専門知識の拠点」が存在する）。欧州の大手コンサルティング・ITサービス企業であるキャップジェミニのキャップジェミニ・ユニバーシティはその好例である。この研修センターには7つの専門学科があり、そのうちの4つ——コンサルティング学科、テクノロジー学科、ビジネス開発学科、アウトソーシング学科——はそれぞれ会社の主な事業分野に対応したものになっている。リーダーシップ開発学科は、キャップジェミニの幹部層に向けて、部署を越えた全社レベルのプログラムを提供することを担当しており、その他の2つの学科はそれぞれ財務分野と子会社の学習ニーズに対応している。

ここで重要なのは、個人的偏向や既存の構造に惑わされることなく、あえて一歩引いて全体を見つめ、客観的に設計プロセスに取りかかることである。これはいささか不親切なアドバイスに聞こえるかもしれない。しかし、唯一の「正解」が存在しないということは、既存の考え方に縛られる必要はないということでもある。我々は何らかのモデルに従うのではなく、現在直面しているニーズに合わせて構造を選ぶべきである。

ビジネスモデルを選ぶ

さらに厄介な決断——重大な政治的・実質的影響を持ったもの——は、ビジネスモデルの選択である。これは時としてプロフィットセンター型もしくはブレーク・イーブン型（プログラムの費用は研修料金として参加者の所属部署に請求される）とコストセンター型（プログラムの費用はコーポレートの全体の予

算に組み込まれている）の選択に単純化されることがある。だがたいていの場合、状況はこれほど単純ではない。多くのラーニング部門は両者の「ハイブリッド」を採用しており、そこではコーポレートの予算に組み込まれているプログラムもあれば、各部署に料金が請求されるプログラムもあるということである。

　たとえば、フランスの電気・ガス事業者であるGDFスエズのGDFスエズ・ユニバーシティはハイブリッドモデルを選択しており、有限会社として公式に登録されている。ここでは上級幹部やタレント・パイプライン向けのプログラムの費用はコーポレートのコストセンターが負担し、その他の一般的なプログラムの費用は参加者の事業部門に請求される。対照的に、キャップジェミニはブレーク・イーブン型だけであり、あらゆる研修料金が参加者の事業部門に請求されている。一方、スイスの製薬・バイオテクノロジー大手、ノバルティスはこれとは正反対の方針をとっており、大部分のプログラムやサービスの費用は、コーポレートが負担することになっている。さらに、シーメンスの場合は、ラーニング部門をプロフィットセンターと見なし、プログラム参加者の所属事業部門に対して、研修料だけでなく、コンサルティング料やプロジェクト料まで請求している。

　私の経験では、どのモデルを採用するかは、当面のロジスティクスや便宜性に左右されがちである。だが、強く勧めたいのは先を見据えた行動だ。なぜなら、こうしたモデル選択が長期的にどのような影響を及ぼすかは、通常は見過ごされているものの、非常に重要だからである。たとえば、プログラムの費用をコーポレートが負担している場合、ラーニング部門の関心は高品質なラーニング・ソリューションを提供し、参加者を満足させ、幹部にその価値を認めさせることに集中する傾向がある。一方、各事業部門に費用が請求される場合、状況はまったく異なってくる。参加者の満足度や幹部からの評価は依然として重要ではあるが、（コストを賄うために）とにかくプログラムの席を埋めることが最優先になってしまう可能性がある。さらに、価格設定やマーケティング、参加者のニーズへの対応能力もより重要になってくる。ラーニング部門をマーケットの圧力にさらすことによって、顧客に関する問題により敏感になるというメリットはあるが、それによって、この部門は

制御不能な要素に左右されることになってしまうのだ。

　そういうわけで、ビジネスモデルの選択は、単にプログラムの資金調達法だけの問題ではない。実際、スタッフの採用であれ、構造の選択であれ、資金調達モデルの決定であれ、大切なのはその広範囲にわたる影響力を意識し、運営モデルを形成する各要素と自らの価値提案の整合性を取り、機能主義を確保することである。つまるところ、機能主義を確保することは厄介な作業であり、事前に熟慮を要する。また、この作業にはさらなる慎重な見直しも必要である。なぜなら、ラーニング部門が業務を拡張する際の最大の課題の一つは、現行の運営モデルが新たな環境にふさわしいとは限らないという事実を認め、それに対処することだからだ。たとえば、ラーニング部門の発展に伴ってスタッフの役割が拡大するという問題も増えてきている。今やそれは「コンサルタントとして戦略的に大局を見据える」から「ミクロレベルで個々のスキルギャップを埋める」まで、あらゆる領域にわたっている。ほとんどの人々はこれほど多様な業務の適性を備えていないため、かなりの無理を強いられることになり、その結果、スタッフの力量や貢献度のクライアントから見た評価はダウンする可能性がある。

　指針となる法則はほとんど存在しないに等しい。したがって、重要なのは学習リーダーが、学習の構造とその役割がどう整合しているかについて常に自問自答し、自分が選んだソリューションにまつわる利点と欠点を自覚することである。ここでもまた、自らの選択を常に意識し、目的を持って、プロアクティブに選択を行うことが大切になってくる。

運営モデルの査定
ラーニング部門の運営モデルを検討する際に考えるべき問い

1. 自分がどんなビジネスに身を置いているかはっきり自覚しているか？　自らの「価値提案」とは何か？　それは自らが信任されたミッションと整合しているか？
2. ラーニング部門の内部組織は、目標への到達をどのように促進し、また、どのように妨げているか？

3. 内部組織の構造とラーニング部門のスコープは整合性が取れているか？
4. この構造はラーニング・プログラム全体のポートフォリオの構造と整合性が取れているか？
5. ビジネスモデルとラーニング部門の目的やミッションは整合性が取れているか？
6. ラーニング部門のビジネスモデルは、企画、予算編成、顧客との交流に関して、効果的な運営を促進しているか？
7. その運営モデルはイノベーションや実験の余地を与えているか？

ポートフォリオを構築する

　一貫性のある学習戦略を作成するための地図の上で、最後に出会う決断ポイントは、プログラムやサービスのポートフォリオ構築に関わるものだ。次章では個々のラーニング計画を取り上げるが、ここではポートフォリオの全体的な論理にスポットを当て、一つ一つのプログラムではなく、ポートフォリオ全体の質に重点を置きたいと思う。ここで問題にしているのは「我々は**正しく**ことに取り組んでいるのか（やり方）」ではなく、「我々は**正しい**ことに取り組んでいるのか（内容）」である。

　私は多くのラーニング部門のポートフォリオは少なくとも部分的には自然発生的なものだということを認識している――つまり、それらは事業年度の間に、新たな学習ニーズに応じて生み出されていく。だが、ほとんどのラーニング部門は（通常、年間予算と併せて）年間計画を立てている。私はこの部分に特に注目したい。これは重要な工程である。なぜなら、運営モデルと同様に、この工程はミッションの戦略的目標とラーニング部門が提供する運営プロセスを結び付けているからだ――それは本来しているべきことと結果的にすることをリンクさせているのである。

　ポートフォリオの計画を練ったり、見直したりする際には、3つの決断

事項——ポートフォリオにおいて何を優先し、それをどう構築し、提示すべきか——を考慮する必要がある。

■ポートフォリオにおいて何を優先すべきか

これは単純であると同時に複雑な問題である。信任を得たミッションや、明確なスコープ、またより広範なビジネスの目標によって何を優先すべきかが強制的に決まるという点では、それは単純だと言える。しかし、問題が複雑になることもある。なぜなら、人生は往々にしてそれほど単純ではなく、予算編成や政治的な配慮といった要素が必ず関わってくるからである（それが好ましい結果をもたらすことはめったにない）。もう一つの考慮すべき事柄は、中枢的なラーニング部門と、社内のその他の学習チームの整合性だ。この場合、課題のうち半分はその他の部署で何が起こっているかを正確に把握することであり、残り半分は縄張り争いを避けることである。ラーニング部門の主要な目標は針路からそれることではなく、信任を得たミッションにひたすら専念することだ。ミッションの領域外に著しい需要がある目標が存在する場合、検討の対象になることもある。だが、ミッションの変化に対する信任を得られない限りは、そうした目標を遂行すべきではない。この問題については第3章で再び取り上げ、ビジネスサイドから随時出される要求を前にして、どうすればラーニング部門が一貫性を保てるのかを考察したいと思う。とりあえず重要なのは、ラーニング計画が上級幹部や社内全体の目にさらされたとき、誰もがその計画がラーニング部門に付託された戦略に基づく、一貫性のあるものであると確信できることである。

■ポートフォリオをどのように作成すべきか

この2つめの問いは明確に検討されることが少ない。肝心なのは、プログラムやサービスを編成するための一貫したフレームワークをどうやって作り出すかだ。最も一般的な解決法は、スコープ決定の過程で特定された対象集団をポートフォリオの構造の基盤として利用することである。つまり、そ

れぞれの顧客グループ（例：上層部、タレント・パイプラインの中にいる幹部候補、中間管理職）向けのプログラムやサービスの一覧を作成するのだ。この一覧は通常、対象集団を一方の軸に取り、ラーニング計画を他方の軸に取ったマトリックス図として表示される。ここまでの作業は簡単である。

　だが、スコープの特定と同様に、境界線の引き方によっては、思わぬ結果が生じることがある。たとえば「リーダーシップ」育成と「マネジメント」育成の区別というごくありふれたテーマを取り上げてみよう。これは一見無害な作業のように思われる。しかし実際には、こうした対象集団を基にしてポートフォリオを作成する場合、人々は無意識のうちに両者の違いを強調する傾向がある——各ターゲットに合わせた独自のラーニング・ソリューションをアピールしたくなるのだ。

　たとえばリーダーシップ育成が自己認識や戦略的思考といったより「ソフト」で高度なスキルに焦点を合わせている一方で、中間管理職向けのマネジメント育成は人の管理のような運営スキルに重点を置いていることが多い。ビジネスリーダーはビジネスを管理し、マネジャーが人間を管理する。だが両者の役割の違いは、この単純なステレオタイプ（および大半の企業のラーニング・ポートフォリオ）ほど明確ではないことが多い。リーダーも人を管理しなければならないし、部下の仕事を管理する責任をもつマネジャーもある程度のリーダーシップを発揮しなければならない。だが、対象集団に基づいてポートフォリオを構築することによって、ラーニング部門は知らず知らずのうちに、こうした集団の間に（実態とは異なる）人為的な区別を作り出してしまう可能性がある。

　私はスコープ決定の過程で特定された対象集団に基づいて機械的にポートフォリオを作成することには賛成できない。私がむしろ勧めたいのは、「誰に？」（ラーニング計画の対象）ではなく、「何を？」（主要なラーニング目標）に基づいてポートフォリオを作成することだ。たとえば、主要な戦略的目標が業績管理に関する会話の質を向上させ、企業内でより知的な議論を行えるようにすることだとすれば、この目標に基づいてポートフォリオを作成し、一つ一つの小目標に対して、ターゲットにすべき集団と提供すべきプログラムを割り当てていくとよい。この手法のメリットは、ポートフォリオとミッ

ションの整合性が取りやすくなるという点にある。とはいえ、それと同時に、従来の対象集団を一方の軸に取り、ラーニング計画を他方の軸に取ったマトリックス図も作成しておくといいだろう。なぜなら、この図はポートフォリオのバランスを確かめるのに便利だからだ。また、ビジネスリーダーが、それぞれのグループにどのようなラーニング計画が用意されているのかを知りたがる可能性があるからだ。大切なのは、対象集団のすべてをカバーすることだけを考えるのではなく、ラーニング計画のインパクトや実現すべき成果をしっかり考慮することである。

■ポートフォリオをどのように提示すべきか

　ラーニング部門はポートフォリオの概要をわかりやすく会社に提示する必要がある。正直なところ、それ以外には、特に言うことはない。それでもあえてこの話題に言及したのは、ポートフォリオの伝達過程に重大な欠陥があるケースがあまりにも多いからだ。これは一つにはマーケティングの拙さや、絶えず変わり続けるプログラムのビジュアルが原因だが、たいていの場合、問題の核心はポートフォリオの最適な構築法がはっきり定まっていないことにある。ポートフォリオを表現する言語やビジュアルは重要なコミュニケーションツールであり、ロゴなどと同様に（第6章参照）、ラーニング部門の内部だけでなく、その他の部署の顧客や関係者に対して、この部門の存在とその役割を広くアピールするものである。

　このように、ポートフォリオの作成は単純であると同時に複雑でもある。そして当然ながら、いったん出来あがればそれで終わりというわけではない。定期的な評価や見直し、再編成が必要になるからだ。重要なのは、それが「我々は正しいことに取り組んでいるのか？」——すなわち「やり方」ではなく「内容」は正しいか——という根本的な問いに対して、明確な答えを与えてくれることである。

ポートフォリオの査定
ラーニング計画のポートフォリオを検討する際に考えるべき問い

1. そのポートフォリオは、ラーニング部門のミッションとスコープの双方と望ましい整合性が取れているか?
2. そのポートフォリオは、現在の組織の学習に関する優先事項を十分に反映しているか?
3. ラーニング・ソリューションの提供に関して、そのポートフォリオに欠落部分はないか (利用可能なラーニング・ソリューションがない、あるいは極端に少ないグループは存在しないか)?
4. ポートフォリオ全体はどれくらい一貫性を持っているか?
5. そのポートフォリオは、社内の他の学習チームのプログラムとどれくらい整合性が取れているだろうか?
6. プログラムのポートフォリオにおいて重複を避けることができているか?
7. そのポートフォリオは分かりやすい形で提示されているか? 会社中の人々がそれをすんなり理解できているか?

まとめ

　これまで見てきたように、ラーニング戦略をどのように練り上げるか、その戦略に沿って整合性のあるラーニング部門をどう作っていくかを示す地図には、5つの熟慮すべき決断ポイントがある (図1.4)。うまく練り上げられた戦略は、複雑な状況を切り開く力を持っている。ここで我々は問題の核心に突き当たる。戦略をうまく練り上げるのは決して簡単ではない。スパゲッティの塊に直面したCLOのように、時にはそれがどうしても不可能なこともある。現実には、多くのラーニング部門がいまだに不完全な要素を抱えている——ロジスティクスや政治的な状況から考えて、明確さや統合された

信任を獲得することが不可能な部分もあるのだ。それでも、努力を続けなければならない。

　この地図の狙いは、戦略の形成に関する複雑な問題についてあれこれ説明したり、議論したりすることではなく、ラーニング戦略の一貫性や整合性を左右する重大な決断ポイントを浮き彫りにすることだ。そして、この課題には全力で臨まなければならないこと——機能主義者の観点を持ち、過去と未来の両方を視野に入れながら、目的を持ってプロアクティブに取り組まなければならないことを伝えるのが私の真意である。

　私は過去を視野に入れるという一節をあえて入れた。なぜなら、一貫性のあるラーニング戦略の作成にあたってリーダーが直面する最大の課題は、過去の軛（くびき）——目の前の課題をどうとらえ、どんな決断を下すかを左右してしまう旧習や思い込み——を脱することだからだ。これらの過去のしがらみの存在に気付くのは意外に難しい。しかもこうした先入観のために、どこに決断ポイントがあるのか、どんな選択肢があるのかが分かりにくくなることもある。先人たちによって踏み固められた道は、確かにビジネスの王道である可能性が高い。だが、頭からそう決めてかかるべきではない。

　私はまた、未来を視野に入れることにも言及している。なぜなら、一貫性のある戦略なしには、ラーニング部門に（単なるリアクティブなサービス提供者以外の）どんな未来があるのか見極めるのは難しいからだ。企業内学習が会社に価値をもたらすためには、そしてその事実を周りから認めてもらうためには、信任を伴うラーニング計画が必要である。言うまでもなく、さまざまな構成要素を整合させ、ラーニング戦略を築き上げることは手始めに過ぎない。次はそれを実行する必要がある。ここからは戦略をいかに実現するかに目を向けよう。最初に取り上げるのはラーニング・ソリューションの開発である。

図 1.4　企業内学習戦略の 5 つの要素に一貫性をもたせる

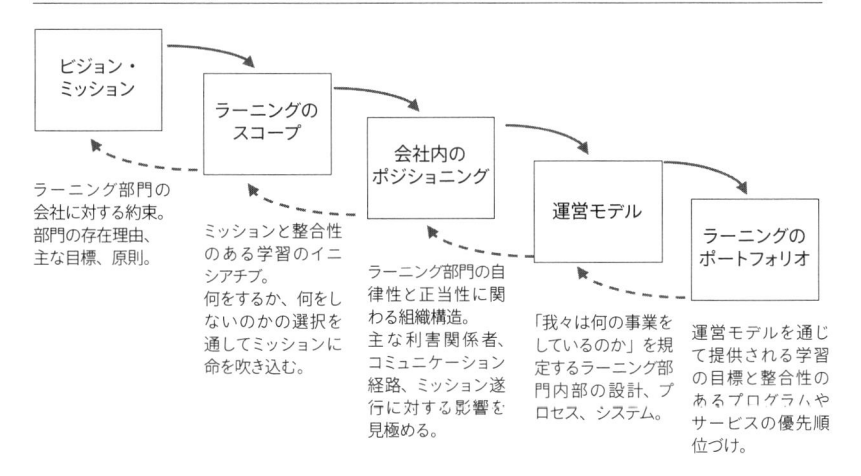

```
ビジョン・      ラーニングの     会社内の
ミッション  →   スコープ    →   ポジショニング  →  運営モデル  →  ラーニングの
                                                                ポートフォリオ
```

- **ビジョン・ミッション**: ラーニング部門の会社に対する約束。部門の存在理由、主な目標、原則。

- **ラーニングのスコープ**: ミッションと整合性のある学習のイニシアチブ。何をするか、何をしないのかの選択を通してミッションに命を吹き込む。

- **会社内のポジショニング**: ラーニング部門の自律性と正当性に関わる組織構造。主な利害関係者、コミュニケーション経路、ミッション遂行に対する影響を見極める。

- **運営モデル**: 「我々は何の事業をしているのか」を規定するラーニング部門内部の設計、プロセス、システム。

- **ラーニングのポートフォリオ**: 運営モデルを通じて提供される学習の目標と整合性のあるプログラムやサービスの優先順位づけ。

第 1 章　企業内学習戦略の策定

第2章

ラーニング・ソリューションの開発
ラーニングの目標とメソッドをリンクさせる

　さて、戦略は整った。一貫性も申し分ない。ここまでは順調だ。だがここで何らかの策を講じなければならない。これで大丈夫だと思ったら大間違いである。前に述べたように、現行の企業内学習が企業の期待通りの成果を出せていない場合、そこには何らかの不備があるはずだ。信任を伴う明確な戦略の欠如がその一因である可能性が高いが、それだけがすべてではない。実際、どこに落ち度があるかを探ってみると、毎回似たような問題点が浮かび上がってくる。しばしば現れるのが開発・設計の問題である。つまり、ラーニング・ソリューションをどのように開発・設計するかが鍵なのだ。購入した商品が所定の機能を果たさないなら、まず設計不良を疑うべき、というのは自然な考え方だろう。

　本章では、学習の成果が出ない原因はラーニング・ソリューションの開発にあるという考え方の正しさを検証し、もしそうなら、どこが間違っているのか、また、どのような対策を採ればよいのかを考察する。また、自社のラーニング・ソリューションが効果的に開発されているかどうかを調べるためのフレームワークを学習リーダーたちに提供したい。それは同時に、学習ニーズの見極め方を検証するためのフレームワークになるだろう。さらに本章では、ラーニング・ソリューションのメソッド／ツール（提供方法）と成果が混同されやすいことも指摘していく。前者については第3章でさらに

詳しく論じる予定である。第1章と同様に、この章の狙いは詳細なハウツー情報を提供し、読者にあれこれと指図することではない。本章の目的は、読者がさまざまな課題を突き止め、選択肢を吟味し、決断を下す際に利用すべきフレームワークを提供することである。また前章に続いて、ここでも再び機能主義の持つ力というトピックを取り上げる。

4つの隠れた脅威

　すでに述べたように、機能主義とは「物事はその目的に即して設計されるべきである」という考え方を指している。ラーニング・ソリューションの開発にあてはめれば、ラーニング・ソリューションで使用するテクノロジー、コンテンツ、メソッドは、ラーニング目標の達成を可能にするものでなければならないということになる。これに異論のある読者はいないだろう。とはいえ、ラーニング・ソリューションが本来の目標からズレてしまっていることに気付くのは意外に難しい。ラーニング・ソリューションの開発において、機能主義が危機にさらされるパターンは4つある。これらの脅威はさりげなく、かつ根本的に、機能主義を阻害し続けている（図2.1を参照のこと）。

■ メソッド／ツールと目標の混同

　学習の定義やその機能について考えるとき、我々の頭に必ず浮かんでくるのは学校教育に関する個人体験である。だが企業における学習は、学校教育とはかなり毛色が違っている。両者の最大の違いは、学校教育では学習のプロセス自体がしばしば重要な目標と見なされる点にある。しかし企業内学習では通常、学習行為そのものは最終製品ではない。それは目標達成のための単なる手段であり、個人や組織にとって価値のある成果を生み出すためのプロセスに過ぎない。少なくともそれが定説である。

　しかし、企業内学習の歴史を振り返ると、目標や成果よりもプロセスやメソッドに重点が置かれていた例が山ほど見つかる。むしろ、プロセスその

図 2.1　4 つの脅威

```
            ┌─────────────┐
            │ メソッド／ツールと │
            │   目標の混同   │
            └─────────────┘
    ┌─────────────┐   ┌─────────────┐
    │ 持続力促進への │ 危機にさらされる │「行動の変化」と │
    │    無関心   │   機能主義   │「学習の応用」への│
    │             │             │    無関心   │
    └─────────────┘   └─────────────┘
            ┌─────────────┐
            │ コンテクストへの │
            │   配慮不足   │
            └─────────────┘
```

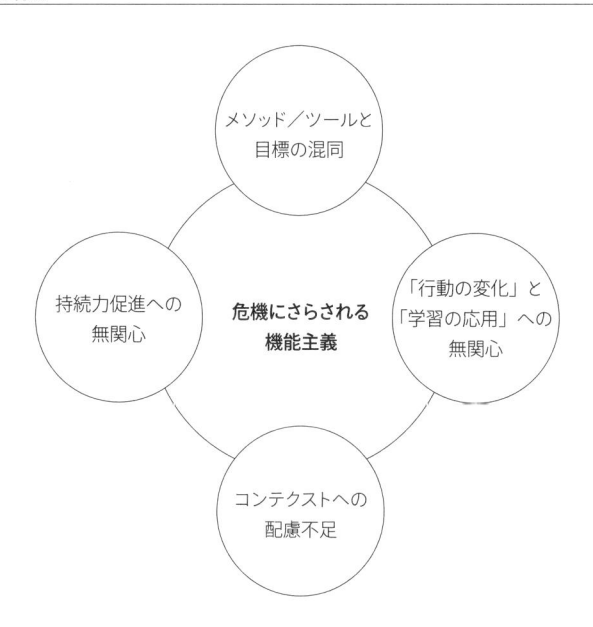

ものが最終製品だと見なされていたと言ってもいいほどだ[10]。たいていの読者はこうした「最終製品としてのプログラム」重視の実例を少なくとも 1 つ 2 つ思い浮かべることができるだろう。企業内学習はプログラムを提供することばかりに気を取られ、企業に価値を提供することを忘れているといった揶揄もよく聞かれる。

　それはもう過去のことだろう——20 〜 30 年前の企業内学習の話じゃないか、といった反応が返ってくるかもしれない。だが、たとえば最近の教育手法であるブレンディッド・ラーニング（blended learning）を思い出してほしい。異なった指導方法——講師主体の手法と学習者主体の手法——を同時に取り入れるこのメソッドは、そもそも学習設計へのアプローチとして考案されたものである[11]。さまざまな学習スタイルを併用することで学習の利便性を高め、学習プロセスを豊かなものにする、というアプローチだ。その上、教室での集団指導の時間が少なくて済むため、コスト削減にもつながる[12]。当然のことながら、ブレンディッド・ラーニングは効果的で汎用性の高い

学習提供の方法として、多くの企業の注目を集め、企業内学習の最新トレンドの一つになっている。

しかし、グーグルで検索すればすぐ分かるように、ブレンディッド・ラーニングは一般に学習設計のメソッド/アプローチではなく、それ自体が商品/ソリューションと見なされている。ブレンディッド・ラーニングは本来テクノロジーに依存したものではなく、現代のテクノロジーが生まれる前から存在しているが、それにもかかわらず、この手法はテクノロジー関連商品と見なされ、eラーニング利用の同義語として扱われているのだ[13]。ささいで無害な誤りだと思われるかもしれないが、こうした間違ったレッテルは目的と手段の混同を招き、本来の目標を見失わせてしまう。実際、次々に現れる最新のテクノロジーの多くは、心躍るチャンスだけでなく、真の脅威をもたらしかねないと私は考えている（このことについては第3章でさらに詳しく検証していく）。こうした脅威をもたらす背景として、（当然のことながら）業者がライバルに差をつけ、競争に勝てるような商品をやっきになって生み出そうとしているという事実がある。理由はどうあれ、きらびやかな商品として目の前にぶらさげられたメソッドやツールは、とりわけ一部のビジネスリーダーにとって、それ自体が魅力的で価値のあるものに見える。その結果、彼らはこうした商品が、学習が生み出すべき価値と整合しているかどうかという問題をなおざりにしてしまうのだ。あらゆる驚嘆すべきテクノロジーが手に入るようになった今、目的と手段を混同することなく、本来の目標のみに意識を集中することは、これまでにないほど難しくなっている。

■「行動の変化」と「学習の応用」への無関心

昔ながらのアカデミックな学習観がもたらすもう一つの影響として、企業内学習のプロフェッショナルが学習というものを、知識を蓄積しスキルを獲得することだととらえがちであることが挙げられる。だが彼らの考え方には、重要な視点が欠けている。それは、企業に価値をもたらすのは知識やスキルそのものではなく、その応用だということだ。つまるところ、多くの企業内学習の目的は、人々の行動を変え、彼らが企業に価値をもたらすように仕向

けることなのである。

　ヨーロッパの一部の国では企業が従業員に継続的な教育を提供する法的義務を負っていることは私もよく理解している。そして、それが時として昔ながらの学校教育に似ていることも認識している。大部分の技術研修と学校教育が似通っていることも承知だ。また、企業の中にも学校教育的なプログラムが存在する余地があること、そうしたプログラムにも付加価値があることも私は十分理解している。だが私は、同時にある現実を認めたいと思う。それは通常、どの国の、どの企業においても、従業員向けのあらゆるラーニング・ソリューションは具体的な目的――直接的・間接的に行動変化や業績向上をもたらすこと――を念頭に置いて提供されているということだ。私が懸念しているのは、こうした現実にもかかわらず、行動変化への言及が不足している点である。

　人々の学習観には行動という観点があまりにも欠落しているため、平均的な企業内ラーニング・ソリューションの設計者に対して「行動変化に関するあなたの理論は？」と聞いても、せいぜい学習スタイルの多様性に関する説明しか返ってこないだろう。さらに、依然として不思議なのは、行動経済学や心理療法といった、人々の行動を変えることに関する知見を持った分野が近くにあるにもかかわらず、それらの分野からアイデアやインスピレーションを得ようとする動きもほとんど見られないことである。もちろん、行動変化が果たす役割を人々が見過ごしているわけではない。むしろ学習提供の分野において最もよく研究され、議論されている側面の一つだと言える。だが、こうした過程は行動変化ではなく「学習の転移」（以前に学習したことが後続学習に影響を与えること）と呼ばれているのだ。このことは意味論、つまり単なる名称の問題に思われるかもしれない。しかし、言葉というのは大きな力を持っている。「学習の転移」という言葉から生まれてくる一連の思考や意見は、「行動変化」について語った場合のそれとは大きくかけ離れたものになってしまうからだ。

　行動変化への言及がめったに見られない理由の一つは、このフレーズに政治的な含み（強制や誘導といった暗示）があり、言葉自体が前時代的で不愉快な響きを持っているからかもしれない。CLOという役職名を「行動

第2章　ラーニング・ソリューションの開発　67

変化部長」や「行動修正部長」に変更することはやめておいた方が得策だろう。とはいえ、行動変化に関する議論の欠如は、企業内学習という分野にとてつもなく大きな悪影響を及ぼしている。人々の行動を変えるという課題は、情報を伝達するとかスキルを教えるといった課題とはまったく別物である。だが、行動変化というトピックへの言及が欠けているために、我々はこれらの課題の違いを認識することができなくなってしまっている。行動変化は、学習の目標、メソッド、成果を1つに結び付けるミッシングリンクである――この要素がなければ機能的な整合性を実現することは不可能なのだ。

■持続力促進への無関心

　行動変化に関する意識の欠如は、学習に関する議論の幅を狭めているが、もう一つの問題点――持続力促進への無関心――はその長さを縮めている。つまり、議論の対象とすべき期間が短くなってしまっているのだ。学習提供のステップの雛形としてよく使われるのがADDEモデル、つまり「分析（analysis）」「設計（design）」「提供（delivery）」「評価（evaluation）」である。ここには、ラーニング・ソリューションがいったん設計され、提供されれば、（評価を除いて）任務はほぼ終了だという暗黙の了解がある。したがって、このモデルは学習を一過性のイベントと見なし、投資に対する見返りも一過性と想定していることになる。社員Aを販売研修に送り込む、研修が終了する、年度末に彼女の販売実績が向上していることを期待する、以上、である。

　ここには経年的・経時的な視野が欠けている。つまり、我々は行動を変化させるという課題だけでなく、変化した行動をどうやって維持するかという課題も見落としているのだ。こうした視野の大切さを示す最初のケーススタディが1950年代に発表されている。それはアメリカの農業・建設機械メーカー、インターナショナル・ハーベスター社の製造部長への研修の効果を検証した調査だった。この調査によれば、研修の直後には、ほぼ全員が望ましい行動変化を示していたが、数カ月後にはほとんどの人々が元の状態に戻ってしまったという。その後の調査でも、常に同じような結果が出た。現在では研修中に学んだスキルは、しばらく使わないでいるうちに、たいてい

「錆びついて」しまうというのがすっかり定説になっている[15]。このことを考慮し、経時的な視野を取り入れた場合、社員Aに販売研修を受けさせる、その後、刺激策や報奨制度を活用しながら学んだスキルを来年以降も継続的に発揮するように仕向けていく、というステップを踏むことになる。この場合、投資に対する見返りは一回限りではなく、継続的なものと見なされる。

継続性という問題が完全に無視されているわけではない。実際、それは学習の「持続力（stickability）」という形で言及されることが増えている。だがここでも、中心的なトピックは知識やそれを保持する方法であって、行動変化ではない。その結果、現代の企業内学習には、望ましい行動を促進し、持続させる方法に関する議論が大きく欠けている。そしてこの持続力というピースが欠けている限り、機能的な整合性を実現することは困難になってしまう。

■コンテクスト（学習環境）への配慮不足

機能的な整合性を脅かす4つめの要素は、コンテクスト（より正確に言えば、コンテクストの欠如）である。研修の転移に関する調査結果から常に浮かび上がってくるのは、行動変化や学習の応用を実現する際のコンテクスト、いわゆる「学習環境」の大切さだ[16]。実際、コンテクスト的な要素——職場環境が学習をビジネス現場で応用することを認め、またそれを支援しているかどうかといった側面——が、研修や学習イベント自体の質の高さよりも重要であるという調査結果も出ている[17]。

これは注目に値する調査結果である。意外だと感じる読者もいるだろうが、多くのラーニング・ソリューションにおいて、「学習環境」は単なる補足部分としか見なされていない。近年こうした要素に注目が集まってきていることは確かである。その理由の一つとして、遠隔地や海外事業向けに「本社の」やり方を移転することが、多くの企業にとっての重要課題になってきたことが挙げられる。ハーバード・ビジネス・スクールのエイミー・エドモンドソンは「心理的安全」という概念を提唱し、職場での学習や行動に関するコンテクスト面の大切さを過去20年にわたって訴え続けてきた。とはいえ、

概してコンテクスト的な要素は、まったく無視されるか、ラインマネジャーによる学習支援の重要性というトピックに単純化されてしまうかのどちらかである。知識やスキルの伝授を偏重する昔ながらの学習観を踏まえれば、体系的な視点の欠如は驚くにはあたらないかもしれない。こうした体系的な要素を十分に考慮していないため、ラーニング部門にはそれらを整合させる能力が著しく不足してしまうのだ。

　さらに、職場環境というのは常に時間に追われ、失敗に対する許容度も低いため、そもそも学習向きではないとも言える[18]。従業員を職場の外へ連れ出して行うラーニング・ソリューションが根強い人気を誇っていることはそれを裏付けている。実際、調査結果によれば、企業環境はますます学習者に優しくないものになっており、この問題はさらに深刻度を増しているようだ。企業が組織階層を減らすにつれて、個人の仕事量はどんどん増え、人々はさらに多忙になっている。最近の調査結果では、約40%の人々が「仕事が忙しすぎる」と回答しており、中間管理職の半数は、景気が悪化してから仕事量が増えたと訴えている。また、全社員の半数余りがストレスが増加したと答えている[19]。現代のビジネス環境は、人々に何かを学んでもらい、それを応用してもらうのに適した環境だとはとても言えないのだ。

整合性を確保する

　ラーニング・ソリューションの開発は、これら4つの過去の軛(くびき)にとらわれてしまっている。こうした問題は普段は水面下に隠れているが、その影響力は大きい。4つの脅威は一緒になって、ラーニング・ソリューションの設計とその目的の整合を阻み続けている。ラーニング・ソリューションの開発は、一見すると単純で分かりきった仕事に思えるが、上記のような理由のために、実際には一筋縄ではいかないことが多い。プログラムの各要素がうまく整合していないケースもよく見かける。

　では、これらの問題をうまく避ける方法を検討しながら、ラーニング・ソリューションの開発のプロセスを考察していこう。従来、ラーニング・ソ

図 2.2　3 段階のプロセス

注文管理 → 企画案策定 → 商品開発

リューション開発は 2 つのステップから成ると考えられてきた。すなわちニーズ分析と設計だ。こうした分け方は確かに論理的である。だがそれは、昔ながらの学校教育的な手法に根差したものであり、企業環境における価値創造の実態を反映したものではない。というのも、その構造や言語には、ビジネス的なアプローチが欠けているからだ。したがって、我々はラーニング・ソリューション開発のプロセスを改めて見直す必要があると思う。具体的には、私はそれを 3 段階のプロセスに分けることを提案したい（図 2.2）。

- **注文管理**……これは、従来はこうしたプロセスの一部とは見なされていなかった。
- **企画案策定**……これまでニーズ分析と呼ばれていたものを含む。だが同時に、設計の要素も含んでいる。
- **商品開発**……これまで設計と呼ばれていたものと似た機能を持っている。

注文管理

　ラーニング部門が選んだ運営モデルがプロデューサーであれ、ディストリビューターであれ、ブローカーであれ、必ず直面するのが注文管理、つまり学習サービスへの要望にどう対処するかという課題だ。肝心なのは、どの要望に応え、どの要望を退けるのかという判断である。このステップは従来、第 1 章で取り上げたポートフォリオ作成のプロセスの一部と見なされてきた。一部の企業には厳格な年間ポートフォリオ作成プロセスが存在する。その場合、年度の途中で臨機応変に要望に応じることはできない。こうした企業に

とっては、注文管理はまさに年に1回きりのイベントである。しかし私の経験によれば、大部分の企業にとって、それはたった1回きりで終わるイベントではない。確かに年間計画は存在する。だが、後から必ず追加注文が発生し、通常、これらの注文にも具体的なソリューションが与えられるものと期待されている。こうした追加注文が出されたとたんに、本来の道筋から逸脱してしまうリスクが生じ、ポートフォリオの一貫性や整合性が取れなくなる可能性が生じる。実際、ラーニング部門がこのような状況に関してよほど明確な方針を持っていない限り、遅かれ早かれ学習のポートフォリオの一貫性や整合性が失われることは避けられない。

多くの企業にとって注文管理が難しい作業であることは、近年の調査結果にも表れている。それによれば、人事プロフェッショナルの中で、現在のラーニング・ソリューションがビジネスニーズに完全に合致していると感じている者は、全体のわずか14％しかいなかったという[20]。ラーニング・ソリューションとビジネス戦略を整合させることの重要性を説いた書籍や記事が大量に出回り、それについて異議のある人間を探す方が難しい現状を考えると、これは驚くべき結果だと言える。「一体どうなっているのか？」我々はそう尋ねざるを得ない。私の経験から言えば、こうした整合性を阻んでいる最大の理由は明確なスコープと注文管理方針の欠如である。実際、こうした方針のないまま、場当たり的に要望に対応し続けたために、業務超過となって身動きが取れなくなってしまうラーニング部門があまりにも多い。

しかし、その重要性にもかかわらず、注文管理は企業内学習において最も見過ごされやすいステップであり、めったに言及されることがない。その理由は、いまだに過去のしがらみを引きずっていることにある。ラーニング部門がいかに旧来の価値観に縛られ、時代の変化への順応性に欠けているかを示す一例だ。

ここで時計の針を20年前に戻してみよう。当時の研修部門は対応型のサービス部門と見なされており、ひたすら企業の学習ニーズに応えるために存在していた。この時代のラーニング部門の業務を大ざっぱにまとめればこうなる――新しい注文が入るやいなや、ラーニング部門はいきなりニーズ分析に取りかかり、ニーズを客観的に研究し、学習案を作り出す。しかるのち

に、その計画を続行するかどうかの判断が下される。正直に言って、こうした旧習のすべてが消え去ったわけではない。とはいえ、時代は変わりつつあり、現代のラーニング部門は、単なる対応型のサービス部門から脱するための努力を続けている。だが、その目的を達成するためには、場当たり的にあらゆる注文に応えていてはいけない。つまり、一定の方針やプロセスを設定し、ミッションやスコープ、ポートフォリオに照らして要望を検討していく必要があるのだ。

　では、一体どのような注文管理方針を設けるべきだろうか？　唯一絶対の解決法は存在しない。だが、鍵となる問いは存在する。

①**フォーマルなプロセスか、それともインフォーマルなプロセスか？**
　この問題は現在の社風に大きく左右される可能性がある。だがそれは注文管理プロセスの基本姿勢を決定する重要事項である。最もフォーマルなプロセスの場合、各事業部門からフォーマットに則った形で注文情報の提供を受けながら、それらを集中的に統合し、年間の最優先事項を特定していく。一方、これとは正反対に、データの集中管理をほとんど（あるいはまったく）行わず、完全にインフォーマルかつ非規格的な形で、分権的に優先事項を決定するケースもある。どちらのプロセスも一長一短である。フォーマルすぎて柔軟性がないと非難される場合もあれば、インフォーマルすぎて監視が行き届かなくなる場合もある。こうした「フォーマル度」の選択に関しては熟考が必要である。

②**どこから注文を受けるのか？**
　たとえば、ラインマネジャー一人ひとりからの注文を受けるのか？　それとも各事業部門のラーニング担当者からまとめて要望を吸い上げようとするのか？　言うまでもなく、こうした決断において鍵を握るのは、自らの運営モデルや、企業およびHRの組織構造である。

③**優先すべき学習ニーズをどのように決定するか？**
　たとえば、それはビジネスの現場から生まれるボトムアップのプロセスか、

それとも企業の方針に基づくトップダウンのプロセスか？ それは注文を自ら設定することと注文を他者から受けることの違いでもある。そして実際には、両者を織り交ぜて使っている企業が多い。ここでは慎重にバランスを取る必要がある。ある程度のトップダウンの視点がなければ、学習への投資との整合性を保つことはできない。一方、ある程度のボトムアップの視点がなければ、こうした学習への投資を最適化することが難しくなる。この決断において鍵を握るのは、おそらく企業の組織構造や、集権化の度合い、ステークホルダーの優先順位になるだろう。

④優先事項を決めるのは誰か？

たとえば、その決定を下すのはラーニング部門か、それとも事業側の代表からなる顧問団か？ この問題は実務的な問題であるのと同時に、政治的な問題でもある。そう言えるだけの理由も十分にある——意思決定プロセスは行動に向けた信任を得るチャンスだからだ。調査結果が何度も示しているように、上級幹部がラーニング計画の設定に関わっている場合、それらの計画はビジネスニーズに直結していると見なされる傾向があり、望ましい成果を得られる可能性が高い[21]。

⑤どのくらいの頻度で見直しを行うのか？

学習ニーズを随時見直し、その度に決断を下すというやり方もあれば、（たとえば年1回といった形で）定期的な見直しを行うやり方もある。後者のメリットは、優先順位や戦略的な方向性を決めるのが容易になることだ。一方、そのデメリットは、当然ながら、ビジネスニーズに敏感に反応することが難しくなることにある。この手法を取る場合は、企業がどんなサイクルで動いているかを考慮する必要がある。たとえば、よく使われるアプローチとして、学習の優先事項の設定時期を、年間の後継者育成計画および業績管理のサイクルと一致させるというやり方がある。とはいえ、テクノロジー企業の中には製品ライフサイクルがわずか9カ月という会社もあり、その場合、年1回の見直しはほとんど意味をなさなくなる。

図 2.3　注文管理の目標のバランスをとる

- ビジネスの中で生じる学習ニーズへの対応
- 長期的な目標との整合性と持続性
- 意思決定の後はどんなステップを踏むのか
- どのくらいの頻度で見直しを行うのか
- 優先事項を決めるのは誰か
- 優先すべき学習ニーズをどのように決定するか
- どこから注文を受けるのか
- フォーマルなプロセスかインフォーマルなプロセスか

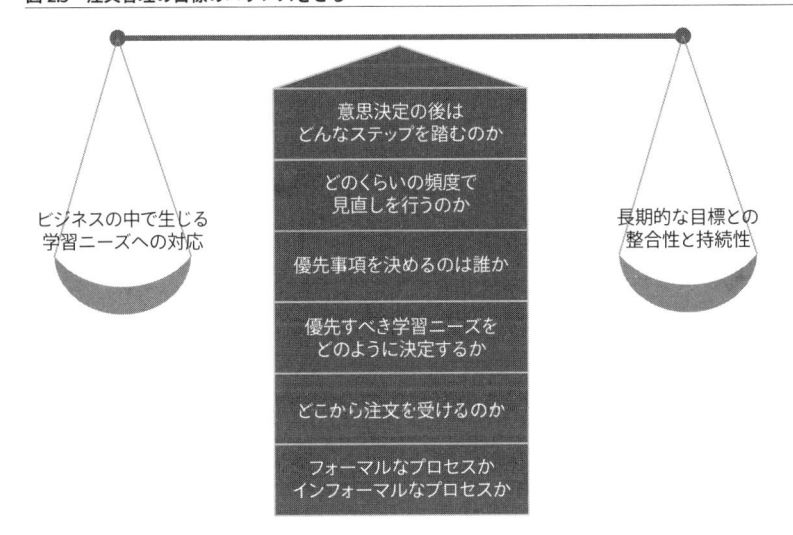

⑥いったん意思決定がなされた後は、どんなステップを踏むのか？

　まずニーズ分析・企画案策定の準備をすべきか、それとも、いったん意思決定がなされたら、いきなりラーニング・ソリューションの開発に取りかかっていいのか？　ニーズ分析・企画案策定が必要な場合、誰にそれを提示すべきか（CLOか、要望を出した社内クライアントか、顧問団か）？　こうした決断は、問題の本質そのものだけでなく、作業スピードに関する各企業の価値観によっても左右される。学習ニーズの中には、時間をかけて今後の進め方を検討すべきものもあれば、特に配慮のいらない単純なものもある。

　注文管理はラーニング部門の運営における根本的な問題であるにもかかわらず、見過ごされることがあまりにも多い。このステップは、ミッションを維持し、スコープを保つための鍵である。我々はそれを基準にして何を開発すべきか、すべきでないかを決定しなければならない——この注文管理という基礎の上にラーニング・ソリューションを築いていかなければならないのだ（図2.3）。しっかりとした基礎工事なしに何かを築き上げようとするのは、どう考えても得策ではない。

> **注文管理の査定**
> **注文管理方針を定める際に考えるべき問い**
>
> 1. 注文管理のプロセスの「フォーマル度」はどれくらいか？ フォーマルなプロセスの場合、そのフォーマルさを決定づける要素は何か？
> 2. どこから／誰から注文を受けるのか？ それは現在のHRや企業の組織構造とどう整合しているか？ どんな例外があり得るか（例：特に重要な関係者など）？
> 3. 学習の優先事項の設定はどの程度集中管理されるのか？ そうした設定が集中管理されている場合、現場で自発的に行われる学習活動をどの程度認める、あるいは目をつぶって見逃すのか？
> 4. 意思決定者は誰か？ 顧問団が優先事項を設定する場合、新たに出された要望に対する彼らの承認をどのように取り付ければいいか？
> 5. どのくらいの頻度で優先事項を見直すのか？
> 6. 意思決定のサイクルとその他のビジネスや人事のサイクルはどのように整合しているか？ 注文を臨時で受け付ける場合、決断の引き金になるのは何か？
> 7. 意思決定がなされた後の次のステップや、決定事項の取り扱いは明確に示してあるか？

企画案策定

　学習で解決すべき問題が特定された後、たいていの企業で次のステップとして行われてきたのが何らかのニーズ分析である。このプロセスを通じて、「どんな」学習ニーズが存在するか、そして「どのようにして」それらに対処すべきかが体系的に定められる。具体的な学習ニーズが明確になる前に分析を行う場合、当然ながら、どんなニーズが存在するかの方が、どのように

してニーズに対処するかよりも重視される。一方、特定の要望に応じて分析を行う場合は、その要望にどのようにして対処するかに焦点が置かれることになる。

10〜20年前、学習ニーズ分析はそれ自体がほとんど一つの産業だった。このテーマに関する書籍も大量に出版されていた。その多くは、意志の弱い人には勧められない代物だった（少なくとも、ディテールやプロセスに対して生まれつき耐性を持った人以外には不向きだと言えた）。近頃は事情が少し違ってきている。ニーズ分析は依然として重要な歯車ではあるが、かつてのような産業ではなくなっている。そしてラーニング部門はニーズ分析にかける時間をできるだけ減らすようにプレッシャーをかけられ[22]、純粋にテクニカルと見られる活動によってビジネス側の手をわずらわせてはいけない、と釘を刺されている。そういうわけで、以前の厳密さをある程度維持しつつ、切迫感をプラスした「迅速なニーズ分析」[23]というフレーズが頻繁に使われるようになったのである。

しかし、ニーズ分析の使われ方にも変化が生じている。学習に関するビジネスリーダーたちの知識が豊富になり、ラーニング部門と彼らの仕事が接近するにつれて、ニーズ分析は学習ニーズを特定するというよりも、すでに特定されたニーズに応じる方法を考え出すために使われるようになった。実際、近年のニーズ分析は、学習ニーズに対処するためのプロジェクトの計画と提案の機能を果たすことが多くなってきている。

企業がまったくの白紙状態から動き始め、学習ニーズに関する客観的な視点を提供する人間が必要な場合は、昔ながらのニーズ分析を採用すべきだろう（それは通常、要求されるスキルと現在のスキルレベルに関してできるだけ多くのデータを集め、両者のギャップを分析する作業を意味する）。だが上記の場合を除けば、従来のニーズ分析ははっきり言って時代遅れである。現代のニーズ分析の機能を考えると、それはむしろ「企画案策定」（学習ニーズを満たすようなソリューション開発の提案を生み出すプロセス）という新たな役割を担うべきだ。ニーズ分析を企画創出の場に変化させることによって、企業内学習は価値を創造する活動というポジションを獲得し、そのビジネス上の目標を際立たせることができる。私はラーニングの提案の策定法についてあれこれと

細かく指図するつもりはない。しかし、いくつかの大まかなガイドラインは見えている。

①あらゆる優れた企画案は考古学の要素を含む
　つまり、考古学者が人類の遺した痕跡からその活動を突き止めるように、特定された学習ニーズを詳しく検討し、「学習」が真のソリューションなのかどうか突き止める必要がある。企業のような複雑なシステムにおいては、業績の問題は複数の原因から起こっていることが多く、企業内学習は往々にしてスキルギャップとは無縁の問題を解決することを求められる。たとえば、私の経験では、スキルギャップの問題は個人の能力不足に起因するというより、むしろ企業文化や報酬体系が、個人の特定の行動をうまく引き出せているかどうかに関係していることが多い。企業内ラーニング部門が信頼を確立し、それを維持していくためには、自らの限界を認め、できることとできないことを明らかにしなければならない。単に顧客のご機嫌を取るために、身に余る仕事を引き受けるのは慎むべきである。やるべきでないことを決めるのは、やるべきことを決めるのと同じくらい大切なのだ。

②急がば回れ
　一説にはローマの歴史家スエトニウスに由来するとされるこのフレーズは、事前に見通しを立てずに慌てて物事をやろうとすると、かえって時間がかかってしまうことを意味する。「迅速なニーズ分析」自体は悪いものではないし、多くの企業において――とりわけオペレーション重視の企業では――できる限り速やかにソリューションを開発し、実行すべきだというプレッシャーがおそらくあるだろう。しかし、だからといって企画案策定を省略すべきではない。そして、やるとなったら中途半端な形ではなくきちんとこなすべきだ。企画案の完成度が低ければ、それに続く商品開発もおそらく完成度の低いものになり、目標を達成することはできなくなるだろう。

③ビジネスサイドをどの程度巻きこむか？
　我々は、企画案を策定する際に（たとえば実現の可能性について話し合うと

いった形で)ビジネスサイドを巻きこむことと、ラーニングの専門家としての客観性・専門性を維持することの2つの間の微妙なバランスをとらなければならない。ここで難しいのは、企画案策定は、注文管理と同様に、往々にして政治的なプロセスであるという点だ。プラス面として、こうしたプロセスが、特定の企画案について政治的な支持や整合性を得るチャンスを与えてくれることが挙げられる。実際、企画案策定プロセスにおける社内政治の役割を2年がかりで調査した研究によると、この段階での成功は、ラーニング部門がいかにデータや専門知識を駆使し、特定のアプローチやソリューションのメリットをビジネスリーダーに教え、感化することができたかで決まるのだという——従来の理論的で、無味乾燥で、客観的なニーズ分析とは大違いだ。企画案策定における政治的要素は決して忘れてはならないものだ。実際、それはこのプロセスの中核を成していると言える。

④どのようにして人々の行動を変え、その状態をキープするか？

　これは企業内学習が直面する最大の課題である。当然、企画案もその点を考慮したものであるべきだ。したがって、それは、設計(デザイン)の要素——少なくとも設計に関する知識——を備えている必要がある。また、あらゆる制約を考慮した上で、望ましい行動変化を起こすことが可能かどうかの判断を含んでいなければならない。企画案は、業績向上につながる具体的な行動変化をはっきり明記しておくべきである。また、学習環境や継続性といった、行動変化にまつわる課題に対処し、行動の変化を維持する方法を明記しなければならない。企画案のこうした側面は重大な意味をもっている。なぜなら、このステップはラーニング部門に何ができるのかを明らかにし、望ましい学習効果を上げるためにビジネスサイドがどんなサポートをすべきかを浮き彫りにするからだ。経験則では、もし企画案に企業内学習サイドとビジネスサイドの両方のリーダーの責任が明記されていなければ、その企画案の状況分析は不完全である可能性が高い。単にビジネスサイドのサポートの重要性を主張すればいいわけではない。実際にどんなサポートが必要なのかを話し合い、特定し、合意を得る必要があるのだ。最近の調査によれば、「自分の会社は『管理職によるサポート』を学習プロセスの一部と見なしている」と答えた

回答者は、全体の71%にのぼった[24]。しかし、管理職に求められる役割について聞いてみると、63%の人が管理職の役割は単に公式にプログラムを奨励することのみだと答えた。管理職が何らかの支援行動（たとえば、研修の前後のディスカッションなど）を行うことが求められていると回答した人はわずか23%しかいなかったのである。

⑤技術的・商業的・運営的な配慮
　企画案はこれらのすべての要素を含んでいなければならない。

- **技術的な配慮**……学習ニーズに対処することが可能かどうか、もし可能であればどう対処するのかについて触れている。
- **商業的な配慮**……費用便益分析の要素を含んでいる。
- **運営的な配慮**……予算、リソース、品質チェックポイントといった通常の要素を網羅した明確なプロジェクト計画を備えている。

　さらに、企画案はラーニング・ソリューションの具体的な目標と期待されるビジネス上のインパクトを明記する必要がある。このことは当たり前に思えるかもしれないが、以下の3つの理由から重要である。

- このプロセスを通じて、学習の目的と手段をはっきり区別できるようになる。
- 後にプログラムを評価する際の基準を定めることができる。
- ここで定めた目標に沿って学習サービス提供の他のすべての要素を整合させることができる。

⑥実務的なプレゼンテーション
　企画案はビジネス上の提案書のような形式で書かれるべきだ。なぜなら、もし企画案が学術論文のような体裁で書かれていたら、実務的な提案として受け止めてもらえなくなるからだ。ここで鍵となるのは、専門的な問題をいかに分かりやすく伝えるかという点である。

完成した企画案は、ソリューションのビジネス上の目的、実現の可能性、期待される成果、ソリューションの大まかな設計（例：研修講座、オンライン学習、業務支援）、克服すべき課題、軽減すべきリスクを、極めて明確に規定したものでなければならない。こうした企画案を手に入れて初めて、先へ進むべきかどうかを決めることができる。なぜなら、そのときになってようやく責任が明確になり、関係者の合意を得られるからだ。人々の合意を得た最終的な企画案は、必要なアウトソーシングを特定する際の基盤となり、ラーニング・ソリューションを開発する上で満たすべき基準を示してくれる。実際、包括的な企画案を手に入れて初めて、ラーニング・ソリューション開発の段階で機能的な整合性を確保でき、自らのメソッドによって期待する結果を得られることを確信できるのである（図2.4）。

図2.4　ラーニングの設計に整合性をもたせる

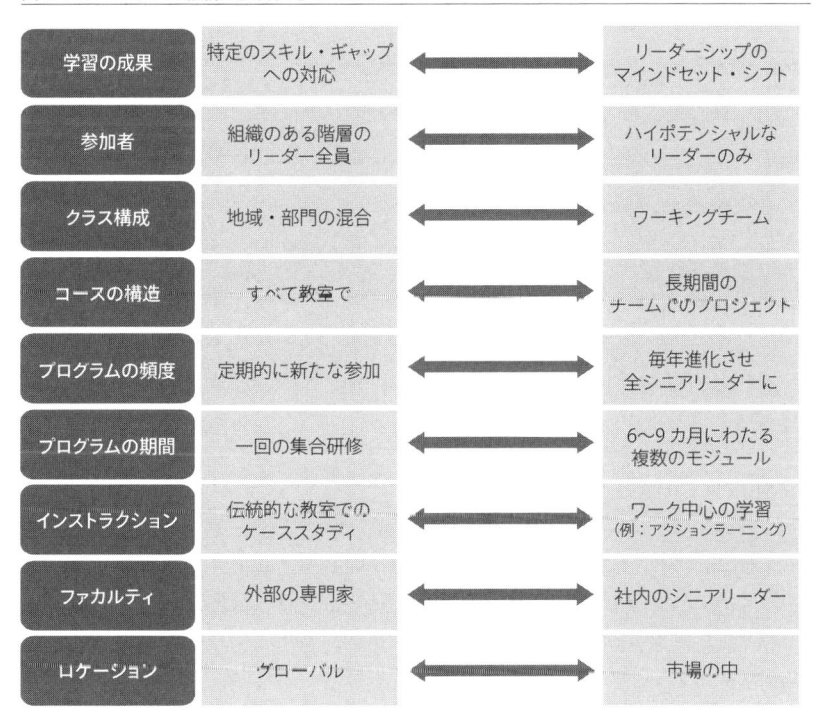

学習の成果	特定のスキル・ギャップへの対応	リーダーシップのマインドセット・シフト
参加者	組織のある階層のリーダー全員	ハイポテンシャルなリーダーのみ
クラス構成	地域・部門の混合	ワーキングチーム
コースの構造	すべて教室で	長期間のチームでのプロジェクト
プログラムの頻度	定期的に新たな参加	毎年進化させ全シニアリーダーに
プログラムの期間	一回の集合研修	6〜9カ月にわたる複数のモジュール
インストラクション	伝統的な教室でのケーススタディ	ワーク中心の学習（例：アクションラーニング）
ファカルティ	外部の専門家	社内のシニアリーダー
ロケーション	グローバル	市場の中

> **企画案策定の査定**
> **ラーニングの企画案を検討する際に考えるべき問い**
>
> 1. 企画案の作成を行う際に、主要な関係者の参加を仰いだか？ 意思決定のプロセスを前にして、企画案の作成中に十分な政治的支援を獲得できたという自信はあるか？
> 2. その企画案は求められる行動変化と、その変化の個人や企業の業績へのインパクトの両方の観点から、学習の目標を明確に提示しているか？
> 3. その学習企画のテーマは、純粋に学習に関連した課題か？ それは学習を通じて著しい改善をもたらすことが可能な分野か？
> 4. ロジスティクス、リソース、継続的な業績向上といった面で、学習の提供の重大なリスクとなるのは何か？
> 5. 現在のビジネス環境は、学習の提供や、学習内容の職場への継続的な応用にどのように影響を与えているか？ 求められる行動変化を起こし、促し、支えるために、ビジネスサイドは何をするべきか？
> 6. その企画案は実務的なトーンで書かれているか？ そして実務的に重要なあらゆる情報を含んでいるか？ テクニカルな情報は、専門的かつ分かりやすい形で提示されているか？

商品開発

　いよいよ3つめの、そして最後の課題がやってきた。しかもかなり歯ごたえのある課題だ。すなわち、望ましい行動変化を起こすことのできるラーニング・ソリューションの開発である。非常に複雑な課題だ。もし複雑に感じないとしたら、何かを単純にとらえすぎているに違いない。行動変化自体の難しさはともかくとして、第一に、学習環境、学習内容、使用するメソッドやメディア、学習者の特性やモチベーションなど、多くの変数がある。残

念ながら、この迷宮のくぐり抜け方を教えてくれる確かなガイドブックは存在しない。なぜなら特定のメソッドが常に他のものよりも効果的だという証拠はないからだ。また、何が効果的かは、各状況に付随するさまざまな変数の組み合わせによって変わってくるからである。

さらに、新しいテクノロジーは一見すると恩恵のようだが、当面は両刃の剣でもある。選択肢が増えればチャンスも増えるが、同時に決断事項が多くなり、ある状況に対して何がベストなのかを決めるのが難しくなる。例のごとく、各種の研究は急速なイノベーションに追いついていないため、どれが一過性のブームで、どれが本当に役に立つのか見極めにくくなっている[25]。たとえば、ブレンディッド・ラーニングではさまざまなテクノロジーや提供手法を組み合わせることが可能だが[26]、特定のブレンド（メソッドの組み合わせ）がどのような相対的有効性を持つのかはほとんど分かっていない。したがって、それぞれのニーズにとっての最適なブレンドを突き止めるのが難しくなっている。その上、各サプライヤーには独自の主張を展開しようとする傾向があるため、問題がますますややこしくなっているのだ。賢明な選択を行うのは簡単なことではない。テクノロジーの導入はしばしば多額の投資を要するため、なおさらその選択は難しいと言える。この問題については第3章で再び取り上げたいと思う。その際にはいくつかの具体的なメソッドやツールを検証する。

差し当たっては、使用するメソッドやツールと、達成すべき目標との整合性を保つ方法に焦点を合わせたいと思う（ただし、この問題に関して与えられる助言は比較的少数である）。英国コーポレート・リサーチ・フォーラムのある報告によれば、商品開発において最も大切なのは、予算や社内政治といった要素に合わせるのではなく、ビジネスや学習のニーズに合わせて商品を開発することだという[27]。ここまではごく当たり前の指摘である。この他にコンテンツの性質、学習環境、利用可能なリソース、ターゲット層などが重要な要素であり具体的なものとして挙げられる[28]。この問題に関する助言が不足していることは驚くに値しないかもしれない。なぜなら、関係する変数の膨大さを考えると、メソッドとニーズを適合させようとする試みは、不完全に終わったり、過度の単純化につながったりする恐れがあるからだ。

こうした事実を認めた上で、学習アプリ開発会社、ネイティブ・ブレインのCEOであるマイケル・コンネルは、近年、逆方向からこの問題にアプローチしている。具体的には、彼は商品開発に関して次の2つの常套手段を使うべきではないとくぎを刺している。1つめは「大勢に従う」、つまり世間の評判や他の会社がやっていることを行動の指針にすること、2つめは「顧客にまかせる」、つまりビジネスサイドや参加者の意見・評価を設計の中心におくことである。コンネルによれば、これらのクラウドソーシング的テクニックは、より幅広い商品開発プロセスの構成要素としては有益かもしれないが、単独で使われる場合には大きな欠点があるという[29]。私としては、こうした手法は、開発者側の専門知識の欠如や自信のなさを露呈していると付け加えておきたい。

　そういうわけで、この問題に関する助言の数は不足しているが、いくつかの一般原則は確かに存在する。そこで私は、目標の学習ニーズを必ず満たすような商品を生み出すための6つの主要なポイントを示したいと思う。このリストは商品開発における重要項目をすべて網羅しているわけではない。だがその一つ一つは最終的なソリューションと追求する目標の機能的な整合性を保つために不可欠な要素である。

①企画案を忠実に実現する

　商品開発は企画案の延長線上にあるものでなければならない。これは当たり前のように聞こえる（実際そうである）。だが、企画案策定と商品開発が違う人間によって（時には違う組織によって）行われることは珍しくない。重要なのは、企画案のあらゆる微妙なニュアンスが失われないようにすること、そして、企画案で定められた成功基準に沿って商品開発を行うことである。

②日常業務との関連性を強める（ただしやり過ぎは禁物である）

　企業の優先事項に直結するラーニング目標に向かって邁進することになった場合、学習内容と社員の日常業務の間にどれくらい関連性があるかがよりいっそう重要になってくる。こうした関連性を保つための最も手軽な方法が、ビジネスサイドを直接巻きこんでラーニング・ソリューションの開発を行う

ことである。これは通常、各テーマに詳しい人物で構成される、社内の小さなグループを利用して行われる。だがこうした場面ではデリケートな調整作業が要求される。なぜなら、自らの裁量に任された場合、ビジネスサイドの人々の多くは自分自身にとってなじみのある（あるいは好みの）学習方法といった観点でものを考えがちだからだ。したがって商品開発者は専門的な見識を使ってこのような傾向と対峙しなければならない。まさにこうした理由で、外部の専門家を招聘することにした企業もある。私自身は外部からの視点が必ず必要だとは思っていない。しかし、日常業務との関連性と最先端の専門知識のバランスのとり方について明確な方針を持つ必要はあると考えている。

③人々の行動を変化させる方法について十分に理解しておく

　ラーニング・ソリューションの開発中に最も見過ごされやすい点のうちの一つが、人々がどのようにして学び、行動変化を起こすかについての知識である[30]。仮に知識があったとしても、学習スタイルや思考スタイルに関するかなり単純な仮説の域を出ていない場合が多い。一方、個人の学習スタイルしか考慮されていないという事実自体が、従来のアカデミックな学習モデルにとらわれている証拠である。コルブ[31]やハニーとマムフォード[32]の学習モデルは確かに役に立つかもしれない。しかし、人々の行動を変化させることは、単なる学習スタイルの枠には収まらない行為であり、ラーニング部門の専門知識はこれらのモデルを超えたものでなければならない。とはいえ、行動変化に関するさまざまな理論を紹介することは、この章の目的ではない。したがってここでは、行動変化についての知識を深めることが中心課題の一つであると言うだけにとどめておこう。それはまた、ソリューションのサプライヤーに真っ先に聞きたいポイントでもある——「あなたは人々がどのようにして学び、行動変化を起こすと考えているか？」「あなたのラーニング・ソリューションはそうした考えと矛盾していないか？」

④参加者に合わせる

　前項ではのめかしたように、仮に我々がプログラムの対象である参加者に

思いをはせたとしても、それは単なる学習スタイルに関する思考の域を出ていない場合が多い。しかし、異なる場所で単一のプログラムを使用することが増えるにつれて、性別や世代的・地理的な違いといった対象集団の特徴に対して、より細やかな配慮を施す必要が出てくるはずである。

⑤学習者のモチベーションを引き出す

　もう一つの見過ごされがちな要素は学習者のモチベーションである[33]。しかもその重要性は高まってきている。社員は自己を高めることによって、より高い報酬を得たり、出世したりできる、というのが、昔からの暗黙の了解であった。実際、1990年代には「雇用される力(エンプロイアビリティ)を高めよう」というのが学習のキャッチフレーズだった。しかし、社員にとって学習と報酬のつながりは必ずしも明確ではなく、企業内学習への参加がキャリアアップを促進するという確証はほとんどない[34]。さらに、学習が国や自治体の規制と結び付けられることが増え、企業が学習とビジネス戦略をますます整合させようとするにつれて、社員から見た学習の固有の魅力に陰りが出てきている。つまり、企業側から見ると「なぜ学習を行うのか」というメッセージは、以前にも増して明確化しているかもしれないが、逆に個人の側から見た「なぜ」や「自分にはどんなメリットがあるのか」という疑問はなおざりにされているように見える。それゆえ、商品開発を成功させるためには、学習者の意欲を刺激し、モチベーションを高めるような計画をはっきりと盛り込む必要がある。

⑥生命維持システムを生み出す

　前に述べたように、職場は学習にとって理想的な環境ではない場合が多い。失敗すれば罰せられるし、ゆっくり内省する暇もない。さらに、目先の仕事をできるだけ早く終えなければならないというプレッシャーもある[35]。したがって、あらゆるラーニング・ソリューションには、学習の目標を延命させる生命維持装置(ライフサポート)を備えておかなければならない――ビジネスライフの荒波の中で学習が日々生き延びていけるように、何らかの方策を講じる必要があるのだ。以前に示唆したように、このことは現場のラインマネジャーにすべ

ての責任を押し付ければ済む問題ではない。たとえば、近年注目されているのが、学習内容を職場で応用する際に、同僚たちが及ぼす潜在的な好影響である。したがって、できあがったソリューションは、初期の学習イベント（例：研修期間）が終わった後のステップを盛り込んだものでなければならない。それはまた、単なるラインマネジャーの行動の枠を超えたものでなければならない。こうしたオプションの一部は第3章で取り上げる。

これらの6つのポイントをすべて足しても、完成したプログラムと求められる成果の整合性を完璧に保つには不十分かもしれない。だが、その度合いをかなり高めていくことは可能である。ソリューションのシンプルさは常に望ましいが、ソリューションを開発する過程がシンプルであることはめったにない（仮にシンプルであった場合、私としては即座にその完成度を疑うだろう）。商品開発は簡単な仕事ではない。実際それはかつてないほど難しくなっていると言ってもよい。したがって、もしそれが簡単そうに見えたら、そのやり方はおそらく間違っているのだ。

商品開発を査定する
新商品を検討する際に考えるべき問い

1. そのラーニング・ソリューションは企画案で提示されたあらゆる目標や成功基準を満たしているか？
2. 学習内容やメソッドは、ビジネスと関連性があるのと同時に（必要に応じて）最先端でもあるか？
3. 行動変化についてどのような持論を持っているか？ 完成したラーニング・ソリューションはそうした持論とどう合致し、それを実現しているか？ 行動変化についての自らの持論は、ラーニング・ソリューションの提供にどのような影響をもたらす可能性があるか？ ビジネスサイドはこうした問題に関して自分と同じような理解と期待を共有しているか？
4. 完成したラーニング・ソリューションは、ターゲット層の全員に適用

可能であり、誰にとっても使いやすいものだろうか？ それともその
プログラムは、特定の対象者層（例：特定の学習スタイル、性別、世
代）を優先したものか？
5. 「（このラーニング・ソリューションに参加した場合）自分にとってどんなメ
リットがあるのか」という点を、学習者の視点から明らかにしたか？
ターゲット層をどのように励まし、刺激し、奮い立たせ、望ましい
行動変化を起こすように仕向けるつもりか？
6. 現在の職場環境は、短期的・長期的に見て、学習や行動変化を
どのように促進しているか（または妨げているか）？ 学習内容の「錆
びつき率」はどの程度だと予想されるか？ こうした問題に関して、
ラーニング・ソリューションにどんな対応策を盛り込んだか？ その
効果は十分か？

まとめ

　エンドユーザー側から見て、企業内ラーニング・ソリューションがここ10〜20年の間に非常に大きな進歩を遂げたことは間違いない。確かにそれらの見た目や雰囲気は20年前のプログラムとはまったく違っている。しかし、一見進歩しているように思われるものの、その変化は見かけほど大きなものではない。実際、企業内学習は依然として昔ながらの思い込みや習慣にとらわれている。本章では、ラーニング・ソリューションの開発におけるさまざまな変化——あるいは変化の欠如——の考察を行った。そして学校教育的な学習観が潜在的に根強い影響を及ぼしていることや、そうした影響のためにラーニング・ソリューションと求められる成果をうまく整合させることができない可能性があることについて検証した。また、なぜラーニング・ソリューション開発のプロセスを見直す必要があるのかを示し、実務性、行動変化、コンテクスト（学習環境）、持続性をより重視する観点を紹介した。

　企業内学習の見た目や雰囲気がどんなに変わろうが、それは依然としてコ

ンテンツ主体で、資格取得を主な目的とした従来型のプログラムであり続けるだろうと主張する人々もいる。一方、最新のテクノロジーが、新たな情報伝達の方法を可能にするだけでなく、新たなペダゴジー（教育手法）への道を切り開いていき、企業内学習の未来はこれまでとは根本的に異なったものになるだろうという声も高まっている[36]。企業内学習が本当に以前とは違ったものになるかどうかは分からない。だが、私はそうなるべきだと固く信じている。今日見受けられる進歩の大部分は、単にアウトプットに焦点を絞り込んだことと、最新のテクノロジーの出現に起因するものである。こうしたアウトプットの創出能力を存分に発揮し、目の前にある最新のテクノロジーを最大限に生かしたいのなら、これまでのやり方と見かけが違うだけでなく、中身も違ったことをやり始めなければならない。次章では、それを成し遂げる方法、つまりラーニング・ソリューションの提供方法を検討しよう。

第3章

ラーニング・ソリューションの提供
テクノロジーとペダゴジー（教育手法）

　残念ながら、過去20～30年の間、ラーニング・ソリューションの開発において革新的な変化はほとんど見られなかった。一方、その提供方法——学ぶべき内容を伝達するためのメソッドやメディア——は目まぐるしく変わり続けている。関連するカンファレンスに行けば、新たなチャンスをもたらす最新のテクノロジーの話題で持ち切りであり、ソーシャルネットワーキング、バーチャルワールド、シリアスゲームといった最新のキーワードがヘッドラインを飾っている。また、あらゆる専門誌が次なる大物テクノロジーを特集する記事で紹介している。さらには、見慣れない略語が次から次へと誕生している。CMS、LMS、KMS、LCMS、LKMS、LOKMS、MLE、PLE、VLE——例を挙げればきりがない※。どれも意味するところはほぼ同じに見える（中には大した意味を持たないものもある）。

　こうした無秩序な専門用語は、学習テクノロジーの発達状況を反映して

※ コンテンツ管理システム（Content Management System）、学習管理システム（Learning Management System）、ナレッジ・マネジメント・システム（Knowledge Management System）、学習コンテンツ管理システム（Learning Content Management System）、ラーニング・ナレッジ・マネジメント・システム（Learning Knowledge Management System）、ラーニング対象ナレッジ・マネジメント・システム（Learning Object Knowledge Management System）、学習環境管理（Managing Learning Environment）、個別学習環境（Personal Learning Environment）、バーチャル学習環境（Virtual Learning Environment）

いると言える——それはいまだ黎明期にあり、選択肢は急増しているものの、最善の方法は今なお明らかになっていないのだ。そういうわけもあって、大々的な宣伝にもかかわらず、多くの企業はこれらの最新メソッドの採用に対して相変わらず慎重な姿勢を見せている[37]。「時期尚早だ」が彼らの決まり文句である。もう一つの懸念として挙げられるのがリスクの高さだ。大半の最新テクノロジーの成果はいまだに実証されていない。また、変化のスピードが速すぎるため、仮にあるテクノロジーに投資したとしても、明日にはそれが別のテクノロジーに取って代わられている可能性がある。後述するように、懸念にはそれなりの理由があるのだ。

　こうした懸念は世間一般に広まっているように見える。近年の調査によれば、ラーニング部門で働く社員のうち、イノベーションを積極的に支持する者はわずか12%しかいなかったという[38]。したがって、当面は、実証済みの定評あるメソッドを採用しているのが現状である。しかし、変化の兆しは見えている——しかも大きな変化だ。一部の最新テクノロジーは間違いなく一過性のブームに終わるだろう。だが、あるものはやがて定着し、学習の提供方法の概念を一変させることになるはずである。なぜなら、こうした最新テクノロジーは、学習の見かけや雰囲気だけでなく、学習の持つ力を大きく変える可能性があるからだ[39]。ボブ・ディランの歌にあるように、「時代は変わる」のである。

なぜ学習提供をとりまく状況は変化しているのか？

　本章では、来たるべき変化、つまり最新テクノロジーの台頭と、それに伴って学習提供（ラーニング・デリバリー）をとりまく状況がどのように変わりつつあるかについて考察する。まずは、あえて一歩下がって、なぜこうした変化が起きているのか、目の前で起きている変化の裏でどんな力が働いているかに注目しよう。変化の原動力として特に顕著なのは、以下に述べる5つの要素である（図3.1）。

図 3.1　変化をもたらす 5 つの力

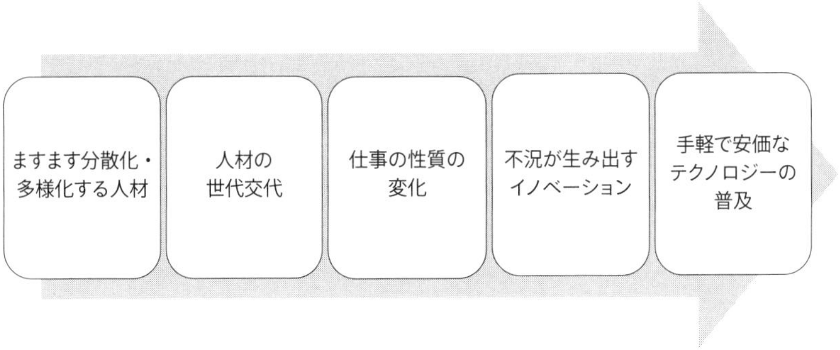

ますます分散化・多様化する人材 → 人材の世代交代 → 仕事の性質の変化 → 不況が生み出すイノベーション → 手軽で安価なテクノロジーの普及

■ますます分散化・多様化する人材

　グローバル化は今に始まったことではない。だがそれは新たな段階に至り、学習提供にも根本的な影響を及ぼしつつある。実際、企業がオンライン学習に手を出したきっかけとして最も一般的なのは、おそらくこうした急速なグローバル化だろう。人材がますます地理的に分散化するにつれて、各企業は、バラバラな HR インフラや、法的環境の違いに直面しながら、広域にわたってラーニング・ソリューションを送り届ける方法を探さなければならなくなっている[40]。このような動きに拍車をかけているのは、一貫性への欲求であったり、コストパフォーマンスの圧力であったり、本社の仕事の仕方を海外事業にも導入したいという願望であったりする。また、バーチャル・ワーキングの誕生とともに、企業は離れた場所でも学習やパフォーマンスを支援するツールを提供できるような新たなテクノロジーを模索しはじめた。さらに、こうした人材の分散化は、人材の多様化を伴っていた――さまざまな国の社員が同じチームで働くことがますます増えてきたのだ。このような問題は以前から存在していた。だが、問題の質は大きく変わりつつある。数年前までは、学習内容を各地の文化的ニーズに適合させることに重点が置かれていた。しかし今日、文化的な背景によってそれぞれの学習提供メソッドへの受容度や参加率が変わってくるという最新の研究結果を受けて[41]、

ラーニング部門は、学習の内容だけではなく、提供方法も文化的ニーズに適合させる必要が出てきたのである。

■ 人材の世代交代

　人材の変化はこれだけではない。ベビーブーム世代（団塊の世代）は定年を迎え、わずか数年後には労働人口の約半分が1980年以降に生まれた人間で占められるようになる。ジェネレーションY、新世紀世代（ミレニアルズ）、エコーブーマー、デジタル・ネイティブ第一世代、iジェネレーション――呼び名はどうあれ、彼らの出現は企業内学習における大改革の到来を告げるものである。あらゆる新世代と同様に、彼らもまた、従来とは異なった学習への嗜好や職業観を持ち、新しいテクノロジーをよく使う。しかし、この世代に限っては、その価値観やニーズがあまりにも違うため、企業内学習を根本的に変えざるを得ないことが徐々に明らかになってきた。

　最も根本的な違いは、この世代の人間は新しいテクノロジーを単によく使うだけでなく、従来とは違った形でそれを活用していることだ。彼らはいつでもどこでも情報にアクセスできることに慣れきっており、ウィキペディアのような共同編集作業や知識共有を当然のものとして受け入れている。そして当たり前のようにオンラインのソーシャルネットワークを通じて人々と触れ合っている。こうした違いは彼らの学習観にも影響を及ぼしている（たとえば、彼らにとって学習とはいつでもどこでも即座にアクセスできるものでなければならない）。一方、このような世代間の違いの中には、あまり知られていないものもある。たとえば、ネット世代は他人との触れ合いに消極的であるという固定観念とは裏腹に、この新世代は、旧世代よりも人間的な交流が盛んであり[42]、対面学習をより好む傾向があるという研究結果が出ている[43]。各世代のさまざまな価値観やニーズに対応することがこれほど難しい時代はないだろう。それゆえ、企業は新しい学習提供の方法を検討せざるを得なくなっているのである。

■仕事の性質の変化

　変化しているのは人材だけではない。職場もまた変わりつつある。多くの業界においてビジネスサイクルは縮まりつつあり、6～9カ月ごとに新製品が生まれている。CEOは2～3年以内に企業を変革するようにプレッシャーをかけられており、緩やかな変化を起こしている余裕はない。彼らは短期間のうちに世界の隅々にまで新たな戦略や望ましい行動、文化を伝えていかなければならない。そのためには学習サポートシステムを緊急に配備・展開する必要がある。そこで、さまざまな最新のテクノロジーがその解決策として注目を浴びている。

　さらに我々は、生産性にとっての新たな大敵である時間的制約と戦わなければならなくなった。学習提供はこうした戦いの最前線の一つになったのだ。無駄をそぎ落とした、ダイナミックでテンポの速い職場環境には、学習に割く時間はほとんど残っておらず、学習者の集中力は軒並み低下している。仕事を一時中断して研修コースを受けることは、もはや多くの人材には許されない贅沢になった。最近の調査によれば、研修への誘いを断った人のうち、その理由が「忙しすぎるから」だった人は、全体の40％にのぼるという[44]。短時間の研修の方が好まれるケースも繰り返し報告されている。今や学習者は、かつてのような1週間のラーニング・ソリューションではなく、2日間の短期コースや30‐60分のオンライン学習を選ぶようになっている[45]。カーン・アカデミーは、こうした短時間学習サービスの典型である。この非営利教育組織は、3000本以上のオンラインミニ講座（一本につきわずか4～15分）を無料で公開している。そして、多くの企業がこうしたアプローチにならってマイクロサイズの学習講座を提供しようとしている。

■不況が生み出すイノベーション

　イノベーションの原動力として戦争に勝るものはないという話はよく聞く。同様に、不況ほど、イノベーションを推進してくれるものはない。予算削減を強いられたラーニング部門は、より少ない費用で最大限の結果を出すため

の新たな方法を探している。集権化、合理化、アウトソーシングはみな効率化を実現する機会を提供している。オンライン学習と社内知識共有はどちらも増加中であり、コスト削減に貢献しつつある[46]。しかし、従来の不況ではコスト削減のみに焦点が絞られる傾向があったのに対して、今回は価値の証明、品質や一貫性の確保にも重点が置かれるようになっている。

現在我々が目にしているこうした変化の多くは、景気が悪化する以前から始まっていたものだが、近年の経済情勢によってその変化はますます加速してきている。また、テクノロジーを利用した情報提供チャネルのおかげで、企業は効率性だけでなく、イノベーションにも意識を向けられるようになってきた。旅費削減への反応はその好例である。10年前ならば、それは学習活動の減少を示唆していたはずだ。だが現在では、企業は広域的な学習提供メソッドの開発や活用に意識を向けている[47]。

■手軽で安価なテクノロジーの普及

上記の4つの変化を生み出す力に共通する要素であり、それぞれの問題の解決策になり得るのがテクノロジーである。学習テクノロジー自体はとりたてて目新しいものではない。行動心理学者のB. F. スキナーは50年以上も前に機械装置を使った自動学習システムを模索していた。さらに、現代の学習テクノロジーの基盤である携帯電話やインターネットは何年も前からすでに存在している。実際、いろいろな意味で、我々が現在目撃しているのは学習テクノロジーの第二の波なのだ。

第一の波は2000年前後にやってきた——そして大量のeラーニング業者があっという間に現れ、あっという間に消えていった。十分な技術インフラがまだ整っていないことが大きな障壁だった（例：安価なブロードバンドアクセスなど）。現在では4つの点で状況が変わった。第一に、テクノロジーはさらに進歩を遂げている。情報処理や通信のスピードは大幅にアップし、人々は今や高性能のコンピューターをポケットに入れて持ち歩いている。そして10年前にはバラバラだった各デバイス間の連携が進んでいる。第二に、テクノロジー製品のイノベーションのスピードが加速している。その背景と

して、オープンソース開発やソフトウェアの「アピフィケーション」（より小型で特化されたアプリケーションへの移行）が相まって、イノベーションの実現に拍車をかけていることが挙げられる。第三に、こうしたテクノロジーは今や日用品化し、安価で入手・活用できるようになっている。そして第四に、これらのテクノロジーへのアクセスはすでに臨界質量(クリティカル・マス)に達している。利用無制限のデータプランの普及は、日本のモバイル・メディア発展の原動力となった。今やアメリカやヨーロッパでも同じ現象が起きている。最新のデータによれば、全世界の携帯電話の契約数は60億件に達しているという。これは世界人口の86％に相当する数字だ。新たに製造される携帯電話の85％以上はウェブに対応しており、2011年には推定5500万台のウェブ対応のタブレットが販売されている。2016年には、10億人がスマートフォンを所有することになるという。その多くはこうした機器を職場に持参するプロフェッショナルになるだろう。

　こうしてオンライン学習に必要な技術インフラは完全に整備され、中規模以上の企業や大学の大部分が、システムを管理・開発するためのIT部門を持つようになった。現代は単なるテクノロジーの時代ではなく「モバイルで手軽で安価な」テクノロジーの時代なのである。テクノロジーは十分に安価になり、ネットワーク通信速度は十分な速さに達した。本格的な普及のためのティッピング・ポイントを超えた。その結果、正真正銘の新たなテクノロジーの誕生が可能になったのである。

来たるべき変化

　不況によるイノベーション、成熟した技術インフラ、人材や職場の変化といった要素の衝突が生み出す極めて大きな力が働いている。では、今我々が目撃している変化とはどんなものなのか？　そして人々は何を大騒ぎしているのだろうか？

　目玉となる要素を見つけるのは簡単だ。「拡張現実」（AR: 現実の風景とバーチャルリアリティの融合）は流行のキーワードの一つである。近年、このテク

ノロジーを応用したいくつかのプロジェクトが大々的に発表されている。たとえば、BMWやフォルクスワーゲンは、拡張現実を利用して新型自動車の保守補修に携わるサービススタッフの訓練を行っている。「セカンドライフ」のようなバーチャルワールドも一時期かなりの脚光を浴びた。数年前ほど話題にならなくなったものの、それはいまだにリアルタイムの学習イベントやシミュレーションの場として人々の心をとらえている。さらに、シリアス・ゲーム（serious game）、ファンウェア（funware）、エデュテイメント（edutainment）なども注目を集めている。高等教育に関する調査によれば、ゲームを使ったクラスの生徒の方が、ゲーム不使用のクラスの生徒よりも優秀な成績を収めているという[48]。

　これらの刺激的で興味をそそるテクノロジーは鳴り物入りで登場し、嫌でも我々の目に入ってくる。これこそバーチャル革命、未来そのものであり、その未来は明るいとその担ぎ手たちは言う。しかし、こうしたテクノロジーが約束するもの、可能にするものの大きさにもかかわらず、私は彼らの見方には賛成できない。なぜなら私にとっての真の変化、真の革命は、別のところにあるからだ。最新テクノロジーの陰に隠れ、水面下でひっそりと進行している変化にスポットを当てるために、まずは過去10年間のテクノロジーの進歩の中で最も話題を集めていたテーマ——eラーニングとmラーニング（モバイルラーニング）について考察してみよう。

eラーニングからmラーニングへ

　以前にこれと同じ道をたどったような記憶はないだろうか？　実際、我々はこうした変化をかつて経験している。10年前、多くの人々は、自分たちがeラーニングの黄金時代を迎えつつあることを確信していた。シスコのCEO、ジョン・チェンバーズの言葉がよく知られている——「インターネットを使った教育は大成長を遂げ、eメールの使用は誤差として切り捨てられる程度にまで減るだろう」。しかし彼の予言は実現しなかった。

　2000年前後にやってきたこのeラーニングの波は、2つの主要なテクノ

ロジーを伴っていた。すなわち、学習内容管理システム（LCMS: オンライン上で学習教材を保存・提供する）と学習管理システム（LMS: 特別に設計されたソフトウェアを使って講習のコミュニケーションやロジスティクスを管理する）である。これらのシステムが人々の期待に応えられなかった理由の一つが、テクノロジーの未熟さにあったことは間違いない。しかし、企業や教育機関によるこれらのシステムの取り扱い方もまた失敗の一因だった。導入を急ぐあまり、既存の学習コンテンツをオンライン・データベースに移し変えるだけで済ませてしまう場合が多かったのだ。少なからぬ企業が、こうしたシステムを、従来の対面学習をeラーニングに置き換えることでコスト削減を図る仕組みに過ぎないと考えていた。

多くの企業が見落としていたのは、どんなにきらびやかなテクノロジーの衣をまとっていようが、遠隔型のeラーニングは、対面学習の代わりとしては力不足だという事実だった。振り返ってみると、敗北は当然の帰結と言えた。調査結果によれば、多くの社員はeラーニングよりも対面型のプログラムを好み[49]、オンライン講習にはあまり熱心に取り組まず[50]、途中で投げ出す確率が高かった[51]。やがてeラーニングは失望と落胆の対象になった。

とはいえ、事態は徐々に改善しつつある。たとえば、eラーニングと従来の集団講習を組み合わせることによって、学習にソーシャルな要素が再び導入されるようになった。また、ソフトウェアのユーザビリティ（使い勝手のよさ）がますます重視されるようになってきている。初期のシステムは主に企業側の利益を優先して設計され、フロントエンドでのユーザー体験にもそれが反映されていた。しかし10年後の今、iPhone世代のユーザビリティへの要求は以前よりもはるかに高くなっており、サプライヤーたちは最新のシンプルなシステム・インターフェイスを駆使してこうした要求に対応しようとしている。とはいえ、最も大きな進歩は、企業がとうとう、学習そのもののあり方を変えるためにこれらのシステムを使い始めたことである。

その一例として、さまざまな共同作業（コラボレーション）が生まれつつある。これはLCMSの多くの鍵を握る部分である。ラーニングの開発者はオンライン上でコラボレーションすることで、新たなコンテンツを生み出せるようになった。ここで新しいのは、システムのおかげで学習者がウィキや

ブログ、実践コミュニティを通じて互いに交流し、協力し合うことが可能になったという点である（これらについては後述する）。この変化の意味は大きい。なぜならそれは、昔から遠隔学習の避けがたい弱点とされてきた部分、すなわち「相手との間に距離がある」という問題をうまく解決してくれるからだ。ウェビナーやウェブベースのビデオ会議、ライブストリーミングの登場によって、世界中の社員が同時に学習イベントに参加することが可能になった。また、インスタントメッセージやライブチャットを使って発言したり他の人々と交流したり、イベントに積極的に参加したりすることもできるようになった。こうした新しいテクノロジーによって学習が距離を越えてどのように起こるか、という概念そのものが変わり、学習者同士の結び付きは強まり、ドロップアウト率は低下しつつある。

　変化はそれだけではない。サプライヤーがシステムを売り込むときの宣伝文句にもその変化を読み取ることができる。「履修状況の管理ができます」といった言及はほとんど見られなくなり、その代わりにLMSがいかにバーチャル学習環境（VLE）への入り口として機能するかという点が語られるようになった。こうした言葉の一部には商品を売り込む煽り文句の要素もあるが、テクノロジーが学習プロセスや学習体験自体に及ぼす影響がより重視されるようになったことの表れでもある。このことは、こうしたシステムがついに革命をもたらし、単に学習コンテンツを世界中に送り届けるだけでなく、コンテンツを使ってこれまでとは異なる試みを行うことが可能になるのではないかという期待を私たちに抱かせてくれる。

　eラーニングがアクセスを広げ、学習を教室という枠から解放してくれたとすれば、mラーニング（モバイル・ラーニング）はその概念を拡大し、学習をあらゆる定点から解放しつつある[52]。それは学習が「いつでも、どこでも」可能になる時代の到来を感じさせてくれる。eラーニングの発達の背景に既存のテクノロジー（インターネット）が存在していたのと同様に、mラーニングもまた、既存のトレンドを利用しようとしている。今日では85％の企業が従業員の一部にモバイル機器を配布しており[53]、モバイル機器からのアクセスは、すでにウェブサイトへの全アクセスの10％に達している。好むと好まざるとにかかわらず、モバイルテクノロジーはすでに定着しつつ

あり、この先も日常生活にもどんどん入り込んでくるだろう。多くの識者がmラーニングの台頭は避けられないと見なしている理由がここにある。

　mラーニングはまだ黎明期にあり、初期のeラーニングと同様に、今のところは主に単なる配給ツール——これまでの古いラーニングを供給する新しいメディア——として使われている。実際、こうした目的に関しては、mラーニングはかなり役立っている。たとえばそれは、小売店員や営業担当、その他移動中の人々といった、コンピューターが手近にない学習者の支援ツールとして使われている。また、学校によっては、iPadを使って宿題をやらせているところもあると聞く。さらに、アップルのiTunes Universityを利用すれば、何千もの講義のポッドキャストや動画を、いつでもどこでも、移動中でも無料で視聴することができる。さまざまな医科大学や企業内大学や企業が、モバイルテクノロジーを使って学習リソースへのアクセスを向上させている[54]。

　確かに移動中でもアクセスできるという利便性は、社会に広範な影響を及ぼし得る大変革である。だが、企業内ラーニング部門がこのテクノロジーに対して真に期待すべきなのは、より幅広く、より安価に物事を行う可能性ではなく、今までとは違ったやり方で物事を行う可能性である。たとえば、私の所属するビジネススクールIMDでは、幹部育成プログラムの参加者に対して専用アプリの入ったiPadが支給される。参加者はこのiPadを使ってすべての教材を手に入れ、それらの教材を使ってインタラクティブな学習を進めることができる。また、あらかじめインストールされたiPadのアドレス帳（専用のメールアドレスが載ったもの）を使って、他の参加者や教授陣と意見交換することも可能だ。このようにIMDは、mラーニングを使うことによって、学習へのアクセスをより便利で簡単にするだけでなく（プレゼンやケース・スタディの資料がぎっしり詰まった重いバインダーはもう要らない）、協働学習の機会を拡大しているのである。

　mラーニングが切り開くもう一つの可能性として「ジャストインタイム学習」、つまり、特定の情報を必要な時に必要な場所で提供できるシステムが挙げられる。美術館などで使われているARルートガイド——スマートフォンの位置認識機能を使って拡張現実（AR）を伴った学習支援を提供

するもの——はその好例だ[55]。スマートフォンを展示物の方へ向けるだけで、その作品の詳しい解説を聞くことができる。同様に、多くの病院では、モバイルテクノロジーを利用して、医師免許を取ったばかりの医者にオンデマンドで情報を提供するようにしている。この種の学習はダイレクト・パフォーマンス・サポートと呼ばれており、多忙な世代にとっては理想的なシステムのように見えるだろう。なにしろ、最も知りたいときに、最も知りたいことをテーラーメードで届けてくれるのだ。

　さらに、モバイルテクノロジーは「バックチャンネリング」(イベント中にリアルタイムでコミュニケーションできるシステム)を通じて、講義のような昔ながらの学習メソッドを様変わりさせている。数年前から、プレゼンテーションやワークショップの聴衆たちは、その最中にスマートフォンやノートパソコンを使い、ツイッターやソーシャルネットワーキングのサイト上で互いにコミュニケーションを取るようになった。こうした盛り上がりを見て、今ではイベントの主催者が公式のバックチャネルを設けるようになっている[56]。参加者は話者の主張やその他の聴衆のつぶやきに応じて、コメントや質問をつぶやくことができる。なかにはスピーカーの背後のスクリーンにリアルタイムでコメントを映し出している会議もある[57]。これは当の話者や(私自身のような)教授にとってはまさに生き地獄かもしれない。しかしこうした手法はまったく新しい境地を切り開き、より魅力的でインタラクティブな、協働型の学習を可能にしてくれる。eラーニングと同様に、mラーニングのテクノロジーは、うまく使えば、学習へのアクセスを改善するだけでなく、学習の発生形態そのものを変えることができる。そして、こうした変化の中にこそ、真の革命が存在するのだ。

進化と革命

　今日台頭しつつある最新のテクノロジーは、一見目新しいものの、いろいろな意味で、昔ながらの学習メソッドの単純な進化版に過ぎないと言える。ファンウェアという言葉の響きはいかにも現代的だが、学習へのゲームの導

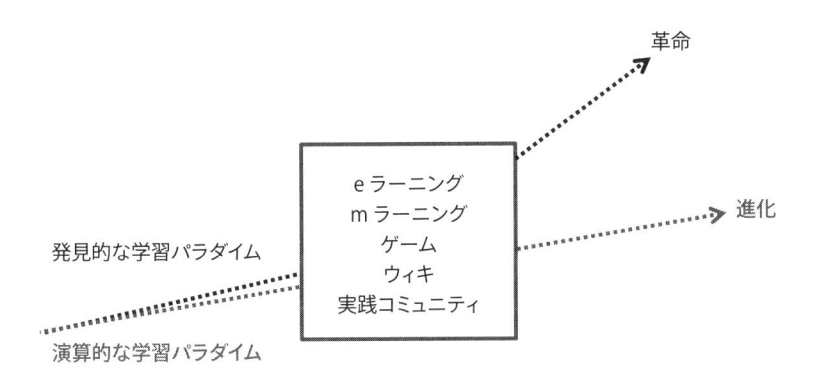

図 3.2　企業内学習の進化と革命の軌道

```
                                        革命
                                       ↗
                    ┌─────────────┐
                    │ e ラーニング  │
                    │ m ラーニング  │
発見的な学習パラダイム  │ ゲーム      │ ⇢ 進化
                    │ ウィキ      │
                    │ 実践コミュニティ │
演算的な学習パラダイム  └─────────────┘
```

入そのものは別に珍しいことではない。学習向けのコンピューターゲームが最初に作られたのは 1970 年代の話だ。同様に、学習教材のオンライン配信は、実質的にはテレビやラジオの教育番組と大して変わらない。それゆえ、きらびやかな最新テクノロジーの存在にもかかわらず、企業内学習は 19 世紀の産業革命の時代からほとんど進歩していないと言う人々もいる。革命など起こるわけがない——彼らはそう語る。

　私は、ある種の革命は起こり得るし、起こるべきであり、起こる必要がある、と考えている。我々は学習テクノロジーの発達の重要な分岐点に立っている。前方には 2 つの道が見える（図 3.2）。一方の道を行けば、ラーニング部門は新しいテクノロジーを試行し続け、徐々にそれらを採用していくが、学習の提供方法を根本的に変えることはできない。その結果、ある程度の成功を収め、ユーザー体験を改善し、ほどほどの成果や評価を得ることができる。結果としては、それほど悪くないかもしれない。だが、もう一方の道を行けば、これらの新たなテクノロジーを使って学習や教育のあり方を根本的に変え、学習提供のあり方を根本的に改めることができる。もし我々がトレーニングの定着に関するお粗末な成績や、ラーニング部門の顧客満足度の救いようのない低さを、遅ればせながら本気で改善したいと思うのなら、少々思い切った行動に出なければならない。

　人々はまず e ラーニングに飛びつき、その後 m ラーニングに飛びついた。

どちらの場合も慌てて飛びついたため、テクノロジー自体にもっぱら注目が集まり、その使い方はあまり重視されてこなかった。その結果、これらのテクノロジーの潜在能力がほとんど発揮されずに終わってしまう恐れが出てきている。企業内ラーニング部門は、目の前にずらりと並んだ、きらびやかで魅力的な最新テクノロジーの先を見据え、それらを学習ソリューション自体としてではなく、学習の可能性を引き出すツールと見なし始める必要がある。テクノロジーについて考えるのではなく、ペダゴジー（教育手法）について考え始める必要があるのだ。

ペダゴジーへの意識の重要性

　10年前には、学習テクノロジーの活用を妨げる障害は技術的な問題だった。しかし今日のそれはペダゴジーの問題、そして、テクノロジーをペダゴジーにどのように活かすかという問題になっている[58]。どの識者も、教育の専門家や企業内学習のプロフェッショナルがテクノロジーやその使い方に精通していないことが成功を妨げる根本的な障害だと語っている。全米教育統計センターの研究も上記の意見を是認し、オンライン授業にとっての最大の問題は、オンライン上の授業の進め方についての具体的な指針が欠けていることだと指摘している。

　残念ながらペダゴジーに関して、参照すべき唯一絶対のリストは存在しない。しかし、テクノロジーを活用した新しい学習法を見渡してみると、際立った手法が3つある。それらはある意味、完全に別個の手法とは言えない。1つの学習法は往々にして2つ以上のペダゴジーの融合だからだ。とはいえ、3つの学習法はそれぞれ独自の意図や効果を持っている。その手法とは、協働学習、インフォーマル学習、自己主導型学習である（図3.3）。

■協働学習

　ピンタレスト（ピンボード風の画像共有ウェブサイト）に投稿したり、ウィキ

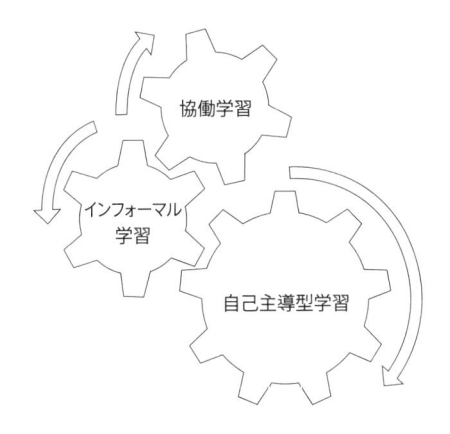

図 3.3　テクノロジーを活用した 3 つのペダゴジー

- 協働学習
- インフォーマル学習
- 自己主導型学習

ペディアに寄稿したりしている人は、すでに協働学習(コラボレーティブ・ラーニング)に精通していると言える。この学習法は企業内学習において最も話題を集めているトレンドの一つである。ウェブベースのテクノロジーを使って協働学習環境（CLE）と呼ばれるフォーラムを作り出す。そこでは、さまざまなアイデア、情報や専門知識を交換し、共同開発していくことができる。20 年前であれば、こうしたフォーラムを開くには、全員を 1 つの部屋に集めたり、電話会議に出席させたりする必要があった。今日では、何千キロも離れた従業員たちが、（タブレットであれ、携帯電話であれ、テレビであれ）何らかのネット対応機器を通じて CLE にアクセスし、フォーラムに参加・貢献することができる。

　これらのツールの、企業内の最もよくある活用事例は、おそらく「実践コミュニティ」だろう。社員はこのコミュニティにアクセスし、そこでアイデアを共有したり、質問をしたり、プロジェクトに参加したりすることができる。こうした協働コミュニティは、大きさや洗練度においてかなりばらつきがある。単にメールやウェブサイトを使って文書を共有し、質問を尋ね合い、意見を交換するものから、リアルタイム型・非リアルタイム型のツールを併用し、参加者のアイデア創造を促すものまで、あらゆるコミュニティが存在しているのだ。非リアルタイム型の学習はある意味、従来の遠隔学習に似ている。どちらも参加者がそれぞれ別々の時間に、単独で教材にアクセスして

いるからだ。一方、リアルタイム型の学習では、参加者はまったく同じ内容を一斉に学んでいる。従来は同じ場所にいなければ不可能だったことが、今や可能になったのだ。

　協働学習におけるリアルタイム型と非リアルタイム型のツールの併用は、時としてWeb 2.0（オンライン空間を使って、ユーザーがコンテンツの創造者として相互に交流できるようにすること）と呼ばれる。ユーザーが自ら知識を交換し、共有できる環境を作ることによって、ラーニング部門は、社員に互いに知識を教え合うことを奨励できるようになっただけでなく、創造性や問題解決につながるような会話を積極的に引き出せるようになった。このように、企業は「実践コミュニティ」をナレッジ・マネジメントのツールとして使い、（とりわけ技術系分野における）イノベーションを推進しているのである。

　ペダゴジーとしての協働学習は、より没頭・没入できる学習経験を実現し、情報のジャスト・イン・タイムな入手を可能にしてくれる。イノベーションをもたらす協働ツールの活用については多くの注目が集まっている。とはいえ、結果的にビジネスにより大きな影響を与える可能性があるのは、むしろ協働ツールが持つナレッジ・マネジメント機能である。縦割り組織の中で知識や情報を確実に伝え合うことは、企業が直面している最大の課題の一つである。多くの人にとって、会社の別の部門から仕事関連の情報を探り出すことより、地球の裏側に住んでいる高校時代の旧友を探し出すことの方が簡単だろう。企業主導の協働的なソーシャルネットワークツールは、この種の問題を解決してくれる可能性がある。そこで、一部の企業はこうしたツールを使って、定年間近のベビーブーム世代とその後継者たちの交流を促進しようとしている。先達の経験や専門知識が失われないようにすることがその狙いである。

　しかし、こうした新しいテクノロジーが存在しているからといって、それらが必ずしも効果的に使われるわけではない。テクノロジー主導の協働学習はいまだ黎明期にあり、特定のコンテクストにふさわしい構成要素の組み合わせについても、まだ研究が始まったばかりである。とはいえ、すでに明らかになっている事柄もある。たとえば、最も効果的な協働ツールは、ファシリテーターやインストラクターの継続的な関与を伴ったものである。さらに、

社員の中には、事前にオンラインコミュニケーションスキルの研修を受けさせなければ、協働学習環境（CLE）を十分に活用することができないと思われる者も少なからず存在する。もしラーニング部門がこの将来有望なペダゴジーを最大限に生かしたいと思うのなら、協働学習とは何か、それを使って何ができるのか、それを効果的に使うには何が必要かを十分に理解することが不可欠である。

■インフォーマル学習

　協働学習を追い抜いて評論家たちの「トレンドリスト」のトップを占める可能性があるのがインフォーマル学習である。最近の調査によれば、2011年の時点でアメリカの企業の25%がインフォーマル学習に投資しており、その平均投資額は2010年の2倍に達しているという[59]。公式学習（フォーマル）（体系立った教育活動）とは違って、インフォーマル学習はごく自然で自発的な活動であり、あらかじめ用意されたカリキュラムをこなしたり、特定の場所で行われたりするものではない[60]。インフォーマル学習の例として、他人とのリソースの共有や、インターネットでの情報検索、新たなテクニックやツールの試行などが挙げられる。とりわけ注目されるのは以下3つのタイプのインフォーマル学習である。

1. オンデマンド・メソッド（例：記事、ポッドキャスト、パフォーマンス支援ツール）
2. ソーシャル・メソッド（例：コーチング、ウィキ、実践コミュニティ）
3. 組み込み型メソッド（例：フィードバック、事後評価、開発計画）

　こうしたメソッドが人気なのは、それらが「自然な」学習、つまり職場など、教室の外で人々が学ぶ方法に近いと見なされているからである。調査によれば、社員に提供された研修の量にかかわらず、学習の大半は、日々の自然なプロセスの中で起こっているという。それはしばしば、身近な作業グループ内での相談や共同作業といった形を取る。実際、公式学習に比べて、

こうしたメソッドは元来効率的な上に、コストの節約にもなるため、にわかに最も望ましいアプローチの一つになってきている。

　新たなテクノロジーは、インフォーマル学習を2つの意味で変革しつつある。第一に、それらは情報へのアクセスを大幅に増加させている。第二に、それらは体系的な学習環境を提供し、そこに学習者を巻き込むことによって、インフォーマル学習をフォーマル化している。この点に考慮して、学習管理システム（LMS）の開発者の多くは、システム設計の中に、モデレーターの関与するチャットルームなどのツールを組み込み、アクセスできるようにしている。

　しかし、インフォーマル学習の概念やその仕組みについての理解が欠けているために、一部の企業はこの手法の可能性を十分に引き出すことができていない。たとえば、単に社内ウィキやブログを立ち上げただけで、インフォーマル学習への戦略が整ったと思い込んでいる企業もある。インフォーマル学習の効果を上げるためには、単に知識の共有を可能にするだけでなく、「正しい」知識の共有や入手が可能になるような環境を作り出さなければならない。それが至難の業であることはあらゆる検索エンジンの開発者が認めるところだ。ユーザーが大量の情報に翻弄されないように、コンテンツをフィルターにかけて選別することが、にわかに重要課題になってきている。また、「知識のキュレーション」、つまり、最新の、信頼できる、ベストなコンテンツのみが手に入るように取り計らう仕事は、それ自体が一つの産業になっている。

　さらに、企業社会においてインフォーマル学習の効果を上げるためには、「自然な」学習のプロセスを模倣するだけでなく、人々が生まれつき持っている学習欲に火を付けなければならない。そこで、ユーザビリティが重要課題となり、フロントエンドのテストが綿密に行われるようになってきた。このように、無数のテクノロジーやソリューションを支えるさまざまな学習プロセスを慎重に考慮して初めて、インフォーマル学習の可能性を十分に引き出すことができるのだ。

■自己主導型学習

　3つめ、最後に紹介するペダゴジーは自己主導型学習(セルフ・ディレクテッド・ラーニング)である。それはたいていの協働学習やインフォーマル学習に内在する要素であり、それらの学習法の一部であると誤解されていることも多い。自己主導型学習（学習者主導型学習と呼ばれることもある）の場合、学習者はいつ、どこで、何を学習するかを自分で決めることができる。それは単に、個人の好みに合わせて学習コンテンツを提供するメディアを変えたり、フォントサイズや背景色を変更できるようにしたりするだけにはとどまらない。自己主導型学習は、学習の主導権そのものを学習者の手に委ねているのだ。「個別学習環境（PLE）」——カスタマイズ可能な学習コンテンツのポータルサイト——によって、それが可能になったのである。PLEはさまざまなフィルタリング技術によって個々のユーザーとその嗜好を認識し、その人にぴったり合った学習体験を与えてくれる。多くの人々は、これらのシステムを次世代の学習管理方法と見なしている。また、調査によれば、PLEの使用によって学習への参加意識やモチベーションが高まる可能性があるという。

　組織の学習ニーズが注目を浴びている時代背景からすると、次のような最新の調査結果は意外に思われるかもしれない——現在、主流とされている学習ツールは、たいていの場合、個々の要望に応じた、自分のペースで進められる教材を提供するために使われているというのだ[61]。だが、自己主導型学習は、組織的な目標に反するどころか、むしろそれを強化してくれる可能性がある。たとえば、PLEはさまざまなカリキュラムと両立させることが可能であり、学習者の好みに応じられるだけでなく、組織のビジョンに沿った有益なコンテンツを提供することもできる。そういう意味で、現代のテクノロジーに支えられた自己主導型学習は、大集団への学習提供と個人差への配慮という昔ながらのジレンマを、少なくとも部分的には解消してくれる可能性を秘めている。

　とはいえ、これまで紹介してきた学習法と同様に、こうした可能性を十分に引き出すためには、その応用法に対して慎重を期する必要がある。たとえば、安全関連の研修のように、自己主導型学習がふさわしくない、あるいは

道義に反するケースもある。また、組織開発に大きな課題を持った企業の場合、学習者に主導権を譲り渡してもいいかどうかよく考える必要があるだろう。学習者は数多くの要素——学習内容やその順序、ペースなど——に関して主導権を握る可能性があり、初期の調査によれば、それによって学習効果は変わってくるという[62]。加えて、タイムマネジメント面での自己主導型学習の利点を強調する者もいる。しかし、その一方で、学習者にまずそうしたタイムマネジメント能力を身につけさせることが重要だという調査結果も出ている。ことわざにあるように、馬を水辺に連れて行くことはできても、無理やり水を飲ませることはできないのだ。

[ケーススタディ]
イギリスの石油会社 BP の安全管理プログラム

　危険な状況下で働く労働者の安全を保証することは難しい課題だ。こうした職場におけるラーニング部門の第一の任務は、安全確保のために必要な知識やスキルを労働者に身につけさせることである。だが、この種の研修で学べることには限りがある。安全管理に関して万全を期するためには、ラーニング部門は「安全文化」、つまり、安全を第一に考え、リスクの察知を促すような環境を生み出さなければならない。
　こうした安全文化プログラムの最近の興味深い実例として、BPの「タフ・トーク」（ToughTalk）がある。「集団安全・業務リスクのための文化および能力開発チーム」のアーベイン・ブリュイエールはこの企画を支えるリーダーだ。プログラムの主な対象者は、製油所、化学プラント、海底油田掘削施設といった、危険な職場で働くスタッフである。アーベインが最初に直面した課題は、当然ながら、ロジスティクスの問題だった。遠隔地でバラバラに働いている従業員に対して、どうやって教材を提供すればいいのだろうか？
　プログラムの原案は、こうしたロジスティクスへの過剰な配慮から、主にテクノロジーを利用して基本的な学習教材を供給することにとどまっていた。

だが、アーベインは何かが欠けていることに気付いた——問題はロジスティクスだけではない。肝心なのは、いかにして学習内容を職場に深く根付かせ、それらを「単なる情報」に終わらせないようにするかということだ。彼はまた、これまでに数多くの研修を経験してきた多忙な学習者たちの関心をうまく引きつける方法を考え出さなければならなかった。

　こうしてプログラム開発の焦点は、ロジスティクスの問題から、学習自体の問題——いかにして人々を引きつけ、学習内容を職場に根付かせるか——へと移っていった。この問題を解決するためには、「ペダゴジー」という観点が必要だった。

　アーベインとそのチームが選んだのは、古典的なペダゴジーをオーソドクスに組み合わせたプログラムを、最新のテクノロジーを通じて提供するという方法だった。人々の関心を引きつけ、学習内容を職場に根付かせるために、彼らは2つの工夫を施した。第一に、彼らは学習内容を事実として提示するのではなく物語を通じて伝えようとした。それぞれのテーマの専門家と協力し人々が日常的に行っている行為の中で実際に事故につながったケースに基づいて、台本を作り上げたのだ。こうした台本はその後、映画製作会社によって手直しされ、18分間の短編映画になった。プロのスタッフによってロケーション撮影された、本格的な映画である。それは洗練されたリアリスティックな作品であり、人々の心を引きつけるような生々しいタッチで事故の様子が描かれていた。この映画はインターネットやDVDを通じて従業員に提供された。だが、これはまだ序の口に過ぎなかった。アーベインにとって映画は単なる刺激剤であって、「学習」そのものではないからだ。

　そこで、アーベインとそのチームは、現場のラインマネジャーが部下の研修を行う際に役立つツールキットを開発した。前述の映画は、定期ミーティングの場で流しやすいように、一連の短いクリップに編集し直された。また、ラインマネジャーには、短時間のディスカッションをうまく進める方法についての詳しいガイドブックが与えられた。こうしたディスカッションの間、学習者は力を合わせて特に危険な要素（例：安全基準の低下、プレッシャーなど）を突き止め、そうした危険が自分たちの現場で生じる可能性について話し合い、今すぐ実行できる改善策を考え出さなければならなかった。

インターネット上の物語は少々現実離れして見えるかもしれない。だが、アーベインとそのチームは、きらびやかなテクノロジーに目を奪われることなく、ペダゴジー、つまりどうすれば人々は学ぶことができるのかに照準を合わせていた。その結果、彼らは非常に実用的で地に足のついた解決策を生み出し、職場全体の安全性を向上させることができた。さらには（思わぬ副産物として）ラインマネジャーたちの部下育成能力を高めることができたのである。パイロットプログラムで成功を収めた後、この企画は2012年の後半から全社で採用され、後に業界からの賞を受けている。

ペダゴジーによってテクノロジーを最大限に活かす

　学習テクノロジーを利用するにあたっては、企業内ラーニング部門は上記のようにペダゴジーという観点から物事をとらえ、検討する必要がある。どんなコンテンツやテクノロジーが提供されるのかに注目しがちな現在の考え方を修正し、そのコンテンツはどのように提供され、どのように機能するのかという視点を取り入れなければならない。このことは当たり前に聞こえるかもしれない。だが企業には、使用しているペダゴジーよりも、教育のコンテンツを正しいものにすることの方に重点を置いてきた歴史がある。一方、テクノロジーを基盤としたツールが一気に増えたために、正しいメソッドを選ぶことはかつてないほど難しくかつ重要になっている。ではここで、どのペダゴジーを採用するかを考える際に、あらゆる企業が自問すべき3つの根本的な問いについて考察してみよう。

■ **質問① どのメソッド／ツールがベストか？**

　この質問はたいていの場合、「私にとって」という但し書きをつけることによって選択範囲が狭められる――そうすれば、ずっと答えが簡単になるとあなたは思うだろう。だが残念ながら、その推測は間違っている。Googleでざっと調べただけでも、テクノロジーを基盤とした最新のペダゴ

ジーの効能について、数多くの主張が飛び交っているのが分かる。また、どのメソッドが最終的に社会に定着し、絶対不可欠なものになるかに関して、いろいろな予想が繰り広げられている。しかし、イノベーションが先行し、研究や吟味が後追いするのが通例である。これらの主張や予想の多くは利害関係者によるものであり、学習のプロフェッショナルが参照できるような独自の研究は不足している。さらにそれらの研究の多くは単発のケーススタディか、大学生を対象にした調査であり、企業環境において実施された良質の定量調査はまったく足りない状態である。その上、既存の調査からは、どのメソッドが本質的に一番優れているかを特定することはできていない――いわゆる「有意差なし」という結果が出ているのだ[63]。したがって、今のところ「どれがベストか?」という問いへのはっきりした答えは存在しない。

このように各メソッドの効能について確証が得られないため、企業は新しいテクノロジーの導入を控えるか、投資の価値があるかどうか分からないままゴーサインを出すかのどちらかの立場を取らざるを得ない。考えてみてほしい。2006年の1年間だけで、ゲーム型学習の導入に1億2500万ドルもの金額が費やされているのだ。この学習法が企業環境において機能するという調査結果が十分でないにもかかわらず、である[64]。したがって、実証的なデータが不足している場合、メソッドの選択は、おそらく「何がベストか?」という判断にではなく、予算のプレッシャーや旅費の制限、一時的な流行に大きく左右されると考えられる。

たとえば、ヘムズリー・フレイザーの「エスプレッソ・ラーニング」やTMIの「テイク90s'」、ジャスト90分のコンパクトな「知的ワークアウト」として大成功を収めたマインド・ジム社のラーニング・ソリューションのような、ミニ・サイズのトレーニングを思い出してほしい。この種の商品は人気を集め、顧客からも高い評価を得ているが、近年多くの識者が指摘しているように、こうした人気の反面、顧客からの評価以外、ほとんど研究が存在しないという事実がある。したがって、この種のミニ・トレーニングが、長期的な行動変化や業績改善につながる効果的なメソッドかどうかは、実は未知数なのである。

このような背景があるからこそ、ペダゴジーに関する知識が重要になって

くる。「この状況には、このツールやテクノロジーを使うべきである」といったコンセンサスは存在しないため、企業にとって最善の対処法は、望ましい結果を生み出すのに最適なメソッドはどれかを考えることである。まずは、次の5つの問いを自分自身に投げかけてみよう。

1. 学習者はどれくらい分散しているか？ たとえば、世界中に散らばった学習者に対して、新たなHRのシステムに関する研修を行わなければならない場合、遠隔学習の課題についての理解があれば、どのテクノロジーによる学習提供ソリューションを選ぶかの基準が定めやすくなる。
2. 学習内容はどれくらい具体的か？ 具体性が低く広範な内容であればあるほど、自己主導型学習を採用する余地が出てくる。
3. ラーニング目標の切迫度はどれくらいか？ 法律上義務付けられた研修の実施を担当する場合は、おそらく公式学習を採用する必要があるだろう。自己主導型学習の採用については慎重を期すべきである。
4. 対象者はどのような嗜好を持っているか？ たとえば、調査によれば、ITのプロフェッショナルはインターネット検索を好み、HRのプロフェッショナルや公立学校の教師はよりインタラクティブな、対面式のプログラムを好むという[65]。ただし、CLOが考える対象者の好みと、実際の対象者の好みはしばしば一致しないという調査結果がたびたび出ていることも忘れないでほしい。
5. ラーニング目標において文化的変化はどの程度重視されているか？ 企業文化の改革を目指すプログラムの場合、協働学習やインフォーマル学習を中心に据える必要がある。

　一部の研究者によれば、突出したペダゴジーは存在しないものの、多様なメソッドを取り入れた方が優れた結果が出るという[66]。つまり、より幅広いメソッドを使用した方が、対象者の心をとらえる可能性が高まるため、効果が上がるということである。さらに、複数のメソッドをうまく組み合わせれば、相乗効果も期待できる。さまざまなメソッドをブレンドした遠隔プログラムの方が、従来の単独の遠隔学習や単独の対面授業よりも好成績をも

たらす傾向が高いという調査もある（ただし、この問題についてはまだまだ議論の余地がある）[67]。こうした調査をきっかけに台頭してきたのが、近年最も話題を集めているラーニング提供手法の一つ、「ブレンディッド・ラーニング」である。

■質問② どのように学習メソッドをブレンドすれば最大化できるか？

　第2章で述べたように、ブレンディッド・ラーニングは複数のペダゴジーを取り入れた、ラーニング提供のアプローチだ。その本来の定義は「一連の選択肢」や「異なるメディアの単なる併用」ではなく、「異なる手法によって提供されるラーニングを統合したもの」である。たとえば、まずポッドキャスト（遠隔学習）を聞き、次にリアルタイムのオンラインディスカッション（協働遠隔学習）に参加し、その後、実践コミュニティのディスカッション（自己主導型・協働学習）に加わり、最後にモバイルのPLEを使って、学習内容の最適な活用法についてのアドバイスを受ける（自己主導型・インフォーマル遠隔学習）といった形だ。テクノロジーを利用した非従来型の学習法が爆発的に増えるにつれて、企業内学習の主たる設計アプローチとして、こうしたブレンドが急増している。

　ブレンドには多くの形式があり[68]、どれを使うべきか決めるのは簡単ではない。これまでに最もよく使われているのは、オンライン遠隔学習と昔ながらの教室での集団授業というシンプルな組み合わせである[69]。その他の例として、いわゆる「アンカー・ブレンド」や「ブックエンド・ブレンド」が挙げられる。アンカー・ブレンドの場合、まず、なじみのある学習法によって学習への導入（すなわち、碇による固定）を行い、あまりなじみのない学習法はその後に取り入れるようにする。ちなみにIBMは、管理者教育において「逆アンカー・ブレンド」を採用しており、ネットやコンピューター中心のレッスンから、徐々に人間味のある生身のレッスンへとペダゴジーをシフトさせていく[70]。一方、ブックエンド・ブレンドの場合、「学習法A・学習法B・学習法A」といったように、1つの学習法によって別の学習法を挟み込んだ形になっている。たとえば、シスコはこのブックエンド・ブレンド

を採用しており、学習者はまずオンライン学習に取り組み、次に教室で対面講習を受け、その後に再びオンライン学習に戻ってフォローアップを行っている[71]。

　想定されるブレンドのリストは無限であり、特定の状況に対してどの組み合わせが適しているかの研究はまだこれからである。では、どこから手をつければいいのか？　ブレンディッド・ラーニングを選んだ企業がよく利用するのは、好みのメソッドに基づいてブレンドを選択するというアプローチである。たとえば、昔ながらの教室での講習を少々（その方が学習者の受けがいいから）、業者Aのプログラムを少々（その業者が気に入っているから）、さらに追加のコーチングあるいはeラーニングといった形だ。これらはみな、テクノロジーというきらびやかなパッケージに包まれて学習者に送り届けられる。だが、そこには何かが欠けている——統合の要素、そして、さまざまなペダゴジーがどのように相互作用し、影響を与え合うのかという視点が欠けているのだ。ブレンディッド・ラーニングを成功させるには、繊細なバランス調整を行わなければならない。単にあらゆる材料を鍋に投げ込んだだけでは、個々の具材の良さを最大限に引き出し、おいしいスープを作り上げることはできない。

　では、おいしいスープを作り上げるための、4ステップのシンプルなレシピを紹介しよう。

1. ラーニング目標を分割し、いくつかの小さなかたまりを作り出す。それぞれのかたまりについて、どのような行動変化を起こすのか、それらの行動変化で業績にどのような影響を与えるのかをはっきり定めなければならない。
2. 個々の目標に関して、望ましい行動変化や業績向上をもたらす可能性が高いのはどの学習法であるかを検討する。
3. ふさわしいペダゴジーが判明した場合のみ、学習の提供方法のオプション（例：どのテクノロジーを利用すべきか）を探り始める。
4. どのようにすれば、一つ一つの学習のかたまり、さまざまなペダゴジーやその提供方法をうまく統合し、一貫性のあるプログラムに仕上げるこ

とができるのか慎重に検討する。

■**質問③ どうすれば従業員がラーニングに積極的に取り組むようになるか？**

　変革には必ず課題がつきまとう。最新のペダゴジーに基づくブレンディッド・ラーニングを展開する上で、企業が直面する壁は、人々の予想とは違って、コストや技術の壁の問題ではない。むしろ、「専門知識の不足」「新しい学習法の導入に際してラインマネジャーのサポートを得ることの難しさ」「自らの学習を管理し、推進していくスキルやモチベーションが社員に欠けていること」などである[72]。これらのうち、最も頻繁に言及されているのは、間違いなくモチベーションの問題である。

　モチベーションは昔から学習を成功させるために不可欠な要素とされてきた。そして多くの企業が、従業員が自ら学習に時間と労力を注ぎ込む意欲を持つことを前提とするような学習法を使い始めるにつれて、モチベーションという要素はますますスポットライトを浴びるようになった。たとえば、実践コミュニティや協働的なWeb 2.0ツールの多くが、本格的に立ち上がるのに必要な推進力（トルク）を得られていないのが現状だ。現代の従業員はあまりに忙しすぎる上にそれらの活動はあくまでプラスアルファであって、必須ではないと見なされているからだ。そして誰も「プラスアルファの活動に時間をとられ、本業に支障が出ている」と見なされたくはないので、その活動は後回しにされてしまう。

　このように学習機会への拒否反応が起こるのは、必ずしもスタート直後ではないし、そうした拒否反応が常に分かりやすい形を取るわけでもない。最近の事例研究でよく取り上げられているのが、初めはオンライン学習システムに興味津々だった社員が、そのうちにぱったりと学習をやめてしまうケースである。おそらく、当初の目新しさがだんだん薄れ、日々の業務の時間的プレッシャーが頭をもたげるのだろう[73]。こうした拒否反応は、必ずしも学習からの完全撤退という形を取るとは限らない。調査によれば、学習から心が離れてしまった人々は、時には最低限の課題しかこなさなくなることもある。彼らは一見学習に参加しているようだが、本質的な意味では参加して

第3章　ラーニング・ソリューションの提供

いない状態にある。

　識者の中には、従業員のモチベーションが学習の成果を特に左右する場合、一日のスケジュールの中にもっと自由になる時間を組み入れるべきだと主張する者もいる[74]。これは多くの企業において現実的なオプションとは言えないだろう。また、従業員がこの自由時間を必ず学習活動に使ってくれる保証はまったくない。一方、もっと魅力的なメソッドを取り入れるべきだと主張し、自己主導型学習、協働学習、学習ゲームといった手法を盛んにもてはやす評論家もいる。しかし、こうした意見は肝心の論点を避けているように見える。彼らが挙げたメソッドが、実際にすべての学習者にとって魅力的だと決めつけることはできない。識者の薦める手法の中で最も有望なものを挙げるとすれば、それは「スキャフォルディング（足場作り）」というアプローチである。

　スキャフォルディングは、中核を残す学習提供メソッドの周辺で行われる、意図的で体系化された活動の計画的活用であり、学習プロセスを支援し、学習内容を具体的な行動変化に結び付ける働きを持っている。この手法で使われるテクニックはかなり多彩であり、そこには以下のような例が含まれる。

- ラインマネジャーに研修や支援を施し、彼らが従業員の学習をうまくサポートできるようにする。
- リフレクション（振り返り）のための学習者同士のブログを導入する。
- テストを行う（テストを受けた生徒の方が学習内容をよく覚えているという調査結果がある）。
- 「振り返りのきっかけ」（例：学習内容についての質問が書かれたフォローアップeメールなど）をつくる。
- 携帯メールを使って簡易アンケートの実施や結果報告を行う。

　これらのテクニックの効果に関する研究もまだ不足している。「振り返りのきっかけ」は学習者に喜ばれ、学習のプロフェッショナルからも支持されているように見えるが、必ずしも業績の向上には結び付かないことが示唆されている[75]。一方、研究によって高い効果が実証され、学習のプロフェッ

ショナルにとって必須のスキルになる可能性が高いのが「ゲーミフィケーション」である。それは単にゲームを取り入れることではなく、ゲームプレーのシステムをゲーム以外の分野に取り入れることを指す。そのシステムとは、ユーザーをゲームに引き込むためのテクニックや仕組みであり、進捗状況の測定、フィードバックの提供、努力や成功への報酬といった要素を含んでいる。

こうしたテクニックの例として、ポイントシステム、アチーブメントバッジ（訳注：進捗状況に応じて獲得できるバッジ）、プログレスバー（訳注：進捗情報を示すビジュアル）、有形の報酬やインセンティブなどがある。これらの仕組みの好例が、シックス・シグマ（訳注：品質管理の手法。専門の認定機関によってグリーンベルトやブラックベルトといった資格が授けられる）の研修におけるレベル分け（「もうブラックベルトは取得しましたか？」）である。同様に、語学ソフトのロゼッタ・ストーンは、パズルやレベル分けを利用して学習者のモチベーションを高めている。ゲーミフィケーションのさらなる一例として、学習の「レイヤー化」が挙げられる。多くのゲームには、ゲーム全体をクリアするという長期目標と、ゲームの各レベルをクリアするという中期目標、そして各レベルの一つ一つのミッションをクリアするという短期目標が存在する。これと同じように、eラーニング教材を開発する際は、コンテンツを小分けにし、短期目標、中期目標、長期目標を作り出すという手がある。

スキャフォルディングやゲーミフィケーションの到来の意義を軽視すべきではない。それらは学習革命の重要な一部を成している。なぜなら、こうした手法は「人はいかにして学ぶのか」や「自分たちの活動はどのようなペダゴジーに依拠しているのか」といった重要な問いへの意識を高めてくれるからだ。だが、スキャフォルディングやゲーミフィケーションには別の効用もある。それらは、企業というコンテクストにおける学習の目的は、そもそも知識獲得ではなく、むしろ行動変化や業績改善であることを思い出させてくれるのだ。

言葉の響きこそ現代的だが、スキャフォルディングやゲーミフィケーションは、一世紀にわたる行動心理学や行動変化の手法の研究の上に成り立っている。重要なことに（そして意外なことに）、これらのテクニックは、現在の

企業内学習における行動変化理論の欠如をひそかに是正してくれる可能性が高い。そして、この行動変化理論の欠如こそ、我々がいつまでたっても学習の成果を職場に反映させることができない原因なのである。第2章において、私は企業内学習が時として行動変化とはほとんど無関係の存在になってしまっていることを嘆いた。だが今、華やかなテクノロジーの裏側で、重要なミッシングリンクが再びつながる兆しが見えてきたのだ。

学習提供方法の監査
学習テクノロジーを効果的に利用できているかを確かめるための問い

1. 現在、自社においてどのようなテクノロジーが、いくつ使われているか？ 学習全体のうち、テクノロジー主体の手段によって提供されているものの割合はどれくらいか？
2. それらの費用はどれくらいか？ 効果についてどんな確証があるか？
3. これまで学習テクノロジーは、主にロジスティクス面の理由で（アクセスを可能にするために）導入されてきたか？ それともペダゴジー上の理由で導入されてきたか？
4. 自社において学習テクノロジーはどのように使われているか——それらはどのようなペダゴジーを可能にしているか？
5. どのペダゴジーを利用しているか？ 自己主導型学習、インフォーマル学習、協働学習をどの程度取り入れているか？
6. ブレンディッド・ラーニングを取り入れる場合は、複数の提供メディアを組み合わせるようにしているか？ それとも複数のペダゴジーを組み合わせるようにしているか？ 自社で使用しているペダゴジーがどのような相互作用を生み出しているか把握しているか？
7. 自己主導型学習における現在の従業員のモチベーションや取り組みの積極性のレベルはどれくらいか？
8. 将来的にそうしたモチベーションや積極性への一番の脅威になりそうなものは何か？
9. 学習テクノロジーは、学習者のモチベーションに対して、どのよう

な短期的影響を与えているか？ それは時が経つにつれてどう変わってきているか？
10. 現在どのようなスキャフォルディングの手法を使っているか？ 学習者にまつわる問題（例：モチベーション、時間管理能力）と環境にまつわる問題（例：自己主導型学習に割り当てられる時間、マネジャーによるサポート）の双方への対処法として、どの程度スキャフォルディングを取り入れているか？

まとめ

　我々は大躍進（ブレークスルー）の一歩手前まで来ている——企業内学習にはどんなことが可能なのか、それは企業に何をもたらしうるのか、といった概念がまさに覆されようとしているのだ。しかし、1つだけ但し書きがある。この素晴らしき新世界に足を踏み入れ、あらゆる期待に応えるためには、企業内ラーニング部門は学習へのアプローチを変えていかなければならない。新しいテクノロジーの急増とそれに伴う期待の高まりという二重の課題を目の前にして、ラーニング部門は影響力を確立し、ペダゴジーを意識した極めて実用的な指針を持つ必要がある。我々はその指針を道しるべにして、必ず目的地に辿りつかなければならない。企業内学習のプロフェッショナルとして、我々にはこうした指針を提起する義務がある。なぜなら、他にそれを担ってくれる者はいないからだ。業者は相変わらずテクノロジーを重視していく可能性が高い。ビジネスリーダーはこれからもビジネスの現実的なニーズを重視し続けるだろう。今こそラーニング部門は、ペダゴジーに重点を置くことによって、この2つのバランスを整え始めるべきである。

　こうしたペダゴジー重視の方針は、新しいテクノロジーに付き物の（時には害を与えかねない）反発を受け流す上でも重要である。我々はすでにこうした反発をある程度経験している。研究者の中には、オンラインコースではレベルの高い教育は受けられないという者もいれば、テクノロジーの使用その

ものが有害であるという者もいる。たとえば、コンピューターの使い方が原因で1つのタスクに専念する能力が低下しつつあるという報告もあれば、インターネット検索を多用することは記憶能力に悪影響を及ぼしかねないという報告もある。これらの主張の真偽はともかくとして、テクノロジーの進歩はもはや後戻りできないし、それを避ける方法も存在しない。一方、上記の報告とは正反対の調査結果もある——ある種のコンピューターゲームを少々取り入れるだけで、マルチタスク能力や視覚認知・空間認知能力といった知的機能を改善できるというのである。あらゆる面でさらなる研究が必要なのは間違いない。そうした研究を発展させる上で企業内学習が果たすべき役割は、現在のようにイノベーションを避けるのではなく、学習提供の手段という視点から新しいテクノロジーにアプローチすることによって、各研究に意味のある影響を与えていくことである。

　前章では、アカデミックな学習観にとらわれるのではなく、行動変化や業績改善がもたらすビジネス上のインパクトといった成果に意識を向ける必要があることを強調した。そして本章では、そうした成果をもたらすためにはペダゴジーをより重視し、学習によっていかに行動変化や業績改善が起こり得るかに意識を向けるべきだと主張してきた。次章では、企業内学習のリソーシングの方法におけるこれらの要素の意味合いを考察したい。

第**4**章

学習のリソーシング
人材の重要性

　最近、HRのスタッフの能力（あるいはその欠如）が話題となることが多い。この議論の一つの焦点が、「これまでのHRスタッフは、今のHR部門が直面している難題に対処できるだけのスキルや経験を持ち合わせているか」である。英国の公認人材開発研究所（CIPD）や米国人事管理協会（SHRM）といった有力なHR団体や、デーブ・ウルリヒをはじめとする主要な識者は、HRは会社にどんな成果や価値をもたらすことができるかに焦点を当てて、新たな能力を身につけ、自らの役割を再定義すべきだ、と主張している。

　こうした議論の中核にあり、議論を突き動かしているのは、「HRの仕事」と見なされる領域が、徐々にではあるが着実に進化しているという意識である。HRの職務の一部をラインマネジャーへ委任したり、運営業務をシェアードサービスで集中管理したりするようになったことや、「e-HR」（統合型人事アプリケーション）の導入といったさまざまな変化は、新たな課題や、新たなリソーシング（調達）の必要性をもたらしている。実際、従来のHRの背景を持たない人材の流入や、HRのアウトソーシングの急増に伴って、HRのリソーシングは様変わりしつつある。端的に言って、現代のHRはもはやかつてのHRではなくなっている。

　ラーニング部門についても同じことが言える。変化には事欠かない分野である。しかし、HRのリソーシングに関して大量の書籍や記事が出回って

いる一方で、ラーニング部門のリソーシングについての記述は比較的少ないままである。これは意外な結果だ。すべてのラーニング部門がHR直属ではないにせよ、そこで要求されるスキルは、HRと関わりが深いとされてきたはずだ。

　こうした現状はある意味で興味深い。なぜなら、すでに述べたように、今や企業内学習やそれに携わる人々に対する目はかつてないほど厳しくなっており、学習の役割はますます難しく、複雑になっているからである。

　近年の不況や、最新テクノロジーの導入、インフォーマルなペダゴジーの台頭によって、ラーニング部門は人員削減を余儀なくされている。学習者に対するラーニング・スタッフの比率は、2006年には1000人あたり6.7人だったが、2012年には同5.2人に減っている[76]。こうした比率の低下は、スタッフの業務の幅が広がり、個人の力量へのプレッシャーが強まったことを意味する。だがそれは同時に、技術的スキルに対する需要が増えたことも示唆している。幅広い業務と高い技術スキルを同時に満たすのは簡単なことではない。それゆえ、どのような人材の組み合わせが必要か判断することや、言うまでもなくそれらの人材を実際に探し出すことが、ますます難しくなってきている。

　第2章と第3章では、学習について「何を」「どのように」すべきかにスポットを当てた。本章のテーマは「誰が」である。このテーマは重大な意味を持っている。なぜなら近年の調査によれば、ラーニング部門がビジネスに与える効果の半分以上は、個々のスタッフの力量にかかっているからだ[77]。そこで、どのような人材やスキルが必要か、それは現代のラーニング部門の典型的な任務とどのような関連性を持っているか、外注化すべきか、もしくするならば何をどうやって外注するか、といった点を考察していきたい。まずは一歩引いたところから、現代のラーニング部門が抱える課題がいかに変わりつつあるか、そしてそれはラーニング部門のリソーシングにどんな影響を及ぼしているか、という点に注目してみよう。

企業内学習の提供上の課題の変化

ラーニング部門の仕事を定義することは、かつてほど簡単ではない。第一に、企業内学習の範囲は拡大しており、タレント・マネジメント、チェンジ・マネジメント、ナレッジ・マネジメントといった分野と一体化し[78]、それらの分野を吸収したり、逆にそれらに吸収されたりしている。不況もまたラーニング部門に変化をもたらしている——よりコスト効率が高く、テクノロジーに強く、ビジネスニーズに見合った組織になるべきだというプレッシャーが強まっているのだ。

HRという集団全体に目を向けてみた場合、識者の間でほぼ一致している意見がある。それは、現在直面している変化に順応するためには、HRはより戦略的で、(データに基づいた洞察を提供するという意味で)より分析力があり、より成果や価値創造を重視した部門になる必要があるというものだ。この意見は概してラーニング部門にもあてはまる。ただし、学習の専門家にとっての課題はより根深いと考えられる。なぜなら、ラーニング部門の根本的な課題——企業環境において学習は何を意味し、何をもたらすのか——が、

図4.1　企業内学習のスコープの拡大

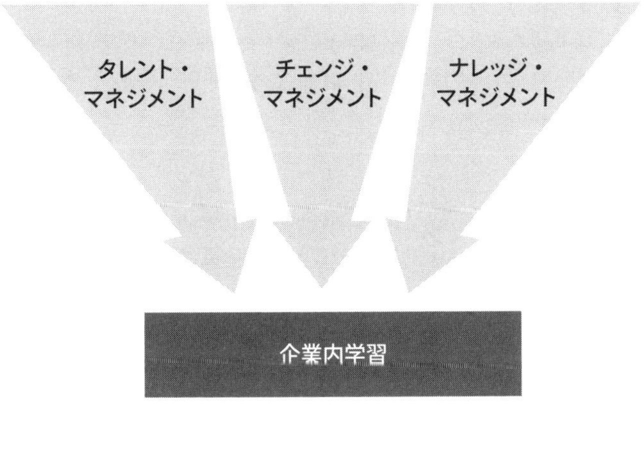

今まさに変わりつつあるからだ。こうした変化はラーニング部門のリソーシングに重大な影響を及ぼすことになるだろう。ではここで、ラーニング部門の仕事の変化のうち、特に顕著なものを3つ挙げていこう。

■ 知識獲得から業績向上へ

まず、今日の企業内学習の目的が、もはや「学習」ではなく「変化」になっていることを挙げたい。学習の結果、何らかの変化が起こらなければ、それは成功とは呼べない――しかもその変化は、業績に好影響を与えるものでなければならないのだ。今日のラーニング部門はこれを3つの点で達成しようとしている。

第一に、すでに述べたように学習の成果は知識やスキルの獲得という観点ではなく、具体的で継続的な、業績向上につながる行動変化という観点から受け止められることが多くなっている。

第二に、個別学習目標の重視から組織的学習目標の重視へ移行したことによって、ラーニング部門は企業文化変革の取り組みにとってますます欠かせない手段になりつつある。BPやイギリスの国際金融グループ、バークレイズはその好例である。両社は社内での会話を、よりパフォーマンスにフォーカスしたものに変えるためのラーニング・ソリューションを開発し、マネジャーや従業員が業績不振や成果につながらない行動を直視し、指摘し、克服することを躊躇しないような社風を作り出そうとしたのだ。こうした取り組みは行動に関したものともとらえられるが、持続的な影響を及ぼすためには、企業文化に大規模な変化をもたらす必要がある。

第三に、ラーニング部門がナレッジ・マネジメントやインフォーマル学習のプロセス促進といった分野に進出するにつれて、この部門はイノベーション改善の実現、すなわち、「やり方を変えること」の代名詞になりつつある。

上記の3つの要素が意味しているのは、以前にも増して、学習とは知識獲得ではなく変化、すなわち変化を実現し、推進し、管理することにシフトしつつあるという事実である。昔から知識やスキルに重点を置き、結果ではなくプロセスを意識する傾向があるラーニング部門にとって、こうしたシフ

トは非常に重要かつ困難なものである。

■「ビジネスと足並みを揃える」から「ビジネスの利益創出を支援する」へ

　ここで時計の針を 10 年から 15 年前に戻してみよう。当時の話題の中心は、ラーニングのプロフェッショナルがいかにして自らのビジネスを熟知し、ビジネスの業績に影響を与える要素(ドライバー)にぴったり合ったラーニング・ソリューションを提供すべきかといったものだった。この視点は今も有効である。だが、私はあえてもう一歩踏み込んでみたい。ラーニング部門がビジネス重視になりつつあるという言葉は、ここでは、学習という業務(ビジネス)が、文字通りビジネス化していることを意味する。これはラーニング部門の起源である伝統的な教育の精神や、人間的成長の理念に反した行為だ。実際、学習をビジネスとして語ることに対して違和感を覚えたり、極端な考え方だと感じたりする人も多いだろう。だが、全世界で 1 年あたり 2000 億ドル以上もの金額が企業内学習に費やされていることを考えれば、それはビジネス以外の何物でもない。それゆえ、企業はラーニング部門に対して、次第にビジネス組織的な振る舞いを期待するようになっている。

　世の中のラーニング部内の大半は、IBM のように、自社内のラーニング・ソリューションを商品化し、外部の顧客に販売しようとは考えていないだろう。だが、実際にこうしたケースは存在しており、それは企業に価値をもたらすことを至上目的とする HR やラーニング部門の究極の姿だと言えなくもない。研究によれば、ラーニング部門のリーダーは、学習のビジネスサイドをいかにうまく管理できるかという観点から評価されることがますます多くなっているという。つまりビジネスへのインパクトをもたらす能力、予算を管理する能力、コストを削減しつつ、学習へのアクセスを向上させる能力といった側面である[79]。こうした傾向は、第 2 章における提言でも指摘した。すなわち、学習ニーズの分析の代わりに、費用対効果分析を取り入れたラーニング提案を策定すべきだというものである。学習の価値（できれば金銭的な価値）に重きを置き、業績改善の方法への手掛かりを提供するような提案である。ラーニング部門の中核となる仕事はあまり変わっていないかもしれない

第 4 章　学習のリソーシング　127

——結局のところ要求されるのは、ラーニング・ソリューションを企画・開発し、提供するといった仕事である。しかし、ラーニング部門が取るべきアプローチや必要とするスキルは根本的に変わりつつある。

■「テクノロジー主導」から「テクノロジー活用」へ

第2～3章では、学習は流行のテクノロジーに翻弄されるべきではないと主張してきた。学習を主導すべきなのは、どんな行動変化が必要なのか、どうすればそうした変化を最もうまく引き出せるかといった発想である——華やかなテクノロジーではなく、望ましい成果やペタゴジーを重点に置くべきなのだ。とはいえ、1つだけ但し書きがある。それは、世界は変わり続けており、テクノロジーはその世界の中核の一部を占めつつあるということだ。我々はこのテクノロジーの持つ力を生かさなければならない。実際、ラーニング部門の基本任務はテクノロジーを単なる学習の手段として使うことから、ビジネスに活用できる学習テクノロジーを生み出し、提供することへと発展している。多くのラーニング部門はこの仕事を外注しているが、中には社内の技術部門と共同開発を行ったり、独自の技術開発チームを採用したりしているところもある。どんなアプローチを取るにせよ、ラーニング業務に携わる以上は、テクノロジーをうまく管理し、活用していく必要がある。

リソーシングの課題に取り組む

ラーニング部門の基本的な任務におけるこうしたシフトは、スタッフに新たな課題をもたらしつつある。残念ながら、こうした課題によって、専門機関としてのラーニング部門の機能の重大な欠陥が浮き彫りになってきた。序章で指摘したように、調査によれば、自社のラーニング部門の業績に「非常に満足している」と答えたビジネスリーダーは全体のわずか17％に過ぎず[80]、ラインマネジャーの過半数もラーニング部門を廃止しても社員の業績に変化はないだろうと考えているという[81]。こうした低評価を、単なる偏見

や固定観念だと片づけてしまうのは簡単だ。しかし、おいそれとは片づけられない深刻なデータも存在する。たとえば、有力なアセスメント機関、YSCのデータベースによれば、ラーニング部門のスタッフは概して、その他の部門やビジネス分野のスタッフより「経験」を積んでいるが、「総合的能力」や「潜在能力」といった面ではかなり劣っていることが分かった。潜在能力の欠如というデータはとりわけ深刻である。なぜなら、それは現状の短期的な改善が望み薄ということを示すからだ。

HR 全般、とりわけラーニング部門は、その他のビジネス分野に比べて能力の低い人材を抱えがちであるという一般認識には、ある程度の根拠があるものと思われる。悲しいかな、こうした認識は、これらの部門の外部だけでなく、内部においても共有されている。たとえば最近になって、イギリスのHR 分野の第一人者とされるある人物が、HR のリーダー層の質が低下しており、HR という職種自体が影響力を失いつつあると、公の場で警告している。これはとりわけラーニング部門にとって深刻な問題だ。誰かをラーニング部門のリーダーとして送り込む理由は、本人の経歴が優れているためではなく、ラーニング部門が一種のキャリアの墓場と見なされているためだという事例報告すら存在する。つまり、HR の中でも特に「簡単な」仕事を与えれば、本人の能力が低くても、その影響を最低限に抑えられるというわけだ。

総合的能力に関する問題はさておき、今日のラーニング部門の幹部が適切なスキルを備えているかどうかという疑問は残る。たとえば最近の調査では、HR やラーニング部門のスタッフの42%が、自分は同僚よりもビジネス感覚に欠けると思われていると答えたという。また、別の調査は数的能力やデータ分析能力の欠如を示唆している。さらに、ラーニング部門のスタッフが概して、大型で複雑なIT プロジェクトを管理するのに必要なプロジェクト管理スキルや技術的スキル、システム導入スキルに欠けていることを示す事例研究も後を絶たない。

このように、一般的にラーニング部門は人材や重要なスキルに欠けると見なされており、企業はそれを補完するために、外部に目を向けざるを得なくなっている。アウトソーシングも、そのような選択肢の一つである。メリットとして最も引き合いに出されるのは、さまざまなスキルが手に入るという

点だ。また、もう一つの選択肢として、HRとは異なった分野の専門家を招聘する方法が挙げられる。これは必要な技術的レベルを保つための手段と見なされることがある。元学者などを企業のCLOに大々的に抜擢するのもこうしたケースに当たる。元南カリフォルニア大学ビジネススクールの学部長で、GEやゴールドマン・サックスにCLOとして招聘されたスティーブ・カーや、イェール大学ビジネススクールの元学長で、アップル・ユニバーシティの学長に就任したジョエル・ポドルニーはその一例だ。一方、学習内容とビジネスニーズの整合性を取ることを目的として、営業部門などのビジネスリーダーをラーニング部門に招聘するというケースも増えている。

しかし、人材の穴を埋めるためのこれらの工夫は、時には功を奏するものの、多くの場合、戦略的な動きというよりも、むしろ即興的な臨時措置だと言える——それは長期的な課題に対する短期的な対応に過ぎない。現代のラーニング部門が必要とするスキルに関する俯瞰した見方が不足している。同様に、それらのスキルと中核的任務がどう対応しているか、さまざまなリソーシング形式が短期的・長期的にどのような影響を及ぼすのか、といった知識もまた欠けている。以下ではこれらの問題を考察していきたい。まず取り上げるのは、我々が必要とする人材とスキルである。

鍵となるスキル

人材やスキルについて考える際には、知性、意欲、対人能力といった通常のスキルだけでなく、ラーニング業務特有のスキルについても考慮する必要がある。私は10の必須スキルを提起したい。学習サービスの範囲によっては、すべてのスキルが必須であるとは限らない。自らの文脈においてどのスキルが不可欠であるかを考える際のヒントとして、以下のリストを作成した。これらは完全な一覧表でもなければ、詳細なコンピテンシー・フレームワークでもない。むしろ、鍵となる専門知識のまとめとして参考にしてほしい。

■ ビジネス感覚

　HRやラーニング部門に必要とされる能力の中で、今日最もよく語られているのがビジネス感覚である。だが残念ながら、注目度の割には、実際の能力は伸びていないようだ。最近の英国公認人材開発研究所（CIPD）の調査によれば、HRスタッフの5分の3に当たる人々が「HR部門はビジネスの課題に対する理解をもっと深める必要がある」と考えているという[82]。十分なビジネス感覚を持たない限り、ビジネスにとって有益で価値のある洞察（インサイト）やソリューションを生み出す能力は著しく欠けることになるだろう。

　ビジネス感覚の定義は人によって千差万別だが、一般的には2つの要素から成り立っている。1つは財務やバリューチェーンといった事柄を理解する能力、もう1つはどうすれば価値を生み出せるかを見抜く能力である。実際にビジネス感覚を持った人々の内訳を見ると、財務に関する知識を持った人の方が、価値の生み出し方に関する知識を持った人よりもはるかに多い。さらに——起業家精神に関する限りにおいて——後者の方が教えるのが難しい要素だと言える。私はラーニング部門のあらゆるスタッフは、財務に関してある程度の知識を持つべきだと考えている。また、すべての学習チームには、何らかの価値創造スキルを持った人間が少なくとも1人は必要だと思う。15年前には、ビジネス感覚は単なる添え物に過ぎなかったが、今日、それは必須要素になっている。実際、健全な戦略企画の基盤として、鋭いビジネス感覚は極めて重要であると指摘する研究もある[83]。

■ 戦略企画

　HRおよびラーニング部門の必須コンピテンシーに関するさまざまな記事の中で、近年特に注目されてきたのがデーブ・ウルリヒによるものである。彼の主張によると、「ビジネスサイドと良好な関係を保つ」という、HRのスタッフがうまく、かつ多くの時間をかけて行っている任務が会社の業績に与える影響がマイルドなものであるのに対して、彼らがあまりうまくできておらず、かつ充分な時間もかけていない任務、たとえば「戦略的な貢献」は、

はるかに大きなインパクトを与える可能性が高いという[84]。

　戦略企画という能力は一般的に数多くの構成要素を持つと考えられている。細部にとらわれず全体像をつかむ、長期的な視野を持つ、明晰に考え、明確な目標を定めるといった能力がそこに含まれる。しっかりした計画を持てば、企業内学習の方向性や目的が明確化し、より大きなビジネス戦略の実施を支えることにつながっていく。しかしこうした計画がなければ、企業内学習は単なる一連の活動に過ぎなくなる。当然のことながら、社内において高い評価を得ているラーニング部門には、高度な戦略企画力が備わっているという調査結果が出ている。もちろん、すべての従業員に戦略的計画を立てる能力が必要なわけではない。だが、ラーニング部門にそうした計画が欠かせないのは確かであり、部門のスタッフはそれを理解する力を持たなければならない。

■データ分析・編集・報告

　最近話題になっているフレーズに「インサイト・ドリブンHR」というものがある。社内で高い地位を占めているマーケティング部門への羨望にあおられ、一部のHR部門が人に関する価値ある「インサイト（洞察）」の発信源としての地位を確立しようとして、このようなコンセプトを語っているのだろう。このようなHR部門になるためには、人材に関する指標を理解・作成・活用できるような、新たな優れたスキルを育むか、調達しなければならない。こうした作業には、単なる数学的能力や最新の統計ソフトに関する知識以上のものが要求される——データを活用してビジネスにとっての真の価値を持つインサイトを生み出す必要があるのだ。ラーニング部門のスタッフにとって、このようなスキルを持たなければならない理由はもう一つある。価値の測定と明示が以前にも増して重視されるようになったということは、データ分析・編集能力を身につけざるを得なくなったことを意味するからだ[85]。データを追跡することによって、コスト構造や利用レベルの問題を掘り起こすことができるのと同時に、学習活動のビジネスに対する価値やインパクトを査定することが可能になる。実際、ラーニング部門が企業の信頼を勝

ち取るためには、データの編集・報告能力を身につけることが不可欠であると主張する識者も多い。ラーニング部門のあらゆるスタッフは、データを躊躇なく使うことができるようになるべきである。また、各チームに少なくとも1人はデータ編集の専門家を配置しなければならない。

■パフォーマンス・コンサルティング

調査によれば、ますます多くのラーニング部門が、スタッフのコンサルティング能力の育成に投資し、彼らがビジネスパートナーとしての役割を十分に果たせるように支援しているという[86]。また、近年はコンサルティング会社での経歴を持った人材がラーニング部門に流入してきている。こうしたコンサルティング能力重視の姿勢は、ビジネスパートナーの役割を担うスタッフを抱えている場合には非常に重要である。

だが私は、昨今のコンサルティング能力に対する見方——とりわけ、個人的な信頼感の重視[87]——に対して懸念を抱いている。内部顧客の信頼を勝ち取ることが多くのラーニング部門のスタッフにとって難題であることは承知しているが[88]、彼らがその信頼を使って何かを達成しない限り、その信頼には大した価値はない。真に効果的なコンサルティングを行うには、ラーニング部門のスタッフはただしっかりとアドバイスするだけでなく、目的、すなわち業績という最終目標を念頭に置いておかなければならない。そういうわけで、私は4つめの能力を単なる「コンサルティング」ではなく、「パフォーマンス・コンサルティング」——ビジネスサイドと情報交換や交渉を行いながら、個人や事業の業績を改善する能力——と呼びたい。

■行動変化

本書で繰り返し主張してきたように、21世紀の企業内学習は学習ではなく行動変化を重視すべきだ。したがって、行動変化について深い理解を持った人材は不可欠である。具体的に言えば、第3章で説明したように、ペタゴジーを理解し、企業内学習に関する最新の調査研究結果に気を配り、心理学

や行動経済学、心理療法といった分野から行動変化のテクニックや方法論を学んできた人材が必要なのだ。これらの能力にさらに付け加えるべきなのは変革の推進者としてのスキルである。これは個人に関してだけでなく、集団や文化のレベルで変化を生み出し、持続させる能力を指す。すべてのスタッフが行動変化の専門家になる必要はないが、全員がその基本概念や原則をある程度知っていなければならない。手始めとして、人々の現在の知識レベルを実感するために、2つの基本的な質問——「どうやって人々の行動を変えるのか」、「どうやってその状態をキープするのか」——を聞いてみるといいだろう。私の経験では、ラーニング部門のスタッフの多くはこれらの質問に苦戦しており、明確で洗練された回答を出すことがなかなかできない。我々はこうした状況から脱却しなければならない。

■ 学習の提供

　企業内学習の中で最も変化を遂げたのはおそらくその提供方法(デリバリー)だろう。かつて教室で研修を行っていたインストラクターは、今や多くの時間を教室の外で過ごしている——オンライン上で学習者にマンツーマンのトレーニングを提供しているのだ[89]。実際、今日の学習提供方法について語るとき、我々は4つの異なるスキルについて言及することになる。それらは、教育訓練提供技術、グループのファシリテーション、(マンツーマン、グループ両方の)コーチング、協働支援すなわちオンライン協働学習のネットワークのファシリテーションである。グループ・ファシリテーションスキルは、ラーニング部門がコンサルティング色を強めるにつれて、ますます重要になっている。同様に、社内スタッフによる個々のリーダーへのコーチングも増加傾向にある。協働支援はそれ自体がスキルとは思えないかもしれないが、研究によれば、オンライン上で協働活動を支援した経験は、オンライン協働学習を後押しし、学習活動を活性化する上で大きな意味を持つという[90]。

　言うまでもないが、これらのスキルがすべてのラーニング部門で等しく重要なわけではない。しかし、仮にすべての学習提供業務を外注する場合でも、外注先の活動を理解し、管理する上で、こうした分野における経験が重要に

なってくる。我々は確かに大きな進歩を遂げてきたかもしれない。しかし、一方で古き良き教室における教育指導のスキルに対するニーズは消え去っていないし、これからも消えることはないだろう。

■プロセス管理

　管理運営スキルは、オペレーションに重点を置いたラーニング部門において、長い間必須の能力と見なされてきた。だが、学習管理システム（LMS）の出現によって、管理運営スキルの役割は大きく変わった——その領域が広がる一方で、運営上の負担は軽減し、同時にプロジェクト管理の要素が加わったのである。その結果生まれた新たなスキルを、私はプロセス管理と呼んでいる。それは物事を体系化し、さまざまなプロセスやプロジェクトが円滑に進むよう促す能力であり、多くのラーニング部門にとって今なお必須のスキルの一つであり続けている。

■コンテンツ管理

　プロセス管理と関連しつつ、まったく別個のスキルとして存在しているのが、コンテンツ管理、すなわちキュレーションである。キュレーションとは、デジタル化された情報の収集・選別・管理によってアクセス性を最大化し、最も役に立つ、ベストな情報がトップに上がってくるようにすることだ。LMSの出現、ますます強まる、ラーニングをより小さな塊に切り分ける傾向、ラーニング部門とナレッジ・マネジメント分野との接近といった現象に伴って、コンテンツ管理はにわかに必須スキルになりつつある。Googleがユーザーに対して提供している便益を少し考えてみるだけで、その価値は確認できるだろう。

　ラーニング部門がこうした領域に踏み出す際に直面するのは、コンテンツの管理には2つのレベルがあるという事実である。第一のレベルは単純に分類を行うこと、第二のレベルはそれらを選別し、潜在的な価値という観点から体系化することだ。たとえば、一部のオンラインサービスは、さまざ

な経済誌の新着記事をふるいにかけ、選り抜きの記事のみを定期的に送ってくれる。一見したところ、こうしたサービスは便利に思われる。しかし、この種のサービスを提供している会社の中には、単に新着記事をカテゴリー化した上で、ユーザーに興味のあるテーマを聞き、それに関連するカテゴリーの記事を何本か送ってくるだけのところもある。これもある程度は役に立つかもしれない。だが、そうしたサービスは、学習者のもとに届く情報の質や潜在的価値を保証するものではない。この種の問題には、単純な解決法はほとんど存在しない。しかし、多くのラーニング部門にとって、こうした課題はますます深刻になっていく可能性が高い。それにどれだけうまく対応できるかによって、ラーニング部門の成否が決まることになるだろう。

■ベンダー管理

　ラーニング部門は長年にわたり、必要なスキルを低コストで提供する方法として、アウトソーシングを取り入れてきた。いつもながら、新たな解決策には、新たな課題がつきまとう。つまり、ラーニング部門は高度なベンダー管理能力を必要とするようになったのである。研究によれば、こうしたスキルはアウトソーシングを通じて価値を生み出す上で不可欠なだけではなく、購買者側が自ら管理できる要素の中でもっとも大きな意味をもつものであるという[91]。一方、残念ながら別の研究によると、HRのスタッフの半数近くは、自らの部門のベンダー管理能力を平均以下と評価しているらしい[92]。人々の中には「ベンダー」（業者）という言葉を使うことに抵抗を感じ、「パートナー」といった別の呼び方を好む者もいる。確かにベンダーとの間にパートナーシップを築くことは必要である。だが、いずれにせよこうした関係は本来ビジネス的な性質のものであることを忘れてはならない。

■テクノロジースキル

　すでに指摘したように、企業内学習にとってテクノロジーは、現在、そして今後も直面せざるを得ない現実の一つだ。テクノロジーがもたらす機会や

課題にうまく対処するためには、ラーニング部門は数多くの要素を意識しなければならない。

第一に必要なのは「テクノロジーの提唱者」——新旧のテクノロジーを駆使し、効果的かつ効率的なラーニング・ソリューションを提供する能力を持った人材——である。あらゆるラーニング部門にとって、これは常に根本的な要素だ。すべてのスタッフが平等にテクノロジー面の才能に恵まれている必要はないが、ある程度の知識を持っていることは必要である。

第二に必要なのは、システム導入のノウハウや複雑なITプロジェクトの管理に関する専門知識である。テクノロジー主体のラーニング・ソリューションを導入しようとしているラーニング部門が最もよく直面するのが、この能力の不足だ。第三に、ラーニング部門がテクノロジー関連の専門家を直接雇用し、独自のシステムを開発している場合は、ITスキルやシステムに関連するスキルも不可欠になる。

主な役割と各スキルの関連性

図4.2のような能力モデルは、必要なスキルを検討し、能力を査定し、能力開発の計画を立てるのに役立つだけでなく、有能さの基準を定める際のベンチマークを提供してくれる。しかし、リソーシングを左右する最大の要素は、それぞれの役割、つまりどんな仕事が必要とされているかである。ここでラーニング部門のリーダーが問うべきなのは、自分はどんなビジネスに身を置いているのかだ。たとえば、何百もの技術研修を行わなければならない場合、その部門に必要なスキルや役割は、製造業と類似したものになるだろう。また、組織開発や変革促進に重点を置く場合は、その部門はむしろコンサルタント業に近くなる。一方、リーダーシップ育成が中核業務の場合、その部門はビジネススクールと似通ったものになるだろう。

各役割とその構造は、個々の文脈によってまったく異なるため、役割の明確なリストを提供することはできない。しかし、いくつかの主要で共通の役割を挙げて、上記のような課題の変化や必須スキルの違いが、それらの役割

にとってどんな意味合いを持っているかを探っていくことは可能だ。まずは、おそらく最も重要な役割である CLO から考察することにしよう。

■CLO（最高学習責任者）

1990 年代中旬に、ゼネラル・エレクトリックの CEO、ジャック・ウェルチは、スティーブ・カーを CLO に抜擢した。こうして GE は、世界で初めて CLO という役職を導入した会社になったのである。CLO という役職が広まるにつれて、その中身は必然的に多様化し始めた。対極化の片方の極には、事実上の「研修ディレクター」的 CLO がいて、反対側には「本格的な戦略パートナー」としての CLO がいる。だが、こうしたバリエーションの中にも、ある程度の共通点は存在する。

2000 年にある研究が発表された。初期の CLO10 人に取材し、彼らの役割や優先事項、業績指標を探ったものだった。その研究の結論によれば、CLO の役割は主として戦略的なものであり、学習の企画・構想と会社の戦略の方向性をリンクさせることに重点が置かれていたという[93]。大部

図 4.2　10 の必須スキル

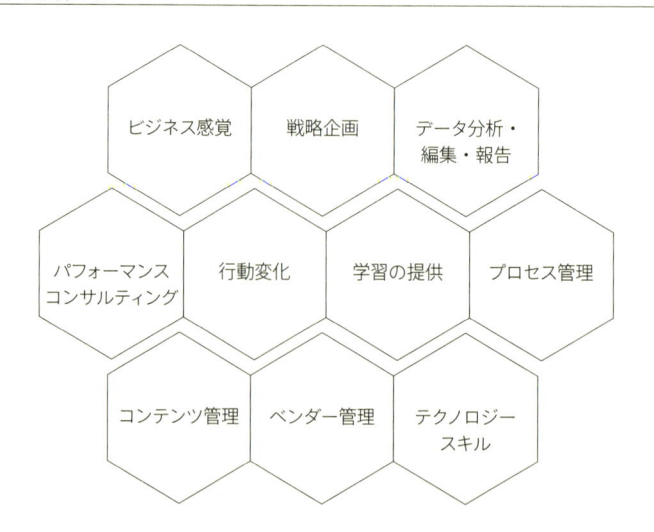

- ビジネス感覚
- 戦略企画
- データ分析・編集・報告
- パフォーマンスコンサルティング
- 行動変化
- 学習の提供
- プロセス管理
- コンテンツ管理
- ベンダー管理
- テクノロジースキル

分に関して、当時から事情はさほど変わっていない[94]。米国人材開発機構（ASTD）が最近行った調査によると、平均してCLOが最も時間を費やしている2つの任務は「戦略開発」と「ビジネスサイドの幹部とのコミュニケーション」であり、一方、CLOの業績評価において最も重視されている2つの要素は、「ビジネス戦略との整合性」と「ビジネス価値への貢献」であるという（その後にはラーニング部門の効率性や予算管理といった要素が続いている）[95]。CLOたちは、これらの目標を達成する上で最も大きな2つの課題は、「ビジネス価値の測定・提示」と、「リソースの制約のある中での効果的なソリューションの開発」だと語っている。このように、CLOという役職の中核目標と課題は、明確で、普遍的で、一貫したものである。

　これらの課題を克服するために必要なスキルに関しても、ある程度のコンセンサスが存在するようだ。必須の能力として最も頻繁に挙げられるのが、「ビジネス感覚」、「戦略企画力」、「ラーニング部門の価値を売り込む能力」である。とはいえ、CLOが成功を収めるためには、ますます幅広い能力が必要になってきているようだ[96]。たとえば、ある最近の調査は、ラーニング部門のスコープが変化したことによって、CLOの任務にどのような影響が出ているかを考察している。その調査によれば、CLOには次のような能力がますます求められているという。

- **ビジネス管理**……ラーニング部門をビジネスとして管理する。
- **パフォーマンス管理**……従業員のパフォーマンスを重視し、それをビジネスのパフォーマンスに結び付ける。
- **デモグラフィー管理**……社内の人口構造の変化がもたらす現在および将来の課題に対応できるような戦略を立て、さまざまなターゲット層の学習ニーズを支える。
- **グローバル・リーダーシップ**……学習のグローバル化がもたらす課題に対処する。

　これらのスキルは多岐にわたっており、どこから見ても手ごわいものばかりである。しかし、ここには明らかな見落としが一つある。すなわち、

「ソートリーダーシップ」(訳注：思想的先駆者としてのリーダーシップ) というスキルが入っていないのだ。この要素を大きく取り上げた文献もほとんど存在していない。これは憂慮すべき事態だ。CLOはステークホルダーの管理に膨大な時間を費やさなければならず、その結果、学習の提供の現場から離れてしまいがちである。こうした環境において効果的に業務をこなすためには、行動変化とそれを起こすためのラーニング・ソリューションの導入というテーマについての専門的な知識が欠かせない。したがって、この基本的スキルについてあまりにも言及が少ないのは意外だ。ビジネス感覚が重視されるようになったのは、一部のラーニング部門のリーダーがビジネスから縁遠い存在になり、そうした分野からないがしろにされるようになったからだというのは承知している。だが、こうしたビジネス重視の姿勢は、セールストークには長けているがラーニング業務への理解が浅く、ベンダーを評価する能力に欠け、効果的なカリキュラムを開発する知識を持たないリーダーを大量に生み出してしまうだろう。私自身のCLOとしての経験や、他の多くのCLOの成功と失敗を観察して得た知識を踏まえると、前述の10の能力リストのうち、CLOの役割を成功裏に果たす上で不可欠だと思われるスキルは、「ビジネス感覚」、「戦略企画力」、「パフォーマンス・コンサルティング」、「行動変化スキル」の4つである。

■CLOのキャリア・パス

先日、IMDにおいて、世界各国の182人のCLOの横顔とキャリア・パスに関する国際的調査を行った。彼らの平均年齢は48歳で、男性が65%、女性が35%という構成だった。このCLOたちはみな高度な教育を受けており、その学歴はさまざまな分野にわたっていた。特に多かったのは、経営管理、心理学、自然科学、工学、社会学といった分野である。職歴に関して言えば、大半はHRやラーニング部門の出身者だった。興味深いのは、全体の44%が、社外から会社に招聘された人間であるという事実だ。これは自社の人材プールの厚み、あるいはそれに対する信頼度が全般的に欠けていることを示唆している。

これらの CLO の来歴以上に興味深いのは、彼らの将来の進路である。大多数の人々は、ラーニング部門や HR 内の別の任務に就きたいと述べた。しかし、ラーニング部門（あるいは HR）には戦略的な仕事はほとんど存在しないため、彼らの大半はおそらく別の会社へ移るか、コンサルタントとして独立することになる。最終的には独立コンサルタントに落ち着く人々が多いと思われる。したがって、学習に関する知識の最良の部分が常に失われてしまう、少なくともコンサルタント業に奪われてしまう恐れがあるのだ。

　こうした問題と、ラーニング部門がその他の機能部門（例：財務）に比べてリストラの対象になりやすいという事例を考え合わせると、極めて憂慮すべき事実が浮かび上がってくる。それは、この職種に最高の人材を引き込むのが難しく、そうした人材を引きとめるのはなおさら困難であるということである。このままではラーニング部門は一種のゲットー部門になりかねない。一流のリーダーによって短期間は脚光を浴びるが、やがてそのリーダーはコンサルタント業界へ流出してしまう——そんな職種になってしまう可能性があるのだ。誰が現在の CLO なのかよりむしろ、誰が未来の CLO になるのか、それが問題ではないか。

■その他の役割と各スキルの関連性

　言うまでもなく、ラーニング部門の中の役割の定義やパターンは千差万別である。しかし、概観すれば、過去から存在する主な役割として、次の 4 つが挙げられる。

- 学習マネジャー——HR における「ビジネスパートナー」に似た、内部コンサルタントとしての役割。通常、個々の事業部門と整合性を取りながら業務を行い、学習ニーズを見極め、ソリューションを実施し、ターゲット層との関係を管理することに重点を置く。
- 学習指導者——伝統的に教室における指導を担当している。
- 学習設計者——教育設計者(インストラクショナル・デザイナー)とも呼ばれる。ラーニング・ソリューションの開発に専念する。

- **学習管理者**——運営管理やプロジェクト管理を担当する。顧客サービスの要素を含むこともある。

今日、こうした役割はますます一体化し、それぞれが独立して存在しているケースは減っている。たとえば、学習指導のみに特化した従業員を見かけることは今では珍しくなった。ほとんどの場合、この仕事はその他の役割に組み込まれるか、外注されるかのどちらかになっている。様変わりする企業内学習に対応するためには、どのような新しい役割が必要だろうか？ それを検討する前に、まずは従来の4つの役割を順番に取り上げ、それらがどのように変化してきたかを考察していこう。

■学習マネジャー

学習マネジャーの主要課題は、通常、個々の事業部門との関係をうまく保ち、ラーニング・ソリューションが滞りなく実施されるように取り計らうことである。したがって、その役割はビジネス・パートナーやパフォーマンス・コンサルタントと称されることが増えてきている。さらに、多くの企業が学習設計・学習指導を外注化するにつれて、学習マネジャーの任務の幅はさらに広がり、それらの外注業務の監視を含むようになった。こうした任務をこなすためには、学習設計の原則に対する理解や、学習指導の経験、外部のサプライヤーとの提携に関する専門知識が不可欠である。したがって、一般的に学習マネジャーにとっての必須スキルは、「パフォーマンス・コンサルティング」、「行動変化スキル」、「ビジネス感覚」、「ベンダー管理」ということになる。

■学習設計者

従来の学習設計者の任務は二分化しているように思われる。たとえば多くの企業において、この任務は消滅しつつある。その背景には、学習設計が外注化され、学習マネジャーがその監視や助言を担うことが多くなったという

事情がある。一方、一部の企業では学習設計者という任務はむしろ拡大している。オンライン実践コミュニティの管理や、ソーシャルメディアの学習利用の支援といった、学習コンテンツや提供手段のキュレーションという仕事が加わったからだ。この場合、学習設計者という任務は、従来とはまったく性質の異なったものとなる。彼らにとっての4つの必須スキルは、「行動変化スキル」、「テクノロジースキル」、「コンテンツ管理」、「学習提供スキル」である。

■学習指導者

すでに指摘したように、学習指導が独立した役割として存在しているケースはだんだん珍しくなっている。しかし、従来の教室での研修は相変わらず大半の企業で行われており、とりわけ技能トレーニングや製品トレーニングに関しては、この任務は今も存在し続けていると言える。

一方、学習指導者という任務の「幅の広さ」は随分変わってきている。多種多様な学習法やメディアが使われるようになっただけでなく、学習者の期待値がどんどん上がっているのだ。学習指導者というのは日々のビジネスの現実をよく理解し、ある程度のビジネス感覚を持っているものだと、彼らは当然のように期待するようになってきている。こうした幅広い任務に対応する上で、現代の学習指導者が身につけるべき4つの主要スキルは、「学習提供スキル」、「テクノロジースキル」、「行動変化スキル」、「ビジネス感覚」である。

さらに、学習指導という業務に、もともとラーニング部門の一員ではなく、教育関係のバックグラウンドも持たない内部の人材が加わるケースも増えてきている。たとえば、「特定技術専門家（サブジェクト・マター・エキスパート）」がそれに当たる。技術部門から動員された彼らは、訓練を受けた内部ファシリテーターによるネットワークを作り上げ、プログラムの提供を担当する。また、主要プログラムに参加するために招聘された、CEOをはじめとするビジネスリーダーたちもその一例である。

こういった人材を活用する際の共通の目的は、プログラムをビジネスの現実

と確実に結びつけ、その内容が学習者にとって信頼できる、意義深いものにすることである。こうしたアプローチは非常に有益だが、成功させるには、選ばれたリーダーたちに対する適切なトレーニングと支援を行い、彼らに学習提供スキルや行動変化に関する知識を十分に身につけてもらうことが必要である。IBMやキャップジェミニは、さまざまな認定プロセスを設けることで、このニーズに対応している（章末のケーススタディを参照）。

■学習管理者

　この役割は、現在も従来の形で存在してはいるものの、その焦点はますますLMSのコンテンツの管理と運営（LMSのユーザーに有意義な顧客体験をもたらすこと）や、場合によっては、プログラムの導入プロジェクトを管理することに移っている。一部の企業では、コンテンツ管理やベンダー管理の要素をこの役割の中に含めている。たとえばベンダーが行う学習イベントの出席状況を、学習管理者がLMSを使って監視している場合もある。さらに、イベント管理の要素もここに組み込まれつつある——何百人もの人々が集まる、大型で複雑なイベントを指揮する必要が出てきたからだ。したがって一般的に、これらの任務をこなすために必要な4つのスキルは、「プロセス管理」、「テクノロジースキル」、「コンテンツ管理」、「ベンダー管理」である。

■新たに加わった役割

　新たな課題——その多くはテクノロジーにより生み出されたもの——への対処を目指して、ラーニング部門内に新しく加わった役割がある。特に注目すべき役割は次の5つである。

- **テクノロジーマネジャー**……社内の技術システムの管理、およびシステムを提供するサプライヤーの管理に重点を置く。
- **コンテンツマネジャー**……学習が数多くのコンテンツの塊に細分化され、ラーニング部門がナレッジ・マネジメントの分野に参入するにつれて、特

図4.3　企業内学習の役割の進化

伝統的な役割 → 新たな役割

・学習マネジャー
・学習設計者
・学習指導者
・学習管理者

・テクノロジーマネジャー
・コンテンツマネジャー
・データマネジャー
・ポートフォリオマネジャー
・コミュニティマネジャー

化したコンテンツマネジャー、あるいは知識のキュレーターを活用する企業がますます増えている。
- **データマネジャー**……データ解析の専門能力を持った人材がチーム内に欠如している一方で、是が非でもそうした人材を必要としている一部のラーニング部門は、データの専門家を雇い、学習に関するさまざまな指標を追跡・分析・報告できるように支援してもらっている。
- **ポートフォリオマネジャー**……大組織、あるいはラーニング・ソリューションが数多くの小単位に分割されている組織では、ポートフォリオ全体を監視する人間を雇っているところもある。彼らは重複するプログラムや不要になったプログラムを定期的に排除し、合理化を図っている。
- **コミュニティマネジャー**……オンラインコミュニティやソーシャルメディアを利用したラーニング・ソリューションを取り入れている企業では、「コミュニティの管理」という新たな仕事が設けられている。専門能力を生かしてこれらのコミュニティに目を配り、その中での活動をファシリテートすることがその目的だ。こうした役割を果たすのは、通常、学習指導の経験を持った人物か、特定技術専門家のどちらかである。彼らはオンライン上のディスカッションをファシリテートし、必要に応じて軌道修正を行い、価値あるアウトプットが生み出されるように取り計らう。

> **ラーニング部門に要求される役割の特定**
> **必要なスキルが揃っているかどうかを確認するための問い**
>
> 1. ビジネスサイド、あるいはその各部門との関係を管理する人間は誰か？ 彼らはパフォーマンス・コンサルティング、ビジネス感覚、行動変化に関して十分な専門知識を持っているか？
> 2. ラーニング・ソリューションをスムーズに開発・実施・管理するのに必要なプロジェクト管理の経験が部門内に充分にあるか？ 学習管理者もしくは学習マネジャー（あるいはその両方）がプロジェクト管理を担当するのか？
> 3. 学習の主要な指標データを追跡・分析・報告するスキルを備えた人材はいるか？
> 4. 社内および社外の学習指導者は、これから必要とされる学習提供法についての専門知識や経験を備えているか？ オンラインコミュニティやインフォーマル学習のプロセスの管理に関する専門スキルを持った人材は必要か？
> 5. 社内および社外の学習指導者は、ビジネスの理解度という点で、学習者の信頼を得ているか？
> 6. 学習の評価を監視し、ラーニング・ソリューションの価値を提示できるように取り計らうのは誰か？ それは学習マネジャーの責務か、それともプログラムの提供を担当する人物が行うのか？
> 7. サプライヤーとの関係を管理するのは誰か？ 彼らはサプライヤーに対して組織を代表するのに十分なスキルを持っているか？

　ラーニング部門が抱える根本的な課題が一変し、それに伴って要求されるスキルも変化した結果、従来の学習関連の諸任務が様変わりしているのは明らかである——しかも、そのおかげでリソーシングはますます困難になっている。一般的に、あらゆる任務がより広範で、よりプレッシャーのかかる、複雑なものになっているのだ。したがって、「企業の半数は、必須スキルを

備えた優秀な学習の専門家を見つけるのに苦労している」という調査結果は驚くには当たらない。とりわけ、新時代の学習マネジャーを務められる人材は不足しているように思われる。なぜならそうした役割には、ビジネスに関する知識だけでなく、コンサルティングスキルと行動変化スキルの双方が必要だからだ。

リソーシングの際に考慮すべき重要事項

　ここまでは、企業内学習の性質の変化によって、ラーニング部門の必須スキルや持つべきさまざまな役割がいかに変わりつつあるかを考察してきた。次は、こうした役割を満たす上で直面する4つの重要課題に注目したい。

■人材を育てるか？　それとも金で買うか？

　人材を育てるか、それとも金で買うか、という永遠の課題は、通常、入手可能性——現在のスタッフのスキルや、主要スキルの開発可能性、ニーズの緊急度——に左右される。では、誰でも短時間で身につけられるのはどんなスキルだろうか？　この件に関する研究は不足している。とはいえ、簡単なガイドとして、表4.1を参照するといいだろう。

　多くの企業ではラーニング部門の能力向上を追求する一方で、既存スタッフの育成方針があやふやだったり、スタッフを十分に育成する時間が足りなかったりしている。それゆえ、こうした企業は必要なスキルを金で買っている——新たな人材をラーニング部門に引き入れているのだ。その最も分かりやすい実例が、ラーニング部門にビジネスサイドの人材を招聘しようとする昨今の傾向である。部門のビジネス感覚を高めるのがその狙いだ。このアプローチは確かに有益かもしれない。しかし、スキルの調達に関して外部市場に依存し続けることを避けたいのなら、人材の外部調達と内部育成のバランスを保つようにしなければならない。このことは、学習の専門家の働き口減少（新たなスキルの必要性や、専門外の人材の流入を原因とする）に対処する上で

も重要である。

　こうした学習の専門家を養成するプログラムは極めて必要性が高いと言える。なぜなら、ラーニング部門はしばしば「医者の不養生」に陥っているからだ。つまり、他人の学習を手助けすることに集中するあまり、自分自身の学習がおろそかになっているのである。ラーニング業務がますます多分野にまたがり、しばしば学際的な知識が必要になるにつれて、こうした状況は深刻化していく可能性がある。実際、さまざまなサプライヤーが提供するラインナップを見ても、学習の専門家向けのプログラムはほとんど存在しない。もちろん、米国人事管理協会（SHRM）や英国公認人材開発研究所（CIPD）といったHR団体はそうしたプログラムを提供しているが、それらは学習の専門家というよりも、むしろHRの専門家に焦点を合わせたものである。米国人材開発機構（ASTD）のような専門機関は確かに存在する。また、CLOマガジン関連のネットワーク、リンクトイン、IMDの開催するCLO円卓会議（ラウンドテーブル）をはじめとする一流ビジネススクールのネットワークなど学習に関する知見を共有するための数多くのネットワークも出現している。しかし、全体としては、学習の専門家向けのプログラムはかなり乏しく、とりたてて質が高いわけでもない。だからこそ、2つの本格的な最新プログラム——ペンシルバニア大学のCLO養成プログラム（修士・博士課程）と、欧州経営開発協会が提供するCLIP認証評価（厳格な評価と相互審査プロセスによってラーニング部門を認証するシステム）——が大きな話題になっているのだ。

　事態改善の兆しは見えているものの、学習の専門家を育てることは予想されるほど簡単ではない。この点を考慮して、一部の企業は人材の外部調達と内部育成のバランスを目指し、学習スタッフのための公式な育成プログラムを導入している。調査によれば、たいていの学習スタッフは同僚から、あるいは社内の既存のプログラムから、さまざまなメソッド、テクノロジーやテクニックをOJTで学んでいるという。そこで、こうしたオン・ザ・ジョブ・ラーニング（現場での学習）を促進するためのプログラムが設けられつつある。「スクラムチーム」を使ったトレーニングはその一例だ。これは異なるスキルを持った学習スタッフを集めて特定のプロジェクトに取り組ませ、新たな課題や学習の機会を与えるものである。確かにオン・ザ・ジョブ・ラーニング

表 4.1　能力開発

スキルの種類		育成しやすさ (誰にでも可能か)	育成スピード
ビジネス感覚	理解	易	速い
	価値創造	難	遅い
戦略企画力	全体像の把握	難	遅い
	長期的な視野	難	遅い
	目標の明確化	難	遅い
データ分析・報告	数値解析能力	難	速い
	データを基に洞察を生む能力	難	遅い
	評価	易	速い
パフォーマンスコンサルティング	関係のマネジメント	難	速い
	業績改善	易	遅い
	交渉と影響行使	易	速い
行動変化スキル	個人レベル	易	遅い
	グループレベル	易	遅い
	文化レベル	易	遅い
学習提供スキル	教育技術	易	速い
	グループ・ファシリテーション	易	速い
	コーチング	易	遅い
	協働支援	易	速い
プロセス管理	運営	易	速い
	プロジェクト管理	難	速い
コンテンツ管理	コンテンツの組織化	難	速い
	ソーシャルコンテンツ開発のファシリテーション	易	速い
ベンダー管理	ベンダー管理	易	速い
テクノロジースキル	テクノロジーの使用	易	速い
	テクノロジーの導入	易	遅い
	システム設計	難	遅い

は実践的な知識や経験を身につけるのにうってつけだ。しかし、こうしたプログラムを設けるのと同時に、彼らの専門知識を絶えずアップグレードしておくための十分な支援を行う必要がある。ここ10年間、学習や人材開発に関する研究は飛躍的に増加している。日々の業務に追われながら、新たな研究結果や理論を常に把握しておくことは至難の業だ。ラーニング業務のような多岐にわたった分野の場合はなおさらである。

■ HRとの関係

上記の問題と関連性があり、ラーニング部門のリソーシングにとって鍵になるのが、HRとの関係だ。すなわち、HRの内部から人材を調達するか、それとも外部の人材を活用するかというテーマである。とりわけCLOや学習マネジャーといった、ビジネスとの接点の多い役割の人材をどうやって調達するかが問題になってくる。私は「すべての」学習スタッフが企業内学習やHRといった分野のバックグラウンドを持つべきだと思っているわけではない。とはいえ、HRとは違った分野の人材が、ビジネス感覚や大型プログラムを導入した経験を買われてラーニング部門の幹部に招聘されるケースがあまりにも多いことに懸念を抱いている。彼らは必要な専門能力を養うための計画、サポートやフォローがまったくないまま、いきなり現場に放り出されているのだ。幹部としての任務を効果的に遂行するためには、彼らはビジネス関係者の信頼を勝ち取るだけでなく、信頼に足る仕事をこなすだけの専門的な職務能力を身につける必要がある。

問題の一端は、学習の専門知識よりもビジネス感覚の方が、学習スタッフの業績への影響がはるかに大きいという調査結果が相次いでいることにもある[97]。こうした調査は世間の注目を集め、学習スタッフは何よりもまずビジネスに精通していなければならないという強迫観念をかき立てている。しかし、元の調査を見直せば明らかなように、ビジネス感覚はこの業界で活動する上で必須の資質ではあるものの、専門能力の代替品には決してなり得ない。ビジネス感覚への過度の称賛と、それに伴う専門能力への関心の欠如は、特に気がかりなところだ。私は、多くのラーニング部門は職務能力を開発し

直す必要があると考えている——すなわち、従来の学習観から脱却し、行動変化や業績改善を目的とする学習へと移行する必要があるのだ。物事を実行する方法（How）を知っていることは確かに重要である。しかし、自分がやっていることの中身（What）をきちんと把握できていなければ、大した価値はない。

■地域格差や文化格差

　ラーニング部門の多くにとって、地域による能力差やニーズの違いにどう対応するかが重要になってきている。たとえば、南アフリカやインド、中国といった新興市場では、学習の専門家はオペレーションの能力や事業提携のスキルに基づいて採用される傾向が高い。一方、より成熟した市場では、これらのスキルはあくまで前提条件であり、それに加えてビジネス感覚といったさらなるスキルが求められている。したがって、CLOはこれらの地域差を考慮しながらリソーシングに関する判断を行う必要がある。また、能力開発プロジェクトを行う場合には、全員を同じ水準まで引き上げる一方で、各地域固有の需要に配慮しなければならない。

■外注か内製か

　人材の外部調達も内部育成も不可能な場合、企業にはもう一つの選択肢がある。それは業務を外部に委託することである。自社で任務を行うべきか、それともアウトソーシングすべきか——それはCLOが下すべき最も重要な戦略的判断の一つであり、組織構造を大きく左右する問題だ。ここでいう「アウトソーシング」には、業務プロセスのすべてを委託するケース（狭義のアウトソーシング）と、発注側のコントロールの下で特定のプロジェクトや作業の一部のみを行わせるケース（アウトタスキング）の両方が含まれている。広義のアウトソーシングは、内部サプライヤーの使用が打ち切られた場合、あるいはそれまで社内で提供されていなかった新たなサービスが購入された場合の両方に生じる。企業内学習のアウトソーシング産業の正確な

大きさは不明だが、その規模はかなり大きく、しかも成長し続けている[98]。実際、HRのサービスをアウトソーシング度の高い順に並べた場合、企業内学習は常に上位2位に入っているという調査結果もある[99]。景気低迷後のデータによれば、90％以上のラーニング部門が少なくとも一部の業務を外部委託しており[100]、平均して予算の25％がアウトソーシングに費やされている[101]。

当然のことながら、アウトソーシングに関しては大量の文献が存在している。2009年のある調査によれば、このテーマに関する記事は2万2000件以上に達しているという[102]。これらを読破するのはさぞかし大変だろう。しかし、その中には独立した研究と呼べるものはほとんど存在しない。残りの大部分は単なるコンサルティング報告書か大衆紙の記事である。実際、アウトソーシングの効果を体系的に評価した研究はほんの一握りしかない。つまり、ほとんどの人々は、いつ、どこで、どのようにアウトソーシングを行えば効果が上がるかについて何の確証もないまま、アウトソーシングに関する決断を下しているのだ。アウトソーシング市場の大きさを考えれば、これはかなり恐ろしいことである。

アウトソーシングの実情

ここまでは、企業内学習の性質が変化するにつれて、ラーニング部門の必須スキルや果たすべき任務、直面する課題が変わりつつあることを考察してきた。ここからは、これらの課題に対する最も一般的な解決法の一つであるアウトソーシングについて、さらに詳しく検証していこう。とりわけ、どんな企業がアウトソーシングを行っているのか、どんな業務を外部委託しているのか、どんな潜在的なメリットやリスクがあるか、それらにどう対処すべきか、といったテーマについての調査結果（ベンダーに依存しない、数少ない独立した研究に基づくもの）に注目したいと思う。

■ どんな企業がアウトソーシングを行っているのか？

　一般的に、公営企業よりも民間企業の方がラーニング業務を外部委託する傾向が高く、使うサプライヤーの数も多い[103]。民間企業の中では、大企業よりも中小企業の方がアウトソーシング率が高くなっている[104]。また、研修予算が分散管理されている企業は、予算が集中管理されている企業よりもラーニング業務を外部委託しがちである[105]。2005年のある研究は、HRの外注状況を全般的に見渡し、アウトソーシングを利用する企業を3つのグループに分けている[106]。

- 社内に学習の専門スタッフを設けることが不要、もしくは不可能だと考えている中小企業。
- 社内に学習の専門スタッフは存在しているが、彼らの時間を節約するためにラーニング業務の一部を外部委託している企業。
- 社内に学習の専門スタッフは存在しているが、内部の人材の知識ではカバーできないラーニング業務を外部委託している企業。

　ちなみに、これらの要素とアウトソーシングの成果はまったく無関係である。たとえば、中小企業はアウトソーシング率が高いかもしれないが、その成果に対する満足度が大企業に比べて高かったり低かったりするわけではない[107]。

■ どんな業務を外部委託しているのか？

　アウトソーシングが可能なあらゆるラーニング業務が外部委託の対象になってきたと言って間違いないだろう。トレーニングを100％外部委託している企業はごく一部であり、調査によって数値は異なるが、その割合は2～8％程度にとどまる[108]。最もよく外部委託されている業務は学習コンテンツの設計と開発、学習の提供、学習技術インフラ、学習評価となっている[109]。さらに、コンテンツ変更（コンテンツをeラーニング用に作り直すこと）や

コンテンツのローカライズ（世界各地での使用に合わせてコンテンツを改変すること）といった仕事を外部のサプライヤーに任せる企業も増えてきている[110]。

■ **なぜアウトソーシングを行うのか？　その潜在的なメリットは何か？**

2002年に発表されたある研究は、企業がHRの内外でアウトソーシングを決意した理由について興味深い分析を行っている。その研究によれば、アウトソーシングのメリットは大きく分けて4つあるという[111]。

- **経済的メリット**……コスト削減やコスト管理など。
- **ビジネス・戦略的メリット**……業務プロセスの再構築、中核業務への専念、組織横断的な標準化の迅速な推進など。
- **技術的メリット**……専門知識の増大、サービスの改善、最新テクノロジーの導入など。
- **政治的メリット**……特定の幹部の支配力の軽減、ビジネスの分散化への対応など。

アウトソーシングのメリットに関する研究の大半は、当然ながら、アウトソーシング業者によるものだ。彼らがアピールする最も一般的なメリットは、低コスト、サービスの質の高さ、専門知識へのアクセスである。それ以外にも、次のようなメリットが挙げられている。

- スタッフの負担を軽減し、より付加価値のある中核業務に集中できるようにする。
- 標準化を推進し、一貫性を保つ。
- 学習プロジェクトの海外展開を可能にする。
- 柔軟性を高め、需要の変化に対応できるようにする。
- 知的資本の獲得。
- イノベーションの促進。

以上がサプライヤー側の唱える宣伝文句である。しかし、実態はどうなのだろうか？　企業がラーニング業務の外部委託を決意する本当の理由とは何か？　それはどんなメリットをもたらしてくれるのか？

　実際のところ、企業がアウトソーシング利用の決め手として挙げた主な理由は、まさにコスト、専門知識、質であるようだ。とはいえ、従来、人々をアウトソーシングへ駆り立てる原動力と見なされてきたコスト削減は、今や意思決定を左右する最大の要素ではなくなっているようだ。その代わりに、理由の筆頭として挙げられるようになったのが、スキルや知識へのアクセスである。ここまで述べてきたような、能力面でのさまざまな課題を考えれば、これは当然のことだ。

　言うまでもなく、この問題には多少の地域差が存在する。たとえば、アメリカではコスト削減がより重視されているというデータもある。地域や状況によってはコスト削減こそがアウトソーシング利用を左右する唯一の要素になり得る。たとえばスイスでは、見習い者に対する研修の一部もしくはすべてを外部のサプライヤーに委託するのが一般的になっている。スケールメリットによる経済性を享受することがその狙いである[112]。

　では、アウトソーシングには実際にどんな利点があるのか？　独立した研究の結果から判断して、一つだけ明らかなことがある。それは、アウトソーシングに利点があるのは確かだが、どのように利用すればメリットを最大化したり、特定のメリットをもたらしたりできるのかはまだはっきりとは分からないということだ。

　とはいえ、ある代表的な調査によれば、アウトソーシングの発注者の過半数が、コンテンツの設計（62％）やコンテンツの提供（51％）において改善が見られたと報告しているという。一方、コストの削減効果があったと答えた企業はわずか29％だった[113]。大きなコストカットが実現する状況は確かに存在するだろう。だが、上記の調査結果から判断すれば、アウトソーシングは基本的に業務のコストよりもむしろ質に大きなインパクトを与えているものと思われる。外部委託を選択する場合は、それがしかるべき理由で行われているかどうかを必ず確かめなければならない。

第4章　学習のリソーシング

■なぜアウトソーシングを行わないのか？　その潜在的なリスクは何か？

　アウトソーシング発注者の大部分は受注者の仕事ぶりに満足しているようだが、「非常に満足している」と答えたのは全体のわずか3分の1である。さらに、その割合はますます下がっているというデータも存在する。おそらく市場の成熟に伴い、発注者側の期待が高くなったことがその原因だろう。しかし、単に期待値が上がっただけだと片づけられない部分もある。たとえば、米国人事管理協会（SHRM）が2004年に発表したある研究によれば、HRのアウトソーシングが業務の質の低下につながったケースは全体の25％にのぼるという[114]。アウトソーシングの失敗率は調査によってさまざまに異なるが、多くのアウトソーシングが期待通りの成果を出せていないことはさまざまな研究によって裏付けられている[115]。そこで、なぜそうなるのかという疑問が浮かび上がってくる。

　この問題は多面性を持っているものの、大きく分けると2つの原因が浮かび上がってくる。すなわち、アウトソーシングの受注者（サプライヤー）に関する問題と、発注者（ラーニング部門）に関する問題だ。サプライヤーに関する問題で筆頭に挙げられるのが、サプライヤー選択の誤りである。足りない専門知識を補完することはアウトソーシング利用の主たる要因であるが、発注者の多くはサプライヤーの専門知識に対して十分な批評眼を持っていない可能性がある。仮に優れたサプライヤーが選ばれたとしても、発注に関する経験が浅い場合、契約内容が偏ったものになる可能性があり、後にトラブルが発生することも考えられる。著作権や解約条項の問題はその典型例だ。たとえば、サプライヤーは発注者側の費用で開発した発注者専用の教材の著作権を自ら保持しようとするのが一般的である。その結果、発注者がそのコンテンツの提供に不満を感じた場合でも、サプライヤーを交代させることが難しくなってしまう。またサプライヤーの選択や契約内容以外の問題で、最もよく取り上げられる課題は、企業文化に対するサプライヤーの理解の欠如や、時がたつにつれて発生するコンサルタントの質の低下（最も優れたシニアコンサルタントが新たなクライアントのプロジェクトへ移ってしまうことによる）、サプライヤーによるご都合主義な行動などである。ご都合主義な行動

の例として挙げられるのが、契約更新時の極端な価格の釣り上げや、契約期間中の修正や追加の作業に対する過剰な請求、成果があまり査定されない部分でサービスの質を落とすことを通じたコストの削減などである。

　２つめの要素は発注者にまつわる問題である。たとえば、サプライヤー側が最もよく訴えているのは、必要な業務に関する発注者側の説明があいまいすぎるという点だ[116]。これに関連する問題として、ラーニング部門のスタッフのベンダー管理能力が不足していることが挙げられる。またもう一つの問題は、企業のビジネスサイドとラーニング部門の相互関係が希薄化し、とりわけ学習ニーズに関する理解が低下する可能性があることだ。これは、企業のビジネスサイドとの関係をベンダーがラーニング部門に代わって担うようになることにも起因しうる。

　最後に、多くの企業にとって特に気がかりなのは、外部委託することによって、その業務に関する社内の能力開発が必然的にストップしてしまうという問題である。こうして、企業は悪循環に陥っていく——アウトソーシングによって専門技術を補完したことで、自前で専門技術を開発するチャンスを失い、その結果、能力ギャップを埋めるために、永遠にアウトソーシングに頼り続けなければならなくなるのだ。実際、世界最大級の企業がこうした罠に陥っているのを何度も目撃したことがある。それらの企業は、あまりにもアウトソーシングに頼りすぎたため、第三者に依頼してさまざまなサプライヤーの仕事ぶりを監視してもらわなければならなくなっていた。そうするだけの専門知識を社内に持ち合わせていなかったからだ。以上のことを踏まえると、ラーニング業務の外部委託にまつわる最大の懸念の一つは、支配力の低下とサプライヤーへの過度の依存であると言える。多くの調査もこのことを裏付けている。

　このように、ラーニング業務の外部委託は、専門知識へのアクセスやサービスの質改善といったメリットはあるものの、同時に多くの課題をはらんでいる。したがって、何も考えずにアウトソーシングに飛びついた企業は、そのプラス面だけではなくマイナス面をも経験することになる可能性が高い。とはいえ、上記の課題のほとんどは、簡単に処理したり、軽減したりできるものばかりである。では、独立した研究を参考にしながら、サプライヤーを

採用し、管理するための最善の方法を探っていくことにしよう。

■どうすればうまくいくのか？

前述の通り、アウトソーシングを成功させることは決して容易ではない。また、状況次第で大きく変わる要素が多いため、成功のための唯一の処方箋を示すことはできない。とはいえ、ここからは独立した研究や私自身の経験を踏まえて、アウトソーシングを利用する際に考慮すべき10のアドバイスを提供していきたい。

■契約条件を明確にする

端的に言って、目標やゴールをはっきり定めているラーニング部門は、それらを達成できる可能性が高い。同様に、ラーニング部門が外注先と詳細な契約書を交わしている場合、そのサプライヤーのパフォーマンスのレベルは高くなり、ラーニング・ソリューションの設計やデリバリーがより効果的になり、発注側であるラーニング部門の満足度もアップする可能性が高い。さらに、その契約書に記された目標や業績指標、違約条項が明確であればあるほど、その後サプライヤーがご都合主義的な行動に走る可能性が低くなる。

■サプライヤーの選択の質を高める

一般的に、サプライヤーを選択する際に最も重視される特性は、発注側の企業とその業界に関する知識や、業務の遂行能力とそのスピード、そして——必然的ではあるが——コストである[117]。私の経験では、間違ったサプライヤー選択に陥る理由は、次の3つのうちのいずれかである。第一に従来の取引関係に依存し、相手の能力を十分に吟味しないまま、なじみのあるサプライヤーを選んでしまうケース。第二にコストのみを判断基準とし、その他の条件をまったく考慮しないケース。そして第三に信頼という要素、つまり、なんとなくこのサプライヤーは好感が持てない、あるいは信用できな

いという直感を無視してしまっているケースである（私の場合、まず、この先トラブルが起こった場面を想像し、その際にどのサプライヤーにそばにいてほしいかという点を判断基準にしている）。

■ 選択の正しさを検証する

　私が常に驚かされるのは、サプライヤーを絶賛する一方で、それを裏付ける独自のデータを持ち合わせていない企業が目立つことだ。サプライヤーの仕事の質を十分に査定していなかったり、サプライヤー自身に査定の作業を任せたりしているケースが多すぎる。評価やガバナンスについては第5章と第7章で詳しく取り上げるが、ここでは、評価やガバナンスに関しては明確な体制や計画を持つべきであり、こうした作業だけは決して外部委託すべきではないと言っておきたい。

■ サプライヤー管理に競争原理を取り入れる

　通常、企業は複数のサプライヤーを採用しているが、そこから生まれる競争原理を積極的に利用しようとしている企業はほとんど存在しない。これは実にもったいない話である。なぜなら、複数のサプライヤー間の健全な競争を促すことによって、サービスの質を改善し、コストを減らすことができるという調査結果が出ているからだ[118]。

　この点に関して、企業が打てる手は3つある。第一に、サプライヤーの数をむやみに増やさないこと。企業の中には何百社ものサプライヤーを抱えているところもある。こうした場合、サプライヤー同士を比較することはほとんど不可能である。そして比較という要素がなければ、競争は生まれてこない。第二に、サプライヤーの仕事ぶりをきちんと査定すること。そして第三に、それらの業績データを広く共有し、サプライヤーを選択する際の重要な判断基準とすること、である。

■閉鎖的なシステムに陥ることを避ける

　多様な各事業部門において、ラーニング業務のアウトソーシングの質を一定に保つためにラーニング部門が頼る手段の一つが「常用サプライヤーリスト」の活用である。こうしたリストにはそれなりのメリットがあるものの、いくつかの懸念材料も存在する。第一に、この種のリストを利用する場合、定期的に新たなサプライヤーを昇格させ、従来のサプライヤーの一部を降格させるシステムを設けることが重要である。こうしたシステムがなければ、サプライヤーの間に競争原理を働かせることができなくなってしまうからだ。第二に、事業部門によっては、一元的に決められたリストを頑として認めず、リスト外のサプライヤーを活用することを通じて、結果的にリストの力そのものを無効化してしまうところもあるだろう。こうした問題への対処法の一つとして、誰を採用するかではなく、どうやって採用するかのプロセスに焦点を絞るという方法がある。つまり、固定されたリストに従うのではなく、一定の契約手順や取引条件に従ってサプライヤーを選ぶようにするのだ。こうしたアプローチを取り入れれば、それぞれの事業部門がサプライヤーを自由に選ぶことができ、同時に、アウトソーシングの水準を一定に保つことが可能になる。

■サプライヤーが自社に順応できるように支援する

　サプライヤーを選択した後には、オンボーディング計画が不可欠である――つまり、発注側企業とその主な利害関係者についての包括的なブリーフィングを行う必要があるのだ。私の経験では、多くの企業は、サプライヤーがみなビジネス知識に精通していると思い込み、このステップを省略している。しかし、オンボーディング計画なしには、サプライヤーが発注側の企業や企業文化を十分に理解できず、効果的なラーニング・ソリューションを開発・提供できなくなってしまう恐れがある。

図 4.4　アウトソーシング——どちらのサイクルにいるか

悪循環：
- 深まる依存／低下する社内スキル
- 品質と支配力の低下
- 社内での能力開発の減少
- 甘いサプライヤー評価
- 不十分なベンダー管理
- サプライヤーへの依存過多によるビジネスサイドとの関係の希薄化

好循環：
- 専門性への効率的アクセス／戦略的集中の実現
- 特殊な専門性へのアクセス
- 品質と柔軟性の向上
- 内部リソースの戦略的集中が可能に
- 厳しいサプライヤー評価
- 巧みなベンダー選定・管理

アウトソーシングの意思決定

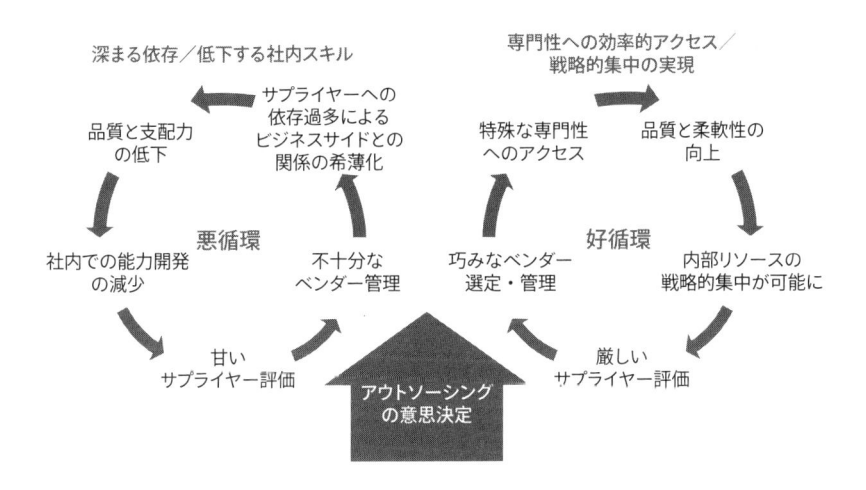

■ **アウトソーシング後の変化に備える**

　当たり前に聞こえるかもしれないが、アウトソーシングを利用する企業にとっての重要課題の一つは、事後の社内の変化に対応することである。アウトソーシングを取り入れた後には、さまざまな役割や責務、レポーティングラインが変化している可能性があり、大半の関係者は新しい仕事をこなしたり、同じ仕事を違ったやり方で進めたりしなければならない。こうした変化に備え、スタッフを支援することは、非常に重要な作業であるにもかかわらず、見過ごされている場合が多い。

■ **ベンダー管理能力の開発に投資する**

　ここまで見てきたように、ベンダー管理は、アウトソーシングに乗り出した企業が最も手を焼いている部分だ。調査は、それがアウトソーシングの成果を上げるために発注者側が自らの責任でできる最も重要な事項であることを明確に示している[119]。しかし残念ながら、現状はラーニング部門のスタッフに十分な能力があると思い込んでこの能力開発を省略するか、こうした管理

第4章　学習のリソーシング　161

業務を調達部門に任せてしまうかのどちらかである。その結果、ラーニング部門のスタッフの中で、ベンダー管理能力に自信があると答えた人はごく少数にとどまっている。それゆえ、ベンダー管理能力の獲得に投資することは極めて重要だと言える。

■ サプライヤーとのコミュニケーションを高める

効果的なコミュニケーションとアウトソーシングの成功が密接に結び付いていることは、調査結果にもはっきりと表れている。サプライヤーの仕事ぶりを高く評価し、彼らとの関係に満足していると答えた企業は、同時に、サプライヤーとの話し合いの機会をより多く設けていると回答している[120]。

■ 出口戦略を用意する

「備えあれば憂いなし」ということわざがあるが、これはアウトソーシングにもあてはまる。つまり、アウトシーシングの関係を結ぶ前に、出口戦略をはっきりさせておいた方が賢明である。とりわけ重要なのが、スムーズな撤退を可能にするような契約条項を設けることと、アウトソーシングの社内の能力レベルに与えるインパクトを管理するための方策を用意しておくことだ。綿密な戦略なしに取引関係を結んでしまった場合、十分な成果を上げることのできない外部サプライヤーに永遠に頼らなければならなくなる可能性がある。こうしたアウトソーシング依存の危険は常に存在している。

アウトソーシングの検討
ラーニング業務のアウトソーシングを検討する際に考えるべき問い

1. サプライヤーを探す前の段階で、外部委託する業務の目標ははっきり具体的に定まっているか？
2. 以前に取引したことのないサプライヤーも含めて、複数のサプライヤーからの提案を募っているか？

3. サプライヤーの選択基準は明確か？
4. サプライヤー候補の能力を評価するのに必要な専門知識は備わっているか？
5. 契約書に目標、業績評価指標、違約条項は明記されているか？
6. サプライヤーの評価計画は準備できているか？　それは契約書に明記されているか？
7. 複数のサプライヤーを併用する場合、どのようにして競争原理を取り入れ、活用するつもりか？
8. サプライヤーのオンボーディング計画は用意してあるか？
9. アウトソーシング後の社内の変化に備える計画は用意できているか？
10. スタッフのベンダー管理能力開発のための訓練を行っているか？
11. サプライヤーとのコミュニケーションの機会を定期的に設けているか？
12. どんな出口戦略を立てているか？　契約の早期解除に関わるコストはどれくらいか？

まとめ

　ビジネスにおいて人選は常に大きな意味を持っている。この点をしくじると、良い結果はほとんど望めない。適任者を見つけるためには、まず、彼らへの要求をはっきりさせる必要がある。本章では、企業の求めるスキルや役割が、現代のラーニング部門が抱える課題の変化によって、どう変わりつつあるかを考察してきた。また、行動変化やビジネス感覚、テクノロジー活用を重視すべきだというプレッシャーによって、ラーニング部門のキャリアをめぐる情勢が様変わりしていることにも言及した。さらに、リソーシングのニーズを満たす上で、CLOが数々のバランス調整作業を行う必要が出てきたことも説明してきた。つまり彼らは、ビジネススキルと専門スキル、人材

の外部調達と内部育成、内製と外注などといった要素の釣り合いを取らなければならなくなったのだ。とはいえ、これらの課題の多くは、事前に周到な計画を立てることによって、対処したり、軽減したりすることが可能だということも指摘してきた。学習に対する効果的な評価活動がほとんど行われておらず、個々の役割や業務に関する人選やサプライヤーの選択が、ラーニング部門が取り組んでいる品質担保の唯一の手段である現状を踏まえれば、リソーシングは大変重要な課題であると言える。次章では、この評価にまつわる問題──ラーニング部門が学習の有効性を適切に評価し、その価値を企業内に示すためにはどうすればいいか──を考察していきたい。

[ケーススタディ]
キャップジェミニ・ユニバーシティ
高品質な学習活動を促進するシステム

　コンサルティング、テクノロジー、アウトソーシングに関するサービスを提供するグローバル企業であるキャップジェミニ・グループは、世界40カ国で事業を展開し、12万人以上の従業員を抱えている。キャップジェミニ・ユニバーシティは世界的規模のカリキュラムを通じてグループのさまざまな取り組みを支援している。教室での指導から、実地研修、オンライン研修にいたるまでそのカリキュラムは多岐にわたっており、毎年各地で100万時間以上の学習を提供している。

　リソーシングに関して言えば、キャップジェミニ・ユニバーシティは多数のファシリテーター人材を揃え、高品質な学習体験を提供している。キャップジェミニ・グループ全体において学習支援に対するニーズがますます高まるにつれて、同ユニバーシティはより体系的なアプローチを使ってファシリテーター要員の能力の管理や育成を行うようになってきた。

　ファシリテーターは社内スタッフだが、他に部門でのメインの仕事を持っており、ファシリテーター業はプラスアルファの仕事になっている。キャップジェミニは、社内人材によるファシリテーションの長い伝統を持っている

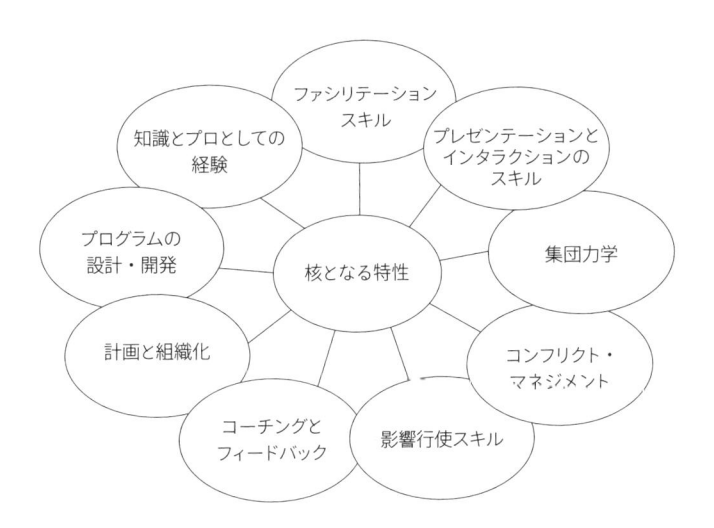

図 4.5　キャップジェミニ・ユニバーシティのファシリテーター能力のフレームワーク

図中の要素：
- 核となる特性（中心）
- ファシリテーションスキル
- プレゼンテーションとインタラクションのスキル
- 知識とプロとしての経験
- プログラムの設計・開発
- 集団力学
- 計画と組織化
- コンフリクト・マネジメント
- コーチングとフィードバック
- 影響行使スキル

が、社内ファシリテーターを抱えるあらゆる企業と同様に、2つの課題に直面していた。すなわち、ファシリテーターの質の保持と、ファシリテーターの時間の確保である。

　キャップジェミニ・ユニバーシティは手始めに、さまざまな専門分野を持った経験豊かで評判の高いファシリテーター要員をリストアップした。また、技術レベルを確保し、質の一貫性を保つために、UFCF（University Facilitator Competency Framework）というユニバーシティ独自のファシリテーターの能力のフレームワークを制定した。ここではファシリテーターの能力が9つの領域に分類されている（図4.5を参照）。

　このフレームワークは、ファシリテーターを次のような4つのレベルに分ける際の判断基準となっている。

1. **ファシリテーター訓練生**（FIT=Facilitator in Training）……コース参加者、オブザーバー、ファシリテーターという3つの役割を兼ねながらコースに参加する。
2. **ユニバーシティファシリテーター**（UF=University Facilitator）……いくつ

かのモジュールでの学習提供を受け持ち、UQFの指導の下でカリキュラムの作成／改良に対して意見を提供する。
3. **ユニバーシティ認定ファシリテーター**（UQF=University Qualified Facilitator）……コースでの学習提供の指揮をとり、他のファシリテーターのメンターやコーチを努め、コースの開発や設計に貢献する。
4. **ユニバーシティ・ファカルティ**（UFa=University Faculty）……ラーニング・ソリューションと変革プログラムの双方の指揮をとるUQF。新たなコースの設計においても大きな役割を果たし、ユニバーシティの戦略や構想に対して意見を提供する。

 上記のフレームワークは単に能力の確保に役立つだけではない。それは能力の開発支援にも活用されている。キャップジェミニ・ユニバーシティはこのフレームワークを使ってファシリテーターの専門能力の開発を支援するための数々のツールやシステムを作り出している。オンボーディング・ガイド（業務への順応を促す手引書）やテキスト、さまざまなヒントや助言を紹介した動画などによって、新たな指導方法の開発を促しているのだ。また、同ユニバーシティは社内ソーシャルメディアを使って活発なファシリテーター・コミュニティを生み出している。ファシリテーターたちが現場でネットワークを形成できるよう、ユニバーシティが提供する大きなイベントのすべてで、ファシリテーターのセッションを行っている。
 キャップジェミニ・ユニバーシティは、信頼できる人材を開発することだけでなく、絆の固い専門コミミティを生み出すことも目標にしている。優秀なファシリテーターやそのマネジャーには、毎年それぞれの事業部長から個人的な礼状が届くことになっている。また、素晴らしい指導を行ったファシリテーターは、そのたびにユニバーシティから一人ひとり感謝される。
 UFCFというフレームワークは2009年に導入され、500人以上のファシリテーターがその対象者となっている。この取り組みは次の4つの成果を生み出した。

1. プログラムがどこで行われるかに依存しない、学習経験の一貫性。これ

はユニバーシティがよりバーチャルな学習提供、国ごとの学習提供にシフトする中で重要である。
2. 成功事例や経験を分かち合うことができる、ファシリテーターの強固なコミュニティ。
3. ファシリテーターの能力開発の明確な道筋。全社的に認められ、評価された能力開発のフレームワークを伴う。
4. 能力開発の加速化と、時間の短縮化を通じた、ビジネスへの付加価値。

第5章

企業内学習の価値の実証
「評価」という難問への解答

　さて、ここで難題の登場だ。前述の通り、学習の価値を実証することは、今日のラーニング部門の幹部にとって「最大の」課題である[121]。あらゆる調査において、それは常に課題リストのトップを占めている。それにもかかわらず、少なくとも4分の3の企業は学習がビジネスに与えるインパクトをきちんと査定していない[122]。実際、フォーチュン500社のCEOを対象とした2009年の調査によれば、CEOの96%が学習のビジネスインパクトについての情報を求めているのに対し、実際にそれを受け取っているCEOはわずか8%に過ぎないという[123]。つまり、学習リーダーたちは自らの仕事の価値を示す必要を痛感している一方で、それについて何の策も講じていないことになる（あるいは何らかの手を打っているかもしれないが、それらは功を奏しているようには見えない）。そこで次のような疑問が浮かび上がってくる――そもそも、なぜこうした状況に陥ったのか？　ここから抜け出すにはどうすればいいのか？

　とりわけ興味深いのは、ほとんどの読者にとって、こうした問題はおそらく旧聞に属するということだ。今から40年以上も前に識者は学習評価の不備を指摘しており[124]、それから事態はほとんど改善していない。これほど長い間、自らの業務の監査を怠ってきた部門が、何の咎めも受けなかったことは、むしろ不思議だと言える。ラーニング部門が自らの価値を実証でき

ていないにもかかわらず、企業はなかば盲目的に、何十億ドルもの資金をフォーマルな研修や育成プログラムに注ぎ込み、おそらくそれと同等の金額をインフォーマルな学習への取り組みに費やしている。これだけ多額の投資が持続的に行われていながら、長年にわたって監査やフォローアップが皆無に近いというのは、その他のビジネス分野では考えられないことである。

とはいえ、状況は変わってきている。経済情勢やビジネス環境の発展とともに、蜜月の時期は終わりを迎えつつある。予算の重圧やラーニング業務の有効性への懸念にあおられて、学習の価値やインパクトの証明を求める声が日増しに高まっているのだ[125]。人々の期待もまた変化している。ビジネスサイドからの信頼をつなぎ止めるためには、学習リーダーはこうした状況に順応し、過去40年間怠ってきた作業——学習効果の評価——を実行する必要がある。

本章では、学習リーダーがこの課題をどのように克服すべきかを検討していきたい。学習の価値の証明という任務の核心には、2つのまったく異なった作業がある——学習のインパクトの評価と、評価結果の報告である。これらについては、1つずつ順に検討していく。私は主に評価の問題に重点を置いている。なぜなら、この問題こそが我々の進歩を妨げている元凶だからだ。途中でやや専門的な話が出てくる可能性もあるが、なんとか我慢して読み進めてほしい。というのも、細部にこそ落とし穴が潜んでいるからだ。

学習の価値を評価することは、本来は簡単なはずなのに、いたずらに難しい仕事だと考えられている、と言う人々もいる。私はこうした意見には反対だ。学習の評価は非常に専門的で複雑なテーマであり、そのプロセスはいまだに簡略化されてはいない。したがって、ラーニング部門がどうすれば自らの価値を誇示できるかを検証する前に、まずこうした評価の複雑さを体感し、それに対する方策を検討する必要がある。本章では、半世紀にわたって学習の評価に大きな進歩が見られなかった理由を考察し、具体的な課題は何か、その課題にどう立ち向かうべきかを探っていく。手始めに、一歩引いたところから、現在どのような評価が行われているかを確認し、なぜビジネスへのインパクトに関する評価がこれほど少ないのかという冒頭の謎に迫っていこう。

現在どのような評価が行われているのか？

　学習評価の欠如が話題を集めているにもかかわらず、評価活動の事例は大量に存在している。HRのスタッフを対象とした2011年の調査によれば、回答者の所属企業の約80%が、学習評価を実施しているという[126]。こうした評価を実施している組織の多くは、特定の研修予算を割り当てられた大企業であり、とりわけ先進国の民間企業において実施率が高い[127]。とはいえ、一般的に言って、大部分の企業は何らかの評価活動を行っているものと思われる。

　問題はそれらの学習評価の「中身」だ。国籍や文化にかかわらず、どの調査を見ても判で押したように同じ評価方式が報告されている——すなわち、コースの後に実施される参加者へのアンケートである（この作業は通常「ハッピーシート」あるいは「スマイルシート」と呼ばれる評価用紙を使って行われる）。こうした方法によって知ることができるのは、あくまで参加者のカリキュラムに対する感想に過ぎない。しかしそれは最もポピュラーな方法であり、たいていの学習評価はこの域を出るものではない[128]。ビジネスへのインパクトについて評価を行っている企業の割合の推定値は、調査によって2%[129]から36%[130]までばらつきがあるが、ほとんどの場合、10%から15%程度におさまっているようだ[131]。

　つまり、評価活動がまったく行われていないわけではない——ただ、そのやり方が正しくないことが問題なのだ。評価には2つのタイプがある——「総括的評価」と「形成的評価」である[132]。現在行われている評価の大半は、総括的評価に当たる。総括的評価はフィードバックやその他のデータを提供し、ラーニング・プログラムの改善を促すものだ。一方、我々に欠けているのは形成的評価の方である。形成的評価は、成果を査定し、学習に関する意思決定を導くものだ。ここでいう「成果」とは、プログラムが所期の目的を達成しているか、プログラムはどんなビジネスインパクトを生み出しているか、そのプログラムによって最も多くを得る（あるいはほとんど何も得られない）のは誰か、といった要素を指している。

なぜ形成的評価がほとんど行われていないのか？

長年にわたって形成的評価がほとんど行われてこなかったことに対する説明には、2つの側面がある——需要面と、供給面である。需要面について言えば、識者は学習評価に対するこれまでの需要の水準の低さを問題視し、企業が学習評価に対してまったく関心を持ってこなかった（少なくともそれを優先事項と見なしていなかった）ことを非難している[133]。学習の提供者側が自らの仕事の価値を実証するための努力をずっと怠ってきたことも、学習評価への軽視を助長しているように思われる。このように、多くのラーニング部門が評価活動を形だけの仕事と見なしてきたことや[134]、評価結果が学習に関する意思決定にあまり生かされてこなかったことは、以前から繰り返し指摘されている[135]。

その最も明白な理由は、学習評価は優先事項と見なすほどの価値はないと考えられてきたことにある[136]。こうした軽視の一因になっているのが、人々は学習の効果を本能的に感じ取っており、改めてその証拠を示す必要はない、という考え方だ[137]。また、純粋に行動経済学的な観点から考えて、詳細な学習評価を行うだけの動機がほとんど存在しないこともその原因の一つである。こういった姿勢の背景には「学習が機能していない」という恐れと、既得権益という厄介な問題が存在している[138]。つまり、綿密な評価を行えば、全員に何らかのメリットがあるのと同時に、ほぼ全員が何かを失うことになるのだ[139]。ラーニング・プログラムがうまく機能していないことが分かって得をする関係者はほとんどいない。真実を知るのが恐ろしいからこそ、人々はそこから目を背けようとするのである。

学習評価に対する需要の欠如の原因としてもう一つ挙げられるのが、評価活動の効果に対する疑念である。ほとんどの評価活動が、単なる参加者の感想（「研修が楽しかった」「いい会場だった」）に重点を置いていることを考えれば、ビジネスリーダーたちがこうした疑念を抱くのも無理はない。ハッピーシートで「満点」を取るための手引きには、参加者が空腹状態の時にアンケートをとるのは避けること、高級感のある名札を用意すること、といったアドバ

図 5.1　ハッピーシートの魅力

講座後の参加者アンケート（ハッピーシート）は今なお最も一般的な評価手法だ。しかしハッピーシートの限界はよく知られている。多くの場合、そのデータは学習者のパフォーマンスの改善よりも、プログラムのスコアの向上を目的とする反応や歪みをもたらしてしまうのだ。

😊	😞	解決策
管理しやすい／迅速なフィードバックが得られる	短期的な反応だけで学習の長期的効果は不明	➡ 学習の定着度と行動変革についての長期的な効果測定
プログラム設計者が改善点を特定できる	スコアに過剰反応し本来の目標から逸脱する恐れ	➡ ビジネスと学習の目標につながった明確な論理に基づく設計
ファシリテーターの有効性を評価できる	学習よりスコア向上へのインセンティブが増大する	➡ 直接観察などインストラクターの有効性を測定する追加的な仕組みの構築
参加する個人から直接の反応を得られる	学習が広く組織に及ぼす影響を反映しない	➡ ラインマネジャーや同僚に対するアンケートや他のビジネス指標との併用

イスが並んでいる。こうした状況を踏まえると、むしろ評価活動に対してある程度の不信感を持つ方が賢明なのではないかとさえ思えてくる。これらの諸々の理由から、学習評価への需要は伝統的にほとんど存在してこなかったと考えられる。

　一方、供給面について言えば、学習インパクトの評価がこれまで欠けていたことの主な理由は、ロジスティクス面の課題——とりわけリソース不足[140]や専門知識の欠如、そして方法論的な問題だ。不足していると思われるリソースは資金や時間である[141]——資金の乏しい中小企業において評価活動の不備が目立つという事実は、このことを裏付けている[142]。専門知識の面でよく話題になるのは、何を査定すべきかについての知識が欠けていることや[143]、評価方法に関する教育の欠如といった問題である[144]。また、方法論の面では、パフォーマンスに直結しない抽象的なインパクトをどんな方法で評価すべきかという昔ながらの問題がある[145]。これらのロジスティクス面の課題は、結果的に評価業務を当の研修サプライヤーなどにアウトソーシングするという事態を招き、学習リーダーは自らの仕事の価値を実証できないことに苛立ちを覚えるようになった。たとえば、最近の調査によれば、HR

の上級専門職の80%は、自分たちは学習の本来の価値をアピールできていないと感じているという[146]。

新たな一歩を踏み出す

評価に対する需要の低さや、評価を供給する能力への懸念のために、形成的評価はこれまであまり行われてこなかった。しかし、人々の評価への期待は確実に変わってきており、需要は確かに高まりつつある。したがって、学習リーダーはその供給に関わる課題に対応しなければならない。なぜなら、このまま質の低い評価活動を続ければ、学習と評価の双方の信頼性を損なうだけだからである。こうした問題を克服し、前進する方法を導き出すためには、まず、事実と意見を区別し、学習評価に何ができるのか(あるいは何ができないのか)をはっきりさせる必要がある。そのためには、学習評価の歴史を簡単に振り返り、過去半世紀の間にそれがどう進化してきたかを考察しなければならない。

■学習評価の歴史を(手短に)振り返る

企業環境における学習評価の歴史は1959年に始まったと考えられる。それはドナルド・カークパトリックが「研修成果の4段階評価」に関する一連の記事を発表した年だった[147]。それから50年が過ぎた今、カークパトリックの評価モデルはすっかり普及し、学習の評価法を語る上で外すことのできない原点になっている。──歴史の概括は以上でほぼ終わりである(最初に「手短に」と言っておいたはずだ)。

■カークパトリックの業績

ここでカークパトリックの理論をさらに発展させたり、厳密な方法論で運用に落としこんだりするための試みのいくつかについて触れることもできる。

その中には 1990 年代に台頭した ROI (投資に対する見返り) という発想や、ROI の測定の難しさという欠点をおぎなう試みとして発展してきた ROE (期待に対する見返り) という概念などが含まれる。しかし、カークパトリックの理論はあまりにも普遍的な存在であるため、学習評価の歴史は (今のところ) カークパトリックに始まってカークパトリックに終わると言っても決して過言ではない。このことは彼の評価モデルがいかに学習評価の分野の進歩に貢献してきたかを物語っているが、それは同時に、この分野がそれ以上の進歩をほとんど示していない証拠でもある[148]。

カークパトリックが作成した評価モデルの成功の秘訣は、その簡潔さにある[149]。それは学習の成果を 4 段階に分けている。

- レベル 1　反応 (reactions) ……学習イベントに対して参加者はどう感じたか？
- レベル 2　学習 (learning) ……学習を通じてどのような知識やスキルを獲得したか？
- レベル 3　行動 (behavior) ……学習した内容を仕事にどのように応用しているか？
- レベル 4　結果 (results) ……学習による行動変化は組織の目標にどんなインパクトを与えているか？

カークパトリックはこれらのレベルは階層的だと述べている。つまり、各レベルの結果が次のレベルに影響を与えるということだ。したがって、参加者が学習イベントを気に入ったかどうか (反応) が彼らの学習に対する意欲を左右し、そうした意欲が今度は行動変化を左右することになる。

この評価モデルは本質的には分類法の一種である[150]。その最大の貢献は、学習評価に関する共通用語を作り出すことによって、議論の的を絞りやすくしたことにある[151]。もちろん、その他の分類法を提案した人々もいた。しかし、先行者利益なのか、それとも他の理由によるものか、カークパトリックの評価モデルは威力を発揮し続けた。この学説が巻き起こした論争の多さと激しさには驚くばかりだ。そしてこうした論争から、彼の評価モデル

の3つの主要な問題点が浮かび上がってきた（学習評価を行うべきか、もし行うとしたら、どんな方法を採るべきか、といったテーマを考える際には、これらの問題点を心に留めておくべきだろう）[152]。その問題点とは、①過度に単純化された不完全なモデルであること、②各レベル間の因果関係が立証されていないこと、③レベルが上がるほど（レベル4に近づくほど）情報としての重要度が増すという根拠のない思い込みが存在すること、の3つである。

■問題点① 過度の単純化

第一に、カークパトリックの評価モデルは参加者の意見や学習イベントの出来栄えを過剰に重視し、その他の重要な要素をなおざりにしている。実際のところ、学習のインパクトはさまざまな要素によって決まると考えられており、学習イベントはそのうちの一つでしかない[153]。こうした要素の最たる例が企業文化や組織風土である。学習が実績向上につながるかどうかは、学習イベントそのものよりも、むしろ企業の文化や風土に左右されることが実証されているのだ[154]。

これらの可変要素を取り入れたシンプルな評価モデルを作り出すべく、数々の提案が出されてきた。CIROモデル（文脈〔context〕、入力〔input〕、反応〔reaction〕、成果〔outcome〕）や[155]、CIPPモデル（文脈、入力、過程〔process〕、産物〔product〕）[156]、IPOOモデル（入力、過程、出力、成果）[157]はその一例だ。しかし、どれもカークパトリックの評価モデルの牙城を崩すことはできなかった。おそらく、そうしたモデルがより複雑に見えたからだろう（中には実際に複雑なモデルもあった）。とはいえ、これらのモデルにはそれなりの利点があり、一方のカークパトリックの評価モデルが過度に単純化されたものであることは否めない。カークパトリックの評価モデルのみを基準にした場合、学習のインパクトを左右する決定的な要素を見落とすことになるだろう。

■問題点② 学習イベントの満足度は必ずしも学習にはつながらない

第二の問題点は、この評価モデルが各レベルの間の因果関係を示唆してい

ることである。たとえば、研修に対する満足感は学習活動を促進し、その学習活動が結果的に行動変化を左右すると考えられている[158]。こうした説明は一見道理にかなっているように思える。問題は、それを裏付ける研究が存在しないという事実だ[159]。

もちろん、学習への興味やモチベーションを維持する上で「反応」が重要な意味を持つことは証明済みである。参加者にそっぽを向かれ、悪い評判が立った時点で、もはや学習イベントの失敗は決まったようなものだ。良好な「反応」は、成功のための必要条件かもしれない。だが、ビジネスへのインパクトという観点で考えた場合、「反応」という要素は何の貢献も果たしていないようだ。数々の研究によれば、研修後のアンケートのような**情動反応**（参加者が学習イベントにどれだけ満足しているか）についての評価結果と、参加者の職場における実際の行動変化との間には、ほとんど何の関連性もないという[160]。同様に（そして驚くべきことに）、イベント終了時の学習に関するテストの結果は、その後の職場におけるパフォーマンスの予測には役立たないらしい[161]。また、イベント終了後に「学んだことがこの先役に立つと思うか」と聞かれたときの反応（いわゆる**有効性反応**）は、学習テストと同様、その後の仕事ぶりを占うものではないとされている[162]。

さらに、この件に関しては、より微妙で、かつ根深い問題が存在している——参加者の反応を過剰に重視するあまり、指導スタイルに関する新たな難題が生まれる可能性があるのだ[163]。たとえばそれは、研修は楽しいものでなければならないという風潮を作り出し、その結果、講師は学習そのものよりも、参加者を喜ばせることに重点を置くようになるかもしれない。その上、こうした考え方は、参加者がきちんと学習するかどうかは講師の責任である、という普遍的な認識をさらに強化しかねない。

企業にとって問題なのは、レベル1、すなわち「反応」に重点を置いた評価活動が蔓延していることである（その背景には「これが完璧なやり方とは思わないが、何もやらないよりはましだろう」という考え方がある）。確かに、まったく何もやらないよりはましかもしれない。しかし、調査結果によれば、彼らのやっていることは、人々が想定する以上に、何もやらないことに近いと言える。興味深いことに、学習への「反応」と学習インパクトの相関度は、

仕事に対する満足度と勤務成績のそれとほぼ同等であるという[164]。もし年次考課の代わりに仕事に対する満足度のデータを使おうなどと言い出したら、社内の誰もがその考えをあざ笑うことだろう。だが、それと同等のいい加減な基準を使って何百万ドルもの金をかけたラーニング・ソリューションを評価することについては、彼らはまったく平気であるらしい。

とはいえ、こうした問題に懸念を抱いている人々がいないわけではない——多くの研究者や実務家は、レベル4、すなわちビジネスへのインパクトを評価するための方法を模索し始めている。ここで、我々はこの評価モデルの第3の問題点に突き当たることになる。

■ 問題点③ ROI（return on investment、投資に対する見返り）への執着

これはいわば哲学的な問題であり、カークパトリックの評価モデルのせいばかりではないかもしれない。とはいえ、この評価モデルの根底には、レベルが上がるほど（つまりレベル4に近づくほど）、評価としてはよりよいものであるという考え方がある。こうした思考こそが、学習の財務的インパクトの測定、つまりROIに対する一部の人々の執着を生み出した一因である。学習に関するROI分析の起源は1950年代にまで遡るが、学習評価においてROIという用語が頻繁に使われ始めたのは、1980年代の初頭のことである。初期の研究は、学習によって会社の業績を改善することは可能かどうかに焦点を合わせていた。こうした研究から、ROIの算出法についての長期にわたる詳細な議論が生まれてきた。これらの算出法は、カークパトリックのレベル4の実行例として扱われることもあれば、新たなレベル5を構成するものと見なされることもあった。おそらくその中で最も有名なのは、ジャック・フィリップスのROI算出法だろう[165]。彼はROIを割り出すための優れたガイドラインを提供している。さまざまな文献から浮かび上がってきた公式の中には、次のようないたってシンプルなものもある。

$$\text{ROI} = \frac{（総利益 - 総費用）}{総費用} \times 100$$

しかし、シンプルな見かけにかかわらず、こうした公式の陰には、極めて複雑な計算上の、あるいは方法論的な難題が潜んでいる。なかでも厄介なのは、ほとんどの学習活動が、たとえば従業員の満足度のような、金銭的価値に換算することがほぼ不可能な利益をもたらしているという事実である（ROIを割り出すためにはこうした利益の金銭的価値を算出する必要がある）。あるいは、機会費用（学習イベントに参加したことによって失われた、ほかのことに取り組む機会のコスト）はどうやって算出すればいいのか？　また、改めて見直してみると、驚くほど多数の変数が存在していることに気付くはずだ。厳密に言えば、それらの変数をすべて勘定に入れる必要がある。こうした難問を克服すべく、研究者たちは手の込んだ複雑な方程式を考案し、あらゆる変数を取り入れようとしてきた。にもかかわらず、現実には、それぞれの変数の金銭的価値についてさまざまな推測や仮定を置かざるを得ず、せっかくROIのような厳密な評価方式を採用した意味がなくなってしまうのだ。

　それにもかかわらず、ROIは望ましい評価方法としての地位を守ってきた。たいていの調査において、ROIは「できれば取り入れたい評価方法」の上位を占めている[166]。実際、一部の研究者はさらに一歩進んで、学習が社会に与えるインパクトを評価すべきだと主張している（ただし、なぜ企業がこうした評価を行おうとするのかは必ずしも明らかではない）[167]。ROIは多くの人々にとっていまだに理想であるものの、その方法論的な複雑さや、ROI算出に必要な計算能力は、大部分のHRのスタッフやビジネスリーダーたちの手に負えるものではないというのが現状である[168]。

　さらに、当初の問題に話を戻すと、ROIの重視は「これこそが最上位の評価方法である」という暗黙の了解を伴っていることが多い。紙の上では確かにそうかもしれない。しかし、企業という文脈においては必ずしもそうではない。私はジャック・フィリップスの業績に敬服しており、ROIは優れたアイデアだと考えている（その算出が可能なケースも確かにあるだろう）。しかし、私は同時に、ROIはビジネスインパクトの測定方法のほんの一例に過ぎないことや、この評価手段が方法論的な難題を抱えており、必ずしも最も適切で、付加価値のある、ベストなアプローチではないことも確信している。多くの識者が指摘しているように、すべての学習活動が（少なくとも純粋に

金銭的な観点から考えて）完全なROI分析を行うのに必要な時間や費用を保証してくれるわけではない[169]。より多いことが必ずしもより良いとは限らないのだ。

ここにはより微妙で厄介なリスクも存在する。より具体的な財務的インパクトのデータほど好ましいという考え方によって、ラーニング部門やサプライヤーたちに、財務的に意味のありそうな厳密に見える評価データを提出しなければならない、というプレッシャーが生まれる可能性があるのだ。彼らはなんとかこの目的を果たそうとして、実態とは違ったデータを無理やり作り出しかねない。その結果、かえって評価活動への不信感がめばえ、ラーニング部門の信頼性が損なわれてしまう危険がある。

似たようなケースとして、私が昨今の潮流の中で最も危険だと感じているのはROE（=return on expectation 期待に対する見返り）という概念だ。これは、ROI分析の問題点に対する解決案として、カークパトリックの一派を含む人々によって推進されている考え方である。ラーニング・ソリューションがビジネス面の期待に応えているかどうかを検証すべきだ、という意見に対しては、私は全面的に賛成である。だがその一方で、私はROEが不適切な形で適用されるケースが多いことも認識している。たとえば、ジャック・フィリップスは次のような顕著な事例を挙げている[170]。某企業はある教育プログラムのROEが85.2%に達したと発表し、それをプログラムのインパクトを示すデータとして誇らしげに提示していた。ところが、実はその数字は単に参加者に対して「あなたの期待は満たされましたか」と問うたアンケート結果に基づくものだったのである。ROEの背景にある「期待に応えているかどうかを検証する」という考え方自体は素晴らしいものであり、ROE分析を適切に取り入れた優れた実例が存在するのも確かだ。それでもなお、私はROEを危険な概念だと考えている。なぜなら、それは好き勝手な解釈が可能な概念であり、誤った使い方をされる可能性がとりわけ高いからだ。

■ 実態は見かけほど簡単ではない

「何を」査定すべきかを示したカークパトリックの評価モデルがこれだけ普

及しているにもかかわらず、「どうやって」査定すべきかに関するコンセンサスは明らかに存在していない。その一因は、簡単に検証できる少数のラーニング目標を除いて、ビジネスへのインパクトの測定という作業が方法論的な難問に満ちていることにある。今後の方針に関して賢明な判断を下すためには、どんな方法論的問題があるのかをはっきり理解しておく必要がある。ここでは、特に注目すべき課題を2つ挙げたいと思う。

　第一の方法論的な課題は「評価基準の問題」[171]、つまり「学習前後の変化をどう見極めるか」である。評価の対象が知識の場合は、話は簡単だ——学習の前後にテストを行うだけでいい。他にもたとえば販売能力のような、業績に直結した測定しやすいスキルは存在する。だが、それ以外の大部分の行動に関しては、評価はもっと難しくなる。自己報告式の評価が当てにならないことはよく知られている。なぜなら、参加者は学習前の自らの能力を過小評価し、学習後の能力を過大評価する傾向があるからだ[172]。そして360度評価の人気ぶりにもかかわらず、他者からのフィードバックの信頼性はそれほど高いわけではない。というのも、こうしたフィードバックを与える人々は相手を過大評価しがちであり、また、その評価は相手への期待の大きさに左右される傾向があるからだ[173]。学習の前後にテストを行うよりも、各個人に変化の度合いを評価させた方が効果的だというデータも存在するが[174]、それも決して完璧な手法とは言えない。年次業績評価という手法もよく使われているが、こうした広範囲の漠然とした評価方法では、評定の変化が学習によって得たスキルや行動によるものかどうか分からなくなってしまう。ここまで見てきたように、学習前後の変化を正確に見極めるのは簡単な作業ではない。

　第二の課題は、学習イベントの効果をどのように特定するかという問題だ。仮に業績改善が見られた場合、そのうちのどれくらいの割合が学習によるものなのか？　営業部員のようにアウトプットを簡単に測定できる場合でも、業績の向上が純粋に学習の成果かどうかを見極めることは不可能に近い。なぜなら、その他の要因があまりにも多すぎるからだ。これらのデータを使うなというわけではない。しかし、あらゆるデータを、慎重に、批判的な精神を持って取り扱わなければならない。こうした問題に対する古典的なアプ

ローチとして、コントロールグループを使った対照実験がある。すなわち、あらゆる面でできるだけ似通った2つのグループを用意し、一方のグループのみに学習イベントを経験させるというやり方だ。しかし、通常、企業環境でこの種の実験を行うことは不可能であり、コントロールグループを利用した実例はほとんど存在しない。仮にこうした実験を行った場合でも、いわゆる「ホーソン効果」——単に周囲から注目されるだけでパフォーマンスがアップする可能性があること——を考慮に入れる必要がある[175]。また、経済環境やビジネス環境そのものによって、企業の業績に対する学習のインパクトが強調されたり、逆に隠れてしまったりすることもある[176]。このように、仮に変化を突き止められたとしても、それがどこから生じているかを見極めるのは簡単ではない。

　これらの2つの課題は、ある1つの事実を示唆している。それは広く学習分野においては、学習前後の変化を実証し、ビジネスへのインパクトを示すためには、とにかく自分のデータを信じて評価作業を行うしかないということだ。多くの研究者はこうした（盲目的な）信念を持つことに対して戸惑いを感じているが、大半の学習リーダーはそうせざるを得ない状況にある。ここで最も肝心なのは、学習評価は技術的に完璧である必要はないということである。学習が及ぼすインパクトのみを切り出し、企業利益に対する純然たる学習のインパクトを示すことが常に求められているわけではない。とはいえ、ビジネスにとって大事な事柄に対して学習がおおよそどの程度のインパクトを与えているかを、何らかの信頼性のある方法で示す必要があるのは確かだ。そこで、「どうやって」それを示すかが問題になってくる。

行動への指針

　私は本章の冒頭で、学習の評価は非常に複雑なテーマであり、そのプロセスはいまだに簡略化されていないと述べた。ここまでの記述によって、なぜ私がこのテーマを技術的・方法論的に複雑なものだと考えているのか分かっていただけたと思う。さまざまな評価モデルや手法によってこうした複雑性

が過度に単純化されたり、十分に認識されなかったり、それに対して対策がとられなかったりした場合、学習評価の質が低下することは避けられない。このことがもたらす弊害は甚大である。なぜなら、ビジネスリーダーたちの信頼を得るためには、学習リーダーは確かなデータを信憑性の高い形で提示する必要があるからだ。しかし、最新の研究結果と、実際に企業の現場で行われている手法との間には、大きな隔たりがあるように思われる。複雑な研究結果を、シンプルで実行しやすい評価方法にまとめ上げることは、いまだに達成できていないのだ。

　これは「不可能な任務(ミッション・インポッシブル)」なのか。さまざまな見方があるだろう。この学習形式にはこの評価方法を使うべきである、といった単純なアドバイスは役に立たない。なぜなら、どれが最適な評価方法であるかは、その場の状況によって変わってくるからである。学習評価の複雑な側面をすべて盛り込んだ、素晴らしくシンプルな評価モデルが登場する見込みはどうやらなさそうだ。しかし、指針を示すことは可能だろう。こうした方向への第一歩として、私は6つの基本原則を提示したい。これらは、いつ、どのようにして評価を行うかを決める際の指針になってくれるはずである。

■原則① インパクトの測定に全力を注ぐ

　経費や人員の削減が進行し、株主への説明責任が問われる今日において、企業には学習のインパクトを査定する道義的な責任があると言えるだろう。こうした説明責任を果たさないまま、大量のリソースを学習に注ぎ込み続けることはもはや許されない。少なくとも、このままではプロフェッショナルなチームとしてのラーニング部門の信頼性は維持できないだろう。さらに、より根本的なレベルでは、もし評価活動を実施しなければ、企業内学習は重要度の低い、意義のない業務に成り下がってしまう可能性がある。学習は一つの市場であり、その質、有効性、効率を高めるためには、市場の圧力を取り入れる必要がある。そして十分な情報に基づいて判断を下さなければならない。そのためには、ビジネスインパクトを測定する必要があるのだ。

　ちなみに、だからといって参加者へのアンケートを廃止すべきだというわけ

ではない。それらは学習プログラムの質を改善する上でいまだに重要な役割を果たしている。とはいえ、第一の基本原則を端的に言い表せば「参加者へのアンケートだけで満足せず、学習評価に尽力すること」となる。我々は学習のビジネスインパクトをきちんと評価することに積極的に取り組むべきである。ただしデータ収集を目的にするのは無意味だということを忘れてはならない。たとえば、一回限りの小規模な学習イベントの場合は、とりたてて評価を行う必要はないかもしれない。しかし、経験的に言えば、何らかのインパクトを測定することが可能な場合は、それを実行すべきだと言える。

インパクトを測定する手段としてROIがよく挙げられるが、販売数量や安全率、従業員の離職率なども同様に有効なデータである。学習評価は必ずしも業績そのものへのインパクトをダイレクトに示す必要はないことを忘れないでほしい——ただ、業績に関連したビジネス指標に対して、学習がいかに影響を与えているかを示すだけでいいのだ。とはいえ、重要なのは、ここで話題にしているのは定量的データ——数値で示される情報——だということだ。「このプログラムはあなたの業績にどのような影響を与えていますか？」という問いへの回答を単に寄せ集め、そのうちのいくつかをビジネスサイドに提示するだけでは、ビジネスインパクトの測定を行ったとは言えない。「何を」評価すべきかを見極める方法に関しては、次の第二の基本原則で取り上げたい。

■原則② 評価項目について事前にビジネスサイドと申し合わせておく

では、ビジネスサイドが何を求めているかを見極めるにはどうすればいいのか？　学習評価の根本的な目標は、学習の価値を測定することである。とはいえ、価値というのは相対的な言葉である。あるステークホルダーにとって大きな価値があることが、別のステークホルダーにとってはほとんど無意味な場合もあるからだ[177]。したがって、何を評価するべきかを突き止めるための重要な第一歩は、相手側——プログラムの顧客やステークホルダー——をよく知り、彼らが何を求めているかを冷静に把握することである。また、評価方法について彼らに分かりやすく伝えることも重要になってくる。

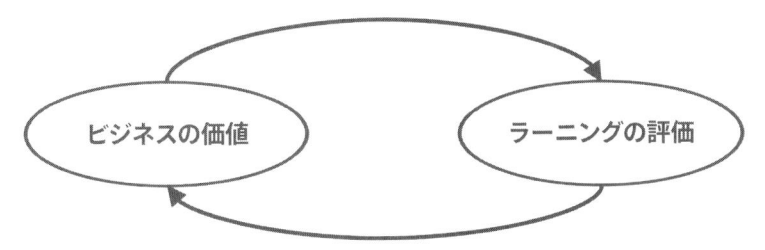

図 5.2　意味のあることを測定する

```
     ビジネスの価値  ⇄  ラーニングの評価
```

学習活動の「バリュー・プロポジション」を明確化する
・求めるインパクトを定義する
・ビジネスの利害関係者と測定基準を予め合意する
・評価指標をビジネスの目標とつなげる

継続的改善のための効果的な評価指標とプロセスを開発する
・既存のビジネス指標を活用する
・データの使い方を計画する
・評価をラーニング部門の戦略的活動として行う

なぜなら、「カークパトリックの4段階評価」のような専門用語を使うことによってかえってビジネスリーダーたちを混乱させ、彼らにとっての最重要事項にまともに取り組んでいないような印象を与える危険があるからだ。

　相手側を巻きこみ、評価指標の特定に加わってもらうことは、学習評価の信頼性を確保し、プログラムの成功に対する当事者意識を共有する上で非常に重要である。こうした作業の進め方そのものは特に難しくないだろう。しかし、このステップが見過ごされてしまった場合、後で挽回するのはほとんど不可能だ。簡単に言えば、評価プロセスはプログラム終了後に行われる活動からプログラムの設計段階での不可欠な要素へと変化する必要があるということだ。その最初のステップは、ビジネスサイドとともに学習ニーズを特定し、学習目標を作り上げ、それらを明記した上で請け負うことでなければならない。実際、私の経験では、事前に目標をはっきりさせておくことは、事後に評価を行うことと同等の効果がある。とりわけ、知識労働者(ナレッジ・ワーカー)や経営層を中心とした、企業の上層部の学習においては、その傾向が強い。なぜなら、上層部の学習の成果はより抽象度が高く、短期的な業績評価指標に直結しない部分が多いからだ。

■ **原則③ ビジネス目標に直結した評価指標を用いる**

　これは単純かつ非常に重要なポイントである。すなわち、測定される成果はできる限り主要なビジネス目標と関連したものでなければならないということだ。業績に直結した、事業部門別の学習成果を測定する場合、ビジネスに関連した目標はある程度はっきりしていることが多い。しかし、複数の部門にまたがったリーダーシップ開発プログラムの場合、その目標は個人やチームの全般的な有効性を引き上げたり、共通の価値観や行動を普及させたり、幹部候補となる人材のフローを確保したりすることである。その際、評価対象は、より不明確で間接的な指標になる可能性が高い。グローバル企業の場合、こうした問題がさらに複雑化する恐れがある。なぜなら、各地域や事業部門によって、価値の定義そのものが違ってくる可能性すらあるからだ。

　何を評価対象にするかを決める際には、単に学習の価値を証明すること以外に、その評価活動によって何を成し遂げたいのかを戦略的に考えるといいだろう。たとえば、成長著しい将来の幹部候補向けのプログラムなら、会社が提供する学習機会の貴重さを伝え、会社の投資に応じるよう、参加者一人ひとりに成長責任を強調したくなるだろう。このような場合は、複数の学習イベントを通じて誰が能力を伸ばしている（あるいは伸び悩んでいる）のかを追跡するといいだろう。一方、学習の支援や強化におけるマネジャーの役割に重点を置きたい場合は、それらを評価する指標を開発すべきである。こうした評価指標は完璧なものでなくてもよい。単にある事柄に光を当てるだけで、人々の関心を集め、行動変化を引き起こすことは可能だ。「測定できるものは、価値を増す」のである。

　近年の実例として思い浮かぶのが、ある世界的な金融サービス企業のエピソードだ。同社は、業績管理に関する会話の質を改善するための研修を何度も行ったにもかかわらず、なかなかインパクトが出ないことに苛立ちを覚えていた。彼らは研修の質の高さについては確信があった。参加者によるアンケートの結果も上々であり、研修直後に職場における会話の質が向上したというデータさえあった。しかし2、3年過ぎるたびに、すべてが振り出しに戻ってしまうのだった。その後、学習から業績へ至るプロセス全体の評価を

行ってみて初めて、問題は研修参加者個人の能力だけでなく、彼らが研修後に戻る組織の文化にもあることが分かったのである。これをきっかけにして、彼らは型にはまった学習観から脱却することができた。ビジネスリーダーたちは学習を「自らが先導すべき文化改革への取り組み」の一つと見なすようになったのである。

　この第三の基本原則からは、評価指標を学習への取り組みのそれぞれに合わせて柔軟に変えるべきである、という一つの結論が導かれる。これは当たり前に思えるかもしれない。だが、研究者の指摘によれば、常に特定の観点（たとえばROI）から評価を行うことに執着し、状況に合わせて柔軟にアプローチを変えようとしない人々も存在する。たとえば、安全教育にROI分析を取り入れることは明らかに不要であり、道義に反する行為だとすら言えるだろう。したがって、我々は自らの学習評価にどんな価値があるのかを常にはっきりと自覚する必要がある。「参加者のアンケートのみに頼るな」「カークパトリックの4段階評価にとらわれるな」という2つの原則以外には、評価方法に関して単純なルールは存在しない。重要なのは、慣れ親しんだ方法に常に頼るのではなく、それぞれの状況において何が求められているか、それらにどう対処すべきかをしっかりと把握することである。

■原則④ シンプルな手法を心がけ、できれば既存の評価指標を利用する

　データに関して言えば、「過ぎたるは及ばざるがごとし」である。できるだけ少数の、シンプルな評価指標を使うようにしよう。そうすれば、学習評価が一大産業と化すことはなくなるだろう。基本的な方法論もシンプルなものでよい。学習前の状況を示す基準値（例：学習の前の勤務評定の平均値）を必ず設定し、学習後に再びチェックするようにしよう。さらに、学習インパクトの測定法として最も有効なのは、できる限り既存のビジネス指標を利用することである。

　前述の、業績管理に関する会話の質の改善を目指していた金融サービス企業の実例をもう一度取り上げよう。同社が学習の必要性に気付いたきっかけは、従業員意識調査だった。前回の考課面接での上司との会話が自分の業績

改善に役立ったと答えた回答者は、全体の43%に過ぎなかったのだ。この場合、ROI分析の出る幕はなかった。彼らは既存の「年次従業員意識調査」を使ってインパクトを測定することができた。純粋主義者は、これでは学習のインパクトのみを切り出すことができず、また最終的な利益にどんな影響を及ぼしたかも分からないと言い張るかもしれないし、その主張はもっともである。しかし、企業の視点からすれば、この意識調査の結果は学習を促す刺激剤になった。また、ビジネスサイドが気に掛けていたのは、従業員が考課面接の会話の効用に対してどんな認識を抱いていたかであり、上記の意識調査は、評価指標として十分機能していたのである。

■原則⑤ データの使い方について前もって計画を立てておく

　評価データをどう使うかという問題は、評価において最も見落とされがちな側面である。手始めとして、評価データを何のために使いたいのか、そのデータをいつ、どのようにビジネスサイドに提示したいのかをはっきりさせることが重要だ。しかし、さらに重要なのは、評価を始める「前に」そのプロセスを行うことである。

　たとえば、私はよく、企業の中で各種のラーニング・プログラムがそれぞれ違った方法で評価され、まったくバラバラなデータを生み出しているのを見かける。プログラムが違えば、評価方法も違ってくるのは当然である。しかし、目の前のあるプログラムだけに焦点を当てて学習の評価方法を決め、後からバラバラなデータを（まがりなりにも）一貫性のある報告書にまとめ上げる方法を考えているようでは、せっかくの情報を有効活用することが難しくなってしまう。ラーニング部門による報告を想定して、トップダウンで作業が行われる場合、収集可能な共通のデータ要素が存在する可能性が高い。それらの要素には次の3つのタイプの情報が含まれている。

- **運営データ**……参加者数、参加者一人当たりのコスト、会場の使用率など
- **フィードバックデータ**……参加者の学習イベントに対するレーティング評価など

- **学習インパクトデータ**……ラインマネジャーによるインパクトの評価や、業績改善データ、標準化されたインパクトデータ（例：個々のプログラムが所期のインパクト指標をどれだけ達成したかを10段階評価で示したもの）

どんな評価指標を用いるのであれ、大切なのは、さまざまなプログラムから得た評価データをどのように統合し、全体像を描きだすつもりなのか、スタートの時点で考えておくことである。そうすれば、どんなデータを集める必要があるのかが分かってくるからだ。

■原則⑥ 評価活動の主導権を握り、かつ作業を分担する

評価活動をより複雑なものにしているのが利害関係である。とりわけ問題なのが、学習を提供している外部のサプライヤーの利害関係だ。サプライヤーとの関係がいかに良好であったとしても、評価業務のすべてを彼らにアウトソースしてしまうのは賢明ではない。企業は常に自ら評価活動の主導権を握り、何をどうやって測定するかを管理すべきだ。とはいえ、一部の作業を負担してもらうことは可能である。形成的評価のデータについては常に企業が収集すべきだが、イベント直後のフィードバックや、出席者リスト、そして（ある程度までの）コストといった、総括的評価のデータの収集については外部のサプライヤーに任せられるだろう。

評価活動を査定する
評価計画を検討する際に考えるべき9つの問い

1. ビジネスインパクトをどのように測るのか？ 評価指標はどんなステークホルダーの合意を得ているか？
2. 変化をどう見極めるか？ ラーニング・プログラムがそうした変化に寄与しているか、どの程度わかるのか？
3. その評価はラーニング・プログラム／イベントの継続的改善をどのように担保するのか？

> 4. その評価データはどんな目的に利用できるだろうか？ また、どのような方法で利用すべきか？
> 5. あるラーニング・プログラム／イベント用に集めた評価データと、その他のプログラム／イベントの評価データの整合性は取れているか？
> 6. どれくらい多くのデータ要素を集めているか？ その作業をどうやって進めるつもりか？ どれくらいの時間や費用をかけるか？
> 7. データを収集するのは誰か？ 誰がそれを分析するのか？
> 8. 評価結果をどのように使用し、どう提示する予定か？
> 9. この評価はビジネスにとってどんな価値があるか？

　ここまでに示してきた6つの基本原則はカークパトリックの評価モデルのような簡潔さには欠けるかもしれない。しかし、評価の持つ複雑さや、見落としてはならない意思決定ポイントを示すことはできたのではないか。学習リーダーが、評価活動への需要の高まりに対応し、学習の真の価値を示すような評価結果を生み出すためには、そうした意思決定ポイントにしっかりと向きあう必要がある。テーマとして、また専門分野として、評価というものは複雑であり、時に混乱を招くことがある。とはいえ、実際の評価活動は複雑でなくても構わない。実際、多くの場合、わずかな費用で手軽に評価を行うことは十分に可能である。真っ先にやるべきこと（およびこれらの基本原則の目標）は、学習評価を重んじる文化を作り上げることである。評価活動が学習にとって絶対不可欠な要素と見なされ、（評価データに基づいて学習に関する戦略的な意思決定を下すことによって）評価そのものが価値をもたらすことを期待されるような文化を生み出す必要がある。

　しかし、学習のインパクトや価値を測定することは、当然ながら、前段階に過ぎない。確かに自分にとって満足のいく形で学習の有効性を証明することはできたかもしれない。だが、会社にとって満足のいく形でそれを行うのはまったく別問題である。ここからは後段階、すなわち、評価（およびその他の手段）を通じて得たデータをどのように提示し、活用するのがよいのか

という問題を取り上げよう。

企業内学習の報告を行う

　企業内学習の価値を証明することが科学だとすれば、それを報告することは技術(アート)だと言える。こうした作業は間違いなく一つのスキルに相当するが、私の経験では、多くのラーニング部門はいまだにそれをマスターできていない。実際、評価活動に比べて、報告というテーマはほとんど忘れ去られている。従来、学習に関する良質のデータが不足していたこともその一因かもしれない。データを得ることに四苦八苦しているうちは、その使い方にまでは頭が回らないものだ。しかし、大量の有効なデータを生み出すことのできるLMSの出現によって、ラーニング部門が扱うデータの量は急速に増加している。その結果、これらのデータをどのように活用し、報告すべきかというテーマがにわかに注目を集めるようになったのである。

■ 大量のデータに翻弄されないようにする

　学習に関する報告の従来の最も一般的な手法は、(月1回、もしくは四半期に1回の)定期的なデータ一覧(「ダッシュボード」)の発表であり、その目的は主に少数の主要データ、たとえば財務データ、運営データ、フィードバックデータ(参加者のアンケートなど)を紹介することにあった。

　こうしたデータが手軽に入手できるようになるにつれて、多くの企業は「ダッシュボード」から大きく前進し、より詳細で大がかりな報告書を策定し、ダッシュボードを補ったりその代わりとするようになった。しかし、より多いことが必ずしもより良いことだとは限らない。大量のデータを含んだ報告システムは2つの大きな課題をもたらしている。

　第一に、LMSによって入手可能なデータの量が急増したために、「何を提示すべきか」や(さらに重要なことには)「何を提示すべきでないか」を見極めることが難しくなってきたことだ。

第二に、LMS の運営データ収集能力の高さと、ビジネスインパクトに関するデータの依然とした欠如が相まって、こうした報告書の情報には強い偏りが生じやすくなっている。たとえば、参加者の出席率や会場費といった運営データの比重が大きくなりがちである。

　これらの 2 つの課題には共通のリスクが存在する——ビジネスサイドにとってはほとんど価値のない大量の運営データに翻弄されて、本来は適切な意図で構築された報告システムが機能しなくなり、「データ収集のためのデータ収集」に陥っているように見られる危険性があるのだ。これではラーニング部門の信頼性を高めたり、学習に関する戦略的な意思決定を導いたりすることは難しくなる。

　しかし、ビジネスインパクトに関するデータの不足を補い、適切な形で提示すれば、学習関連のデータは、企業におけるラーニング部門の地位を確立するための重要な基盤になり得る。それはまた、ラーニング部門が企業の大きな意思決定の場に招かれるためのパスポートの役割を果たしてくれる。こうしたデータは、確かな情報に基づいた、戦略的な学習へのアプローチを全社的に取り入れていく上で不可欠である。では、そのデータを報告するための最善の方法とはどんなものか？　例のごとく、人々の意見は千差万別であり、何がベストかは各企業やその文化によって異なる。しかし、いくつかの明確なガイドラインを挙げることは可能である。

■ 定期的な報告システムを確立する

　定期的な報告システムがまだ存在しない場合は、それを確立するようにしよう。年 1 〜 2 回の大規模な定期報告と、四半期に 1 回のアップデート（最新報告）を行うことをお勧めしたい。大切なのは、ビジネスのリズムと歩調を合わせることである。

　これに関連する興味深い試みとして、最近アメリカで始まった人材開発報告指針（TDRP=Talent Development Reporting Principle）というプロジェクトがある。これは複数の独立した学習リーダーたちによる共同企画であり、定期的な業務報告書（タレント・マネジメントや学習・能力開発の取り組みでもたら

すインパクトを要約したもの）で用いる共通の報告基準と一定の明確に定義された指標を開発することを目的とする。この指針はさまざまな種類の報告を特定し、それに対して異なるタイムラインを提案している（たとえば、より包括的な年次報告の他に、月1回の運営報告と四半期に1回の概略報告を行うといった形である）。

■目的や相手に合わせて報告方法を変える

あらゆるステークホルダーにデータのすべてを見せる必要はない。以前に示唆した通り、目的や相手に合わせて違った報告方法を取り入れるようにしよう。たとえば、TDRPは、相手はどういった種類の情報を必要としているか、どの程度の詳細さを求めているか、といった点を踏まえてさまざまな報告を設計するように提言している。この指針によれば、月1回のプログラムや運営に関する詳細な報告の公開はラーニング部門のみにとどめておくべきだという。一方、概略報告やダッシュボードは、ビジネスリーダーに最新状況を共有する良い方法であり、彼らに合わせて内容を微調整した上で発表するとよいとされている。

この点を考慮すると、カークパトリックの評価モデルを一つのガイドとして使う場合、レベル1のデータ（反応）は概してラーニング部門の内部の報告のみで使用すべきである。また、レベル2～3のデータ（学習・行動）については、たとえば製品トレーニングのようにプログラムの主要目標が知識やスキルの獲得である場合のみ、業務報告書でごく控えめに触れるだけにとどめておいた方がいい。

参加者アンケートのデータは、会社全体に公開する報告書に盛り込むべきではない。ただし、一部の会社はネットプロモータースコア（NPS、推奨者正味比率）のデータ——このラーニング・プログラムを同僚に薦めたいと思うか、という質問への回答——をステークホルダーに提示することの有用性を指摘している。とはいえ、その点を除いては、参加者アンケートのデータはラーニング部門の内部のみで使用すべきである。

■必要な情報のみを報告する

　ラーニング業務の報告によく見られる過ちとして、あらゆる要素を盛り込もうとすることが挙げられる。報告内容があまりにも多すぎる場合、人々は感心するというよりも、むしろうんざりしてしまう。また、何が重要ポイントなのかを読み手が素早く見極めることも難しくなる。詳細なデータによってレポートの要点がぼやけてしまうのを防ぐためには、重要課題に焦点を絞る必要がある。たとえば、ビジネスサイドの了解を得た年間の戦略的なラーニング目標に絞って年次報告書を作成するのもいいだろう。やっきになってすべてのラーニング・プログラムを網羅しようとする必要はない――むしろ、ビジネスリーダーたちにとって何が重要なのか、彼らとの間にどんな了解事項があるかを考え、その部分を強調するようにしよう。あえて綿密なデータを盛り込む必要があると感じたとき（たとえば、詳細な情報を重視する企業文化がある場合）は、別表として添付するといい。レポートは簡潔であればあるほどいい。

■データの背景について説明する

　単なる味気ないデータ（参加者は何人か？　彼らはどこから来たか？　何人がプログラムを修了したか？）を羅列するのはできるだけ避けよう。何の文脈もなしに、ただこうした数字を挙げるだけでは、相手には何も伝わらない。それらの数字によって「何が言いたいのか」を相手に分かってもらえるように努力しよう。手っ取り早いやり方として、比較の要素を取り入れるという方法がある。例として、トレンドデータ（前回の報告の数字との比較）やベンチマークデータ（他のラーニング・プログラムとの比較）、ターゲットデータ（目標との比較）などがある。

■目標を常に意識する

　学習に関するデータの報告を行わなければならない大きな理由は2つあ

る。第一に、純然たる説明責任である。会社の資金を注ぎ込んだ以上、その投資で何を行っているかを説明できなければならない。第二に、何らかの形で（通常は学習に関する）意思決定を周知する必要があるからだ。したがって、我々が目指しているのは報告と周知であると言える。もちろん、ここで言う「周知」は、何らかの目標を念頭に置いて行われている。その目標とは、CLOがこれらのデータを使って獲得したいもの、つまり追加予算の獲得や方針転換、学習方法やその目的に関する議論などである。

　企業内学習報告書を作成する際には、上記の基本機能を必ず踏まえておかなければならない。また、その報告によって何を成し遂げたいかを明確にしておく必要がある。後者は極めて重要なポイントである。なぜなら、有益で価値ある報告とは、聞き手に次のステップを示唆するものでなければならないからだ。つまり、そうした報告をきっかけにして、重要な議論が生まれたり、何らかの意思決定が下されたりしなければならない。そうでなければ、人々はその報告書をちらりと見て、すぐにどこかへしまい込むだけだろう。したがって、プログラム報告や運営報告を含むあらゆる報告の最終セクションには、報告されたデータから導かれる結論——目標を達成できているのか、どんな意思決定を下す必要があるか、ここからどんな提言を行うのか——を明記する必要がある。

■「データ報告産業」を生み出さないようにする

　ガイドラインとして、これは単純かつ重要なポイントである。一部のラーニング部門は「データ報告産業」を生み出してしまっている——大した価値を生まない報告書を作成するために、信じられない量のリソースを注ぎ込んでいるのだ。単純な目安として、報告書の作成が非常に消耗度の高い作業だと感じる場合は、やり過ぎだと考えてよいだろう。

■プレゼンテーションを大切にする

　マイアミ大学ビジネススクールの最近の研究によれば、投資家は、投資経験

の長短にかかわらず、より魅力的な年次報告書(アニュアル・レポート)を発表している企業の方を高く評価するのだという。プレゼンテーションは極めて重要である。どんなに素晴らしいデータであっても、表現方法が適切でなければ、その素晴らしさは相手に伝わらない。プロフェッショナルな体裁の報告書を作成しよう。そうすれば、部門としてプロフェッショナルな仕事をしていると見なされる可能性が高くなる。

　この問題に関して考慮すべき要素は2つある。第一の要素は、純粋に見た目の問題である。たとえば、先述したマイアミの研究者たちは、特定の色彩がプラスの効果を与えることを強調している。第二の要素は構成である。報告書のデータは常にシンプルかつ明確に提示するようにしよう。ここで問題になるのが効率性データと有効性データの違いである。効率性データは出席数やコストなどに関するものであり、有効性データは離職率の低下や売上高の改善といったビジネスインパクトの目標と関連している。効率性データは「我々は誰にどれくらいの金額を投資しているのか?」といった質問に答えてくれる。一方、有効性データは「我々はこうした投資の見返りとして何を得ているのか?」「目標を達成できているか?」といった質問に答えるのに役立つ。

　これらを踏まえると、学習に関する年次報告書(あるいは半期報告書)の標準的な基本構成は以下のようになる。

- **エグゼクティブサマリー(概要)**……わかったことの明確で簡潔な見出し、意思決定すべきポイント、提言などを含む。
- **インパクトデータ(有効性データ)**……戦略的なラーニング目標を1つずつ取り上げ、達成されたビジネスインパクトを検討する。
- **運営データ(効率性データ)**……参加者の情報や、プログラムの修了率、eラーニングの利用状況など。
- **財務データ(効率性データ)**……経費や従業員一人当たりの学習への投資額など。
- **結果と結論**……ここ1年間のパフォーマンスの総括と未来への提言を含む。

企業内学習の報告
報告プロセスを策定する際に考えるべき問い

1. 主要な聞き手(読み手)は誰か(例:ラーニング部門の内部スタッフ、主要なステークホルダー、取締役など)?
2. どれくらいの頻度でそれぞれの報告書を作成するのか(例:プログラム報告、運営報告、エグゼクティブレポートなど)?
3. それぞれの聞き手にどの情報を伝えるべきか? たとえば、意思決定すべきポイントがある場合、どういった聞き手がそれらの決定を下すのか?
4. それぞれの報告書の目的は何か? それらの報告書はどんな価値や目標を持つと意図されているか?
5. いつ、どのように報告を行うかについて、ビジネスサイドの了解を得ているか?
6. それぞれの報告書はシンプルかつ明確で一貫性のある構成を持ち、報告の目標を達成できているか?
7. 数値データについては、常にその文脈を説明し、データの意図が相手に伝わるようにしているか?
8. 聞き手がビジネスリーダーである場合、その報告書は明確かつ簡潔だろうか?
9. 報告書を作成するのにどれくらいの時間や手間、費用がかかるか? その報告書には投資に見合うだけの価値があるだろうか?
10. 見栄えがよく、読みやすい報告書を生み出すのに必要なデザイン能力、プレゼンテーション能力を持っているか?

まとめ

　コンサルティング会社のアクセンチュアが 2004 年に行った調査では、年次学習報告書を作成しているラーニング部門は全体の 16% に過ぎなかった。今日、その数字は 30% 近くにまで増加している。しかし、そうした報告書を定期的に作成している企業はいまだに少数派である。さらに、現在生み出されている報告書の大半は、運営データと参加者のアンケート結果を羅列したものに過ぎない。長年、多くの企業において評価や報告は単なる形式的な作業でしかなかった。できあがった報告書は手短に発表された後、すぐに机の引き出しにしまい込まれていた。それらの報告書の質の低さを考えれば、こうした扱いは順当かもしれない。

　データの取り扱いに関して、ラーニング部門の信頼性はあまり高いとは言えない。評価や報告の質の低さは、こうした評判をますます悪化させている。これらのお粗末な報告書によって、ラーニング部門のイメージに傷がつくだけでなく、貴重な機会が失われてしまっているのは由々しき問題である。研修の出席率といった退屈なデータばかり並べているようでは、ラーニング部門もまた退屈なサービス部門だと思われてしまう。本来、報告活動とは多くの機会を提供してくれるものである。それは学習にビジネスへのインパクトを生み出す能力があることを証明するための基盤であり、戦略的意思決定の場におけるラーニング部門の席の確保に資するものである。

　もちろん、報告活動には相当なリスクが伴っている——学習のビジネス・インパクトの測定に力を入れる以上は、なんとしてもビジネス・インパクトを生み出さねばならないからだ。このことに不安を覚える人々もいるかもしれない。しかし、これは避けては通れない道である。なぜなら、ラーニング部門の信頼性や専門機関としての影響力は危機的状況にあるからだ。次章ではこの信頼性や評判という重要テーマを取り上げ、ラーニング部門のブランディングについて考察したい。

[ケーススタディ]
ディズニー・ABCテレビジョン・グループの
マーケティングと指標基準

　2010年にディズニー・ABCテレビジョン・グループの学習・能力開発部長に就任したとき、クレア・オブライエンは、17もの独立した事業部門を持った巨大な多角化企業を相手にすることになった。従業員にはさまざまなラーニング・プログラムが提供されていたが、受講率にはばらつきがあり、業績評価やビジネス目標との関連性も一定ではなかった。

　意識調査によれば、従業員は学習や能力開発の機会を切望しており、どのプログラムを選べば成功につながる能力を育成できるのか知りたがっていた。クレアはビジネスリーダーたちを巻き込んで共通のラーニング戦略を作り上げ、上級幹部から全面的な支持を取り付けた。こうして彼女はある急進的な計画を立てたのだった。「急進的」という言葉を使ったのは、それが既存の計画から大きく飛躍したものであり、革新的な応用方法を用いていたからである。とはいえ、その計画は非常に堅固な基盤の上に築かれていた。

　クレアはリーダーたちと協力してビジネスの優先事項を特定し、5つの学習コースを生み出した（各コースは「リーダーシップ」「ビジネス感覚」「イノベーション」といったテーマに特化したものだった）。彼女は学習サービスの的を絞り、簡素化することによって、それぞれのサービスがどんなニーズに応え、どんな目標を達成しようとしているのか、一目でわかるようにしたのである。また、クレアはラーニング・ソリューションのマーケット全体を見渡した上で、重要な決断を下した。一流の学習のプロを雇い、コンテンツの大部分を内製化することに決めたのだ。この決断はそのまま実行され、合計37のプログラムをさまざまなプラットフォームで提供することが可能になった。ここまではシンプルな筋書きである。だが、クレアとそのチームが次に行ったステップは、非常に興味深いものだった。

　まず、プログラムへの参加を促すことが鍵であると考えた彼らは、あるマーケティング戦略を構築した。その戦略には3つの重要な要素が含まれていた。第一に、彼らはビジネスリーダーたちを巻き込んで従業員の空き時間

を増やし、プログラムに参加できるような環境を整える必要があった。そのために、クレアとそのチームは新たな戦略を携えて数々のビジネスリーダーの元を訪ね歩き、さまざまな改善点やメリットの説明を行った。第二に、彼らは学習の利便性やアクセスを高める計画を練り上げた。プログラムの「ミニバージョン」を用意し、時間のない人々でも気軽に利用できるようにしたのだ。第三に、彼らは自社のLMSと従業員の間にシンプルかつ洗練されたインターフェイスを作り上げた。それによって「どんなプログラムが利用できるのか」「自分に適したプログラムはどれか」といった情報がすぐに手に入るようになっただけでなく、受講申込みの手続きも簡単にできるようになった。加えて、彼らは月刊の電子ニュースレターを全従業員に配信し、新たなラーニング・ソリューションを告知したり、プログラムの参加者数ランキングを発表したり、学習イベントに対する参加者のレビューを紹介したりした。重要なのは、このメールに受講申込みページへのクイックリンクが張ってあったことである。こうした活動だけで、クレアとそのチームはプログラムの受講率を243%増加させることに成功した。だが、彼らの挑戦はまだまだ終わらなかった。

彼らはWeb 2.0テクノロジーを活用し、レビュー業務をクラウドソースすることによって、参加者がオンライン上でプログラムのレーティングを行ったり、コメントを書き込んだりできるようにした。クラウドソーシングを用いたAmazon.comのレビューと同様に、投稿されたレーティングやレビューは誰でも閲覧することが可能である。このシステムの導入によって、従業員が学習のプロセスに積極的に関与できるようになっただけでなく、コミュニティの雰囲気が生まれ始めた。それだけではない。なぜならAmazon.comの場合と同様に、他の人々がどのプログラムに参加しているのか分かるようになったからだ（「このプログラムに参加した人は、AやB、Cというプログラムにも参加しています」という助言のおかげである）。その結果、彼らは実質的に能力開発に関するアドバイスまでクラウドソースすることに成功したのだ。

こうしてクレアとそのチームは、内製の学習プロダクトのために、テクノロジーを利用した非常に興味深いマーケティング法を編み出した。このケー

スをさらに興味深くしているのは、彼らがこうしたマーケティング戦略と評価戦略を融合させたことである。クレアはあるデータ処理の専門家——データの収集と活用にひたすら専念する人物——を雇い入れた。クレアとそのチームが収集しているのは、出席者数、出席者の特徴、プログラムの意義に関する参加者の見解、学習の有用性とインパクト、といったごく普通のデータである。彼らが傑出しているのは、それらのデータを使って顧客である従業員たちの学習行動やモチベーションを理解しようとしている点だ。初歩レベルとしては、彼らはウェブサイトでの人々の振る舞い——どのリンクをクリックし、どんなリソースを使っているか——を観察している。しかし、彼らは同時に、人々がどんな学習方法を選んでいるか（どんなプラットフォームを使っているか）や、どのように受講決定まで辿りつくか、（そして最も重要なこととして）なぜ受講を申込んだのかといったデータも収集している。つまり、彼らは単に標準的なプロセスに必要なデータを集めるだけでなく、さまざまなデータ要素を積極的に探求し、活用することによって、顧客に対する理解度を深めているのである。

　何よりも重要なのは、彼らが定期的にスコアカードやアップデートを通じてこれらのデータをビジネスサイドに報告していることだ。その際に、彼らは報告活動を戦略的な目的のために利用している。報告という手段を通じて、ビジネスリーダーたちに学習のプロセスや、従業員のニーズ、モチベーション、行動についての理解を深めてもらおうとしているのだ。

第 **6** 章

企業内学習のブランディング
人々の意欲と関与を引き出す方法

　ある日、トウモロコシ畑の中を歩いていた農夫のレイ・キンセラは、不思議な声を耳にする——「それを作れば、彼はやってくる」。そして彼の前に広大な野球場の幻影が現れる。話が長くなるのではしょるが、とにかく彼が野球場を作ると、本当に誰かがやってくる。アメリカ映画協会が選定した歴代映画ベスト100の第39位を獲得した名作『フィールド・オブ・ドリームス』のこの有名な台詞は、企業内学習の世界とはおよそかけ離れたものに思えるかもしれない。しかし、しばしば指摘されている通り、この言葉は、多くのラーニング部門のマーケティングやブランディングへの取り組み方をかなり正確に描写している。つまり我々は、きちんとしたプログラムさえ作れば、人々は必ずそれを評価し、そこに集まってくると思い込んでいるのだ。少なくとも、従来のラーニング部門ではそう考えられていた。だが今日、ラーニング業務の価値をアピールすることがますます求められる中で、我々は企業におけるラーニング部門のイメージをいかに管理するかというテーマに積極的に取り組まざるを得なくなっている。

　これは切実なテーマである。なぜなら、前述の通り、現時点のラーニング部門に対するイメージは概してかなりお粗末なものだからだ。学習リーダーがしばしば口にする苛立ちや懸念——受講者がなかなか集まらないことや、ラーニング部門の予算が真っ先に削られるのが常であること、他の部門から

単なる従業員研修係と見なされ、仕事の本来のインパクトを分かってもらえないこと——は、こうした冴えないイメージの弊害を物語っている。

このイメージ問題への解決策の一端は、当然ながら、より良質の学習サービスを提供することにある。私は以前の章でこうした問題を取り上げ、その解決法を示してきた。しかし、今日のラーニング部門は、積極的なブランド戦略を展開するビジネススクールや外部のプロバイダーとの厳しい競争にさらされている。こうした現状を踏まえれば、単に優れたラーニング・ソリューションを生み出すだけでは不十分である。つまり、ラーニング部門は周囲から高い評価を獲得し、よりよいブランドを築き上げる必要があるのだ。質の良いプログラムを揃えたからといって、必ずしも強力なブランドを確立できるとは限らないのである。

本章では企業内学習のブランディングを検証し、ラーニング部門はブランディングをどのように利用しているか、学習ブランドはどんな要素から成り立っているか、どのように学習ブランドを確立すべきか、確立できるか、といったテーマを考察していきたいと思う。まずは一歩引いたところから基本事項を見つめ直すことにしよう——そもそもブランドとは何か？ なぜそれが重要なのか？

ブランドとは何か？ なぜそれが重要なのか？

1960年代にマーケティング理論が導入されて以来、ブランディングという言葉はすっかり日常語になった。しかもその概念は進化しつつある。初期のブランディングは、商品名やロゴ、スローガンの開発のみに重点を置いていた。今でもたいていの人々はブランディングに対してこの種のイメージを抱いているかもしれない。しかし、今日のブランディングは、単なるロゴやスローガンの域をはるかに超えている——それは商品やサービスに関連する物理的・機能的な特性やメリット、経験、価値の複合体だ。端的に言えば、ブランディングとは、人と、人が生み出すものにまつわるすべてを意味しているのである。

ピーター・ドラッカーがかつて指摘したように、マーケティングやブランディングとは特定の活動ではなく、顧客の視点から見たビジネス全体のことである。評価が個々のラーニング・ソリューションの価値を判断する作業であるのに対し、ブランディングはビジネスサイドがラーニング部門全体に対して抱いている認識に関わるものだ。つまり、学習ブランドとは、学習がどのように起こるのか、学習はどのように支えられ、どのように促されるか、どんな目標を成し遂げ、どのように役立っているか、といった事柄に対する顧客の見解から成り立っているのである。ブランドは昔から「顧客との約束」であるとされてきた[178]。この言葉はあらゆるブランドにおける最も重要な要素を浮き彫りにしている——つまり、世界中のあらゆる華やかなロゴやスローガンを集めても、商品やサービスがそれに見合ったものでなければ、何の役にも立たないということである[179]。浮ついたイメージとは裏腹に、ブランディングとは、これ以上ないほど実際的で地に足のついた概念なのだ。

　学習リーダーから「うちの部門にはブランドなんて存在しない」という言葉が時々出ることがある。だが実際には、ブランドが存在しないのではなく、彼らがそれに気付いていないだけである。実際、ブランドが存在しないなどということはあり得ない。なぜなら、人はあらゆる物に対してそれなりの意見を持っているからだ。他人がそうした評価を口に出すとは限らないし、本人はそれに気付いていないかもしれない。しかし、何らかの評価が存在することは確かである。いずれにしても、他の部門の人々が、ラーニング部門やそのプログラム、能力、付加価値について、何らかの意思を持っていることは間違いない。

　どのみちブランドというものが付いて回るのなら、ただ手をこまねいているだけではもったいない。むしろ積極的にブランド管理を行い、望ましいブランド像を作り上げていった方がいいだろう。こうした私の主張を裏付けているのが、ブランドとは受け身な存在ではなくそれ自体が価値をもたらすものである、という事実である。あらゆるアイデアと同様に、それは人々の行動に影響を与える可能性がある。商品の場合、ブランディングは主に売上増加と顧客ロイヤルティの改善のために使われている[180]——つまり、ブランドの語源とは反対の現象が起きているのである。そもそもブランドという

言葉は、家畜の所有者を表す「焼印(ブランド)」に由来している。それは農夫たちの「触るな！　これは俺のものだ」というメッセージを伝えるものだったのだ。だが今日のブランドはそれとは正反対の働きをしている——すなわち「どうぞ手に取ってみてください。これはあなたのものです」というメッセージを伝えているのである[181]。では、ラーニング・ブランドはどうだろうか？　それはどう作用し、何を成すものか？　そして、どのように活用できるものか？

ラーニング部門はブランディングをどのように利用しているか

　ラーニング部門のブランディングへの取り組みに関する数少ない研究の一つが、2008年に実施されている[182]。その研究によれば、マーケティングやブランディングに関して公式な計画を立てているラーニング部門はわずか15%に過ぎなかった。また、62%のラーニング部門はこうした活動にまったく予算を割り当てていなかった。一部の識者はマーケティングとブランディングをラーニング部門のマネジメントにおける最大の弱点と呼んでいるが、この数字を見ればそう言われるのも無理はないだろう[183]。

　最近話したある学習リーダーは、企業内学習のブランディングの目的はもっぱら「物事を格好よく見せること」だと思う、と言っていた。確かに、物事を魅力的に見せることもブランディングの一部だろう。アップル社の製品デザインへのアプローチはそれを証明している。では、積極的にブランディングに取り組んでいる数少ないラーニング部門は、自らのブランドをどのように利用しているのだろうか？　それを考察すれば、ブランディングには単に見栄えをよくすること以上の目的があることが分かるはずだ。とりわけ重要なのは次の5つの目的である。

①**ラーニング部門の存在とそのスコープを伝える**
　たいていの会社のアプローチは、せいぜいロゴや一貫した配色を使用する程度である。だが、その場合でも、ラーニング部門の顔となるものを組織に対して明確かつ一貫性をもって示すことによって、人々はラーニング部門の

活動内容をはっきりイメージできるようになる。これはおそらく最もよく使われているラーニングブランドの意識的な利用法である。

②受講率を上げ、プログラムへの積極的な関与を促すことで学習の成果を高める

　こうしたブランド利用法の最たる例は、eラーニングや、実践コミュニティのような自己主導型学習だ。良いブランドイメージを持つことは、この種の学習への取り組みを成功させるために不可欠である[184]。なぜなら、こうした学習の成功は、本人のモチベーションや積極的関与、あるいはその教材に対して抱いているイメージに大きく左右されるからだ。それゆえ、遠隔学習や自己主導型学習を提供しているビジネススクールの多くは、積極的にブランドイメージの向上を図り、受講率や修了率を改善しようとしている。

③ビジネスリーダーの関与を促し、ラーニング・ソリューションへの支援を強化する

　ビジネスリーダーたちをラーニング・ソリューションの開発に巻き込み、出資や支援、参加を仰ぐことの難しさを嘆く学習リーダーは多い。しかし、強力なブランドイメージがあれば、こうした苦労は大幅に軽減される。IBMの技術研修プログラムのブランディングはその一例だ。同プログラムの質の高さは折り紙つきであるため、ビジネスリーダーたちは積極的にそれに関与し、時間を惜しまずにこれらのプログラムへの支援や参加を行うようになっている。

④ラーニング部門の戦略や目的を明確化し、はっきりと伝える

　戦略や目的が明確であれば、さまざまなラーニング・プログラムの整合性や一貫性に関する認識を保つことができる。学習ブランドは学習の目的に関する理解を促し、さまざまなプログラムを理解するための文脈を提供してくれる。たとえば、あるラーニング部門が「技術力の推進」というブランドを掲げているとしよう。初めてその部門のプログラムを目にした人々も、プログラムの内容とブランドを結び付けて考え、それを「技術力の推進」の一環

と見なすだろう。

⑤企業の学習観を変革する

たとえば、業績向上や行動変化を重視したブランドと、知識やスキルの速習を軸とするブランドのどちらを構築するかによって、ビジネスリーダーたちの学習に対する理解やアプローチは変わってくるはずである。最近、私はある事業部門との共同作業を行ったのだが、そこでは学習プロセスはまさに「ソーセージ製造機」のようなものと見なされていた——人々を研修の中へ押し込むと、反対側から学習済みの人間が出てくるというイメージだ。フォローアップの必要性や、行動変化を持続させることの難しさも、ほとんど理解されていなかった。もしこの部門のラーニング目標が、単なる知識やスキルの獲得ならば、こうした学習観でも構わないかもしれない。しかし、当の部門は、従来の事業形態を根本的に改革することを目指していた。この問題の解決策の一つは、ラーニング部門のブランドイメージをソーセージ製造機から持続的な行動変化の担い手へと一新し、ビジネスリーダーたちの学習観と学習の活用の仕方を変革することにある。

ラーニング部門のブランディングを効果的に行えば、上記のようなメカニズムを通じて付加価値を生み出すことができる。この種の問題に悩んでいる場合は、より積極的なブランド管理が必要かもしれない。最善のブランド管理法を検討する前に、まずは、学習ブランドに貢献しているさまざまな要素と、ブランドイメージをコントロールする手段を検討してみたいと思う。

ブランドを構成する要素

ブランドは、顧客やステークホルダー、オブザーバーの、ビジネスやその商品に関する体験を通じて形成される。長年の間に、ブランドの構成要素を説明するさまざまなモデルが提案されてきた。古典的なブランディング理論によれば、それは3つの必須要素——「ブランドプロミス」「ブランド経

験」「ブランドマーケティング」から成り立っている。ブランドプロミスとは、ここでは人々がラーニング部門やそのプログラムに対して抱いている期待を指す。ブランド経験とは人々の実際の経験（例：その期待が満たされたかどうか）を意味している。そしてブランドマーケティングとは、ラーニング部門が自らの部門とそのプログラムをアピールするために選んだ方法のことである。

　ここからは、ラーニング部門のブランディングに特化したモデルを紹介し、ブランドの構築法に対する読者の理解を促したいと思う。数々の企業において学習ブランド構築の手助けをしてきた経験を生かし、私はブランド戦略における6つの手段を特定した。これらの手段を通じて人々のラーニング部門との経験を形作り、ひいては学習のブランドイメージを形作っていくことができる。言うまでもなく、これは網羅的なリストではない。しかし、私の経験では、これらは学習リーダーが手にしている最も一般的で強力な手段である。

■戦略

　戦略とは、端的に言えば、ブランドプロミスに形を与えたものである——戦略は、なぜこの部門が存在するのか、どんな付加価値をもたらすことができるか、短期・中期・長期の目標は何か、といった一連の声明によってブランドプロミスを表現している。言い換えれば、戦略とはラーニング部門がビジネスサイドとの間で交わす、自分たちが果たす役割や提供するサービス、生み出すインパクトに関しての約束である。戦略はブランドプロミス（人々のラーニング部門に対する期待）を形作るための**最重要手段**だ。それは人々にブランド経験の文脈を提供する。これらの約束を交わす際に、大きな役割を果たしている要素が2つある——ラーニング部門の戦略と企業全体の目標の整合性は取れているか、自らの戦略に関して業績志向の具体的な説明ができているかだ。重要なのは戦略の内容だけではない。その表現方法もまた、大きな意味を持っているのである。

■ **商品**（ラーニング・ソリューション）

あらゆる販売員の言う通り、売上増加を目指す手段として、優れた商品に勝るものはない。ここでラーニング部門は厳しい現実に直面せざるを得ない——我々が提供しているラーニング・ソリューションやサービスはブランドプロミスを果たしているだろうか？　ブランドを構築できるかどうかを左右するのは、ブランドプロミスの履行だけではない。プログラムの幅、型、質や、どんな行動変化を目指しているか、どのペタゴジーに依拠しているか、どういったテクノロジーで学習を提供しているかは、どれもブランド経験を構成する重要な要素である。肝心なのは、プログラムを通じてブランドイメージを強化したいのなら、そのプログラムはただ約束した結果を生み出すだけでなく、設計や提供においてもブランドと調和したものでなければならないということだ。簡潔で的を絞ったプログラム・ポートフォリオは自らの部門の全体像をはっきりと伝えるのに効果的である。一方、プログラムの多彩さは、学習のことなら何でも揃う総合ショップといったイメージを与える可能性が高い。また、自らのブランドプロミスが「イノベーションを可能にすること」である場合、単にイノベーションを重視したプログラムを作成するだけなく、使用するペタゴジーやテクノロジーを通じて、イノベーションを体現するべきである。

■ **ルックス**（見た目）

クロトンビルにあるGEのコーポレート・ユニバーシティの運営責任者、ピーター・キャバノーはこう語る。「最近、GEはクロトンビルセンターの再編成とブランド再構築を行った。その際、我々は部屋の壁を見つめながら、自問した——GEのイメージははたしてベージュ色か？」。教材や販促資料、さらには壁の色といった有形物は、本来形のない学習ブランドに形を与えてくれる。高級感のある本格的な教材と、野暮ったい教材では、人々に与えるイメージはまったく違ってくる。したがって、ある程度は「見栄えをよくすること」も必要である。しかし、問題はそれだけにはとどまらない。

一般的に、ラーニング部門が抱いている「ルックス」の概念は、見栄えをよくすることやカラースキーム（色彩設計）を会社全体と統一することといったレベルにとどまっている。しかし、一部の企業ではさらに一歩進んで、教材の見た目や感触を積極的に利用し、ラーニング部門と会社全体の双方のブランドイメージの強化を図っている。

　たとえば、マクドナルドのハンバーガー大学は、意図的にマクドナルド社の企業ブランドイメージを取り入れ、シンプルですっきりしたデザインを採用したり、ゲーム形式の楽しい学習ツールを使ったりしている。また、英国のメディア複合企業スカイ・オンラインのオンボーディング・ポータルサイトは、新入社員に対して、単にオリエンテーションや商品知識の研修を行うだけでなく、社員をスカイ・ブランドに同調させることができるような学習体験を確実に提供できるよう取り組んでいる。具体的には、これらはビジュアルの色調やコミュニケーション・スタイル、スカイ社のビデオ映像の使用といった手段を通じて達成される。このように、ルックスは品質を物語るだけにとどまらない力を持っているのだ。

■ネーミング

「名前が何だっていうの？」——シェークスピアの傑作『ロミオとジュリエット』の一場面で、ジュリエットはロミオにそう尋ねる。「バラをどんな名で呼ぼうと、甘い香りは変わらないのに」——。野暮を承知で言わせてもらえば、私はこの意見には納得できない。確かに、プログラムそのものがお粗末ならば、鳴り物入りの宣伝をしようが、豪華な教材を使おうが、遅かれ早かれ正体がばれてしまうだろう。だが、あらゆるマーケティングリーダーが指摘するように、ネーミングはブランドの命ともいえる大切な要素である。なぜならそれは組織の定義やその活動内容を物語るからだ。もちろん、中には例外もある。ラーニング部門やそれに属する部署の名称があまりにも漠然としていて、その役割がまったく伝わってこないケースも多い。私の経験では、この種のネーミングの原因は、部門内に明確な戦略が欠けていることにある。それは機会の喪失であるのと同時に、由々しき問題でもある。なぜなら、

こうしたあいまいさによって、ラーニング部門のブランドが機能不全に陥る可能性があるからだ。

では、一体どんな名前を付ければいいのだろうか？　はっきり言えるのは、無理して「しゃれた」名前をつけようとしなくてもいいということだ。手っ取り早い選択肢として、たとえば「ノバルティス・ラーニング」のように、会社名の後に「ラーニング」を付けるという方法がある。おそらく最も一般的な代替案は、ラーニング部門を「ユニバーシティ（企業内大学）」と呼ぶことだろう。こうした習慣が始まったのは1980年代のことである。「ユニバーシティ」というブランドによってラーニング部門に箔を付け、厳格で知的なイメージを持たせるのがその狙いだった[185]。1981年に設立されたモトローラのコーポレート・ユニバーシティはこのムーブメントのはしりである。1990年代には、どこの企業も当たり前のように「ユニバーシティ」という名称を取り入れるようになった。もっとも、それは主として米国を拠点とする企業に限られた現象だった。ヨーロッパ諸国は一般的に「ユニバーシティ」という言葉の使用に対して保守的であり、当地の企業はこうしたネーミングをなかなか取り入れようとしなかった。1989年に設立されたキャップジェミニ・ユニバーシティは顕著な例外だが、それを除けば「ユニバーシティ」という名称が米国以外で使われ始めたのは、1990年代後半になってからのことだった。

とはいえ、企業世界の一部の人間は「ユニバーシティ」という言葉に対して、現実世界とは無縁のアカデミックな象牙の塔というネガティブなイメージを抱いているかもしれない。こうした懸念から、ナイキは「ユニバーシティ」という言葉をあえて避け、自らのラーニング部門を「ナイキ U」と名付けることにした。一方、マクドナルドはこれとは逆の判断を下し、「ハンバーガー大学」という名称を採用した。しかし同社の場合、象牙の塔と正反対の明るく開放的なイメージを打ち出すことによってうまくバランスを取っている。

一部の企業は、アカデミックな響きを持ち、かつ特定の領域に的を絞った名称を取り入れている。アリアンツ・マネジメント・インスティテュートやスイス・リー・リーダーシップ・アカデミーはその一例である（訳注：ア

リアンツはドイツの保険会社。スイス・リーはスイスの再保険会社）。「ビジネススクール」という言葉はめったに使われないが、クレディ・スイスはこの名称を使って成功を収めている。これは専用の施設や運営規模の大きさのおかげだろう。どんな名前を選ぶにせよ、選択には注意が必要である。ごく小規模なラーニング部門が「ユニバーシティ」を名乗ったとしたら、むしろ信頼性を損なうだけだろう。部門の名称はその実体を物語るものでなければならない。したがって、意図的にそうした名称を選ぶようにしよう。

■ 立地や施設

ルックスやネーミングがそれほど重要であるならば、立地や施設もまた重要であったとしても不思議ではない。企業の実態を調査している専門家たちは、施設が企業の視覚的なアイデンティティに貢献していることをずっと前から知っていた——それは企業の質や基本理念、アプローチを物語っているのだ[186]。キャップジェミニやサンタンデール銀行は、それを最大限に活用するべく、多額を投じて立派な中央研修センターを作り上げた。その結果、両社のラーニング部門はこれらの施設と同じくらい立派なブランドを築き上げることに成功したのである。

こうした中央研修センターは戦略的な役割も果たしている。分散しがちな巨大企業のラーニング部門の統一の象徴として機能しているのだ。マドリード郊外のフィナンシャルシティ内にあるサンタンデール銀行の研修センターは、アイデンティティの核として機能するように設計されている。「ソラルコ（Solaruco）」というその名称はこの銀行の発祥の地を指しており、その響きは人々の感情を強く揺さぶり、積極的に海外展開を仕掛けてきたサンタンデールのブランドの歴史的・文化的な継続性を思い出させてくれる。

実際、こうした施設の中には、今や象徴的な存在となり、それ自体がサブブランドとして評判を呼んでいるものもある。その最たる例は、おそらく「ザ・ピット」（クロトンビルの円形競技場型の教室）だろう。ニューヨーク州郊外・クロトンビルの53エーカーのキャンパスの中にあるこの教室で、歴代のGEのリーダーたちが、学んだり、教鞭をとったりしてきたのである。

その他の例として、何十年間もダイムラーのラーニング活動の舞台となってきた、シュトゥットガルト郊外のハウスレーマーブッケルや、ロンドンのユニリーバの「フォー・エーカーズ」およびそのアジア支部である「フォー・エーカーズ・シンガポール」などが挙げられる。

　近年の景気後退とともにこうした大規模な施設は過去の遺物になるのではないかという声も上がったが、どうやらそれは杞憂に終わったようだ。そのことを裏付ける好例が、フランスの多国籍軍需企業サフランの選択である。何年もの間、パリ郊外のドメーヌ・ド・ベウのシャトーを借りて管理者研修を行ってきた同社は、あえて自前の施設を設立することを決意したのだ。その目的は、独自のブランドを持ち、かつ企業全体に直結した中央研修センターを作り出すことにあった。

　言うまでもなく、すべての大企業がこうした施設を備えているわけではないし、その必要があるわけでもない。バークレイズやロイヤル・ダッチ・シェル、BPといった企業はこの種の大規模な研修施設を持っていないにもかかわらず、順調にラーニング業務を展開している。これらの企業は地域支部を通じてラーニング業務を行っており、各支部は現地で、多くの場合どこかの会場を借りてラーニング・プログラムを提供している。このように中央研修センターが存在しない場合、会場の選択が大きな鍵となる。

　数年前、「コスト意識」の名の下に、ある世界最大級の銀行のラーニング部門が、最上級管理職向けのリーダーシップ育成プログラムを、市立動物園に隣接した格安ホテルで開催することに決めた。4日間にわたってお粗末な食事と明け方のモーニングコール――動物園のチンパンジーやホエザルの鳴き声――に悩まされ続けた参加者たちは、すっかり閉口してしまった。それは参加者全員にとって、まさに忘れられない経験になった。しかしそのことでラーニング・プログラムの体験全体が前向きに評価されたわけでもなければ、ラーニング部門のスタッフのへの評価が上がったわけでもなかった。その後、次の研修会場が市内トップクラスの高級ホテルに変更されたことは言うまでもない。

　当然ながら、金をかければいいというものではないし、どんなに慎重に立地を選んでも、常にこちらが意図したような印象を与えられるとは限らない。

数年前、ある成長著しいリーダーシップ・コンサルティング会社が、巨額を投じて新しいビルを建築した。ブランディングにとってより重要なのは建物そのものではなくむしろその立地である、という調査結果を受けて、彼らは非常に高級なエリアを選んだ[187]。さらに、建物の構造はその中で働く人々のコミュニケーションに影響を与えるという調査結果を踏まえて、彼らは間仕切りのないオープンなデザインを選んだ。インフォーマルなミーティングエリアがあちこちに設けられた、ガラス張りのオフィスだ。その狙いは、スタッフのコミュニケーションやアイデアの共有を促し、開放性とチームワークという自社の基本理念を強化することにあった。確かにこのオフィスはそういった目標を達成できた。しかし、彼らが予期していなかったのは、オフィスに足を踏み入れたある顧客の次のような反応だった——「この豪華なオフィスは、我々の払う（高い）コンサルティング料でできているんだな」——。ネーミングと同様に、施設や立地は、ブランドを確立するための強力な手段になり得るものの、その選択には熟慮が必要である。

■行動様式

　最後に挙げるブランディングの手段は、ともすれば見落とされがちな要素——すなわち、ラーニング部門のスタッフの行動様式である。ラーニング・プログラムという商品は存在するものの、ラーニング部門は基本的にサービス業だ。そしてすべてのサービス業がそうであるように、ブランドと顧客の主な橋渡し役を務めているのは一人ひとりのスタッフである。したがって、スタッフの振る舞いは、ブランドに対する顧客の認識を大きく左右する可能性がある。そういう意味では、ブランディングは人材の獲得から始まっていると言えるかもしれない。

　こうした事実は広く認められており、たいていのラーニング部門はスタッフの質や信頼性を非常に重要視している。とはいえ、人々が見落としがちなことがある——ブランドイメージは高度な専門知識、サービスのスピードと質だけでなく、スタッフがどんな種類のサービスを提供しているか、どういった振る舞いを見せているかに大きく左右されるという事実である。たとえば、

デービッド・マイスターは著書『プロフェッショナル・アドバイザー——信頼を勝ち取る方程式』（デービッド・マイスター、ロバート・ガルフォード、チャールズ・グリーン著、細谷功訳、東洋経済新報社、2010年）において、プロフェッショナル・アドバイザーが提供するサービスや顧客との関係を4つの型に分けている[188]。それぞれの型にはそれぞれの異なった行動様式が伴う。

- **サービス提供に基づくアドバイザー**は多くの場合、ある分野あるいはプロセスに特化した専門家であり、通常はソリューションの提供を中心とする特定業務に取り組んでいる。学習コースのロジスティクスの構築はその好例である——とりわけ、カリキュラムの提供の大部分を外部委託しているラーニング部門に多く見られる。
- **ニーズに基づくアドバイザー**はある分野に特化した専門家であり、昔ながらのコンサルタントに近い役割を果たしている。早い段階からプロセスに加わり、まずニーズや問題点の見極めを手伝い、次にその解決法を特定できるように支援する。
- **関係性に基づくアドバイザー**の業務内容は「ニーズに基づくアドバイザー」とほぼ同じだが、後者が顧客の要求に応じて業務を行うのに対し、前者は自発的に業務を行い、多くの場合、専門領域を超えた視点を提供することができる。
- **信頼に基づくアドバイザー**はアドバイザーとしての到達点である——彼らはより多くの情報を与えられ、幅広い活動に関与し、顧客のリーダーシップチームの中核人物として受け入れられている。

多くのラーニング部門において、一部のスタッフは「サービス提供に基づくアドバイザー」として運営に関わっており、一方、学習マネジャーは主に「ニーズに基づくアドバイザー」あるいは「関係性に基づくアドバイザー」として機能している。「信頼に基づくアドバイザー」の域に達する人々はまれである。マイスターによれば、「信頼に基づくアドバイザー」を目指す上で鍵となるのが、彼が言うところの信頼の方程式である。

$$信頼 = \frac{(信憑性 + 信頼性 + 親密さ)}{自己志向性}$$

この方程式は以下の要素でできている。

- **信憑性**（Credibility）……専門知識や存在感、誠実さがあると見られているか。
- **信頼性**（Reliability）……頼りがいや一貫性があると見られているか。
- **親密さ**（Intimacy）……オープンだと見られているか。プライベートの生活に関してオープンだということではなく、困難な課題や幅広い話題を受け入れる懐の深さをもっていると見られているか。
- **自己志向性**（Self-orientation）……自分の都合へのこだわりがあると見られているか。

　大切なのは、自分が顧客との間にどのような種類の関係を結んでいるのかを自覚し、彼らに対してどんな基本姿勢を示しているか、彼らは何を期待しているか、自分はどう見られているか、などをしっかり把握することである。こうしたテーマを考えるたびに、私は新たな任務に乗り出したあるCLOのエピソードを思い出す。彼の主要目的の一つは、学習に関する専門知識の拠点を作り出すことにあった。ところが、彼は新しいスタッフたちがいかにも自信なさげに振る舞っていることに気付いた。このCLOは、彼らと最初に会話を交わしたとき、こう話を締めくくった。「君たちは専門家なんだ。だから専門家らしく、堂々と振る舞ってほしい」

　行動様式に注目することは、一貫性を保つための重要な基盤である。スタッフが地理的に分散しているラーニング部門においては、とりわけ一貫性を保つことが大きな意味を持ってくる。さらに、「プロアクティブ」な姿勢で行動様式を重視することは、ラーニング部門にとって極めて重要だと言える。なぜなら、スタッフの質——その行動や態度——を確立・維持することは、プログラムを確立・維持することよりもはるかに難しいからだ[189]。その唯一の方法は、スタッフをブランドの中にとりこみ、彼らがそのブランド

を理解し、それを完全に自分のものとし、自らそれを体現したくなるように導くことである。こうした作業はしばしば「内部ブランディング」「従業員ブランディング」「内部マーケティング」などと呼ばれる[190]。この手法は企業ブランドだけでなく、ラーニング部門のブランドにも応用できる。ラーニング部門のブランドを単に持っているだけでは十分とは言えない——それを実践し、誇示し、体現しなければならない。自分がブランドそのものになる必要があるのだ！

ラーニング部門のブランドを開発する

　ここまで述べてきた、ラーニング部門のブランドを構成する6つの要素は、新たなブランドを形成する手段として最も一般的かつ重要なものである。多くの読者はこうした事柄をすでに認識していたかもしれない。しかし、学習ブランドの開発という文脈で、それらを積極的に検討したことのある人々はあまりいないだろう。実際、この6つの要素を提示する際に最もよく聞かれる質問は「ブランドを開発するには具体的にどんなステップを実行すればいいのか」である。この点を踏まえて、ここからは学習ブランドを開発するための10の主要なステップを検討していくことにしよう。

■ ステップ① 学習のもたらす付加価値を見極める

　学習ブランドを開発するための第一歩は、明確な戦略を練り上げ、学習が企業にどんな付加価値をもたらし、どんな目標を実現できるかをはっきりと示すことである。それはブランドプロミスであり、その後のあらゆる活動は、この文脈において理解され、評価されることになる。とりわけ、何をするのか、それは企業全体の戦略とどんな関係があるのか、組織や個人のパフォーマンスにどんな変化をもたらすのかを明確にしなければならない。また、いったん目指す価値を明記した後は、ビジネスリーダーたちとラーニング部門のスタッフの双方がその価値に対して理解や合意を示し、全面的に協

力してくれるように取り計らう必要がある。

■ステップ② 顧客グループを特定する

　このステップは簡単かつ当たり前のことのように思われるが、私の経験では、見落とされたり、省略されたりして、正規の活動に含まれていない場合が多い。同じ轍を踏まないようにくれぐれも注意しよう。我々が必要としているのは「ステークホルダーマップ」、つまり、顧客とステークホルダーをさまざまなグループ——取締役、上級幹部、ハイポテンシャル人材、現場の従業員など——に分類した一覧表である。それぞれのグループの関心事、すなわち、学習に対してどのような関心をもっているか、ラーニング部門に何を期待しているかをしっかりと見極めるようにしよう。このステップを怠らないことは重要である。なぜなら、顧客層を十分に把握していなければ、彼らのニーズに合わせてプログラムやコミュニケーション施策の調整を行うことができないからだ。

■ステップ③ 周りからどう見られているかを見極める

　ラーニング部門として、全般的に、あるいは各顧客グループからどう見られているか分かっているだろうか？　もしそうでなければ、自らそれを突き止めてみよう。一番手っ取り早い方法は、顧客やステークホルダーを対象にした簡単なアンケートを実施することだ。より望ましいのは、年に一度の取材を行い、ラーニング部門に対する印象や、そうした印象の変化についてのフィードバックを収集することである。さらに、いったん現在のブランディングの全体像を把握できたら、それはラーニング部門の戦略的目標と整合しているか、こうしたブランド像は、戦略的目標の達成をいかに促進（あるいは妨害）するか、企業全体の目標やブランドや文化との整合性は取れているか、といったことを自問してみよう。そして、ブランドを改善することは可能か、自問してみよう。

■ **ステップ④ 理想的なイメージを特定する**

　いったん戦略、顧客グループ、現在のブランド像が明らかになったら、今度は理想のブランドイメージを思い描いていこう。こうした際によく使われるのは、自らの部門やその仕事、スタッフの理想像を表す5〜6つのキーフレーズ（ブランド属性）を特定するという方法である。以下のアドバイスを参考にするといい。第一に、どのようなプログラムを提供するかではなく、ラーニング部門として人々にどのような経験を与えることができるか、組織にどのような価値をもたらすのかを強調するようにしよう。第二に、シンプルにしよう。なるべく1つのアイデアにこだわるようにするといい。つまり、ブランディングに関する昔ながらの問い──「自分のブランドの中核を成すのは何か？」に対して、できるだけ少ない言葉で答えてほしいということだ。理想的には組織にとってのラーニング部門の価値に言及できるといい。第三に、組織との関係、企業全体のブランドとの関係をきちんと考慮するようにしよう。ラーニング部門のブランドは、常に企業全体のブランドを生かし、それに貢献しようとしているか。あるいは、ラーニング部門は独立した存在ではなく、企業の内部パートナーとして位置付けられているのか。その答えが何であれ、自分たちがどうありたいかを明確化しよう。

■ **ステップ⑤ 部門全体をブランドイメージに同調させる**

　築き上げたいブランド像が特定できたら、どうやってラーニング部門をその像に同調させるかについて計画を練らなければならない。ブランドイメージを体現するようなプログラム、教材、施設、スタッフ、コミュニケーション施策を生み出し、人々に一貫した印象を与えるにはどうすればいいのか。手始めとしてお薦めなのは、前述の6つの構成要素を1つずつ取り上げ、それらをブランドに同調させるべきか、もしそうすべきなら、どのように同調させればいいのかを検討することである。

　たとえば、多くのラーニング部門がすでに導入している手軽な方法として、「目に見えるもの」を統一し、あらゆる教材やコミュニケーション施策にお

いて共通のカラースキームやフォント、ビジュアル要素を使うというやり方がある。さらに、独自のロゴを取り入れているラーニング部門もある。この手法も場合によっては効果的である。しかし、肝心のロゴの出来が悪ければ、それらには何の価値もない。実際、お粗末なロゴや、分かりにくいロゴを使うくらいなら、使わない方がましである。同様に、ロゴに添えるキャッチフレーズの作成に多大な労力を注ぎ込んでいるラーニング部門もよく見かける。しかし、本当に役に立つのは、的確で気の利いたキャッチフレーズのみである（そうしたキャッチフレーズはめったに存在しない）。このように、視覚的な手掛かりはブランドの強力なシンボルとして機能し、教材やコミュニケーション方法に統一感を与えてくれる。とはいえ、ブランドイメージを効果的に演出するためには、常にシンプルで一貫性のある、良質なビジュアルを用いなければならない。

　さらに、あらゆる要素を同調させることが不可能な（あるいは望ましくない）場合もあることを頭に入れておいた方がいい。地理的に分散している部門や、分権的なビジネスモデルの下で運営されている部門においては特にそうである。こうした環境では、部門全体をブランドに整合させることがより難しくなる。関連事項として、オーナーシップの問題がある。たとえば、社外のオープンプログラム（数多くの企業から参加者が集まるもの）のブランディングを行うのはおそらく不可能だろう。しかし、外部委託したクローズドプログラムについては、通常、少なくともサブフイヤーと合同でブランディングを行うことが可能である。もう一つの問題として、統一感のあるプログラムや教材を生み出すことの方が、統一感のあるサービスや行動様式を生み出すよりもずっと易しいことが挙げられる。一般原則として、ブランディングに一貫性があればあるほど、より強力ではっきりとしたブランドを打ち出すことができると言える。大切なのは、何を、どのようにブランドに合わせるかを明確にすることである。

■ステップ⑥ ブランディングの素材をテストする

　テストマーケティングなしに新しい広告キャンペーンの展開や新製品の

発売を承認するマーケティング部長はいない。しかし、ラーニング部門は常にそれをやってしまっているように見える。新たなブランドビジュアルを開発する際には、必ずテストを実施しよう。ブランディングの素材を実験対象者に見せ、ブランド経験について質問してみてほしい。彼らの意見を真摯に受け止め、満足な結果が出るまで微調整を繰り返すべきである。

　一部のラーニング部門が取り入れている、あるシンプルな手法を取り入れるのもいいだろう——その手法とは「ペプシ・チャレンジ」(ブラインドテスト)だ。つまり、eラーニングのドキュメントなどの教材やその他のコミュニケーションツールからロゴや会社名をはがし、実験対象者に「この教材は他社のものか？　それとも自社のものか？」と聞くのである。これは有用な手法だと言える。ただし、大切なのは親しみであって独自性ではないことを忘れないでほしい——他とは違う新鮮なものであるかではなく、違和感のない、しっくりくる、「うちらしい」ものであることが重要なのだ。

■ステップ⑦「エンゲージメント計画」を作り上げる

　公式なエンゲージメント計画（通常はマーケティング計画と呼ばれることが多い）を作り上げることも、しばしば見落とされがちなステップである。私は「マーケティング」ではなく「エンゲージメント」という言葉を好んで使っている。なぜなら、この言葉には一方的にメッセージを伝えるのではなく、互いにコミュニケーションを取り合うようなニュアンスがあるからだ。もちろん、上層部に掛け合ってラーニング戦略に対する協力を取り付けることから、自らのチームや主要なステークホルダーを巻き込んで理想のブランド像を特定することに至るまで、あらゆる段階においてエンゲージメント活動のプロセスは生じている。しかし、私はあえてこうした項目を設けることにした。なぜならエンゲージメントの年間予定表を作り上げることは、特筆に値する活動だと感じたからだ。こうした作業によって、それぞれの顧客グループやステークホルダーに対するマーケティングとコミュニケーションの年間計画がはっきり定まってくる。忘れてはならないのは、ある顧客グループに有効な手段が、別のグループにも通用するとは限らないこと、しかし、一貫

図 6.1 持続的なブランドを築く

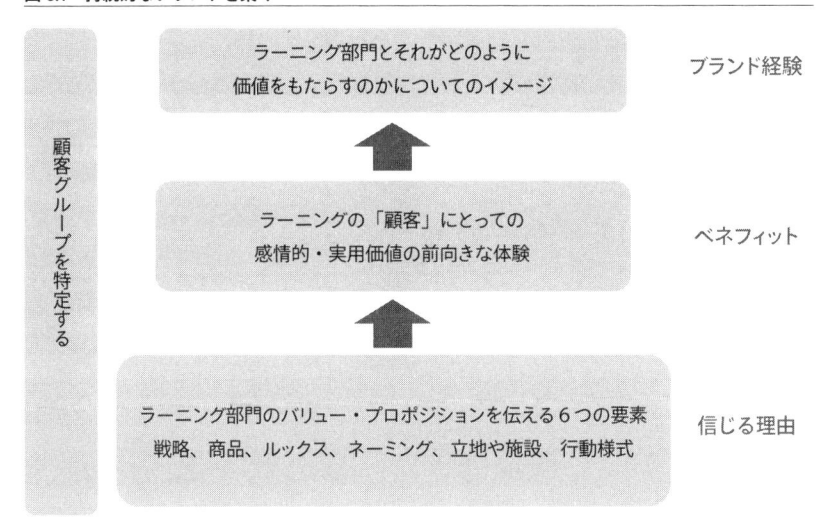

顧客グループを特定する	ラーニング部門とそれがどのように価値をもたらすのかについてのイメージ ↑ ラーニングの「顧客」にとっての感情的・実用価値の前向きな体験 ↑ ラーニング部門のバリュー・プロポジションを伝える6つの要素 戦略、商品、ルックス、ネーミング、立地や施設、行動様式	ブランド経験 ベネフィット 信じる理由

したメッセージを繰り返し伝えることは、ブランドの強化に不可欠だということである。

　マーケティング／コミュニケーション経路の選択肢として、年次学習報告書や、自社のイントラネット、ソーシャルメディア、幹部会議、企業ウェブサイトなどが挙げられる。新しいブランドイメージを打ち出したり、新施設をオープンさせたりする際には、発表会や開館式などの立ち上げイベントがとりわけ強力な手段となる。表彰式や感謝状授与式も然りである。その際には、社内コミュニケーション部門と協議し、その他のイベントやコミュニケーション施策との整合性を取ることが不可欠になってくる。また、マーケティング部門と連絡を取り合うことも非常に重要である。ブランド経験を作り出すにあたって、こうした話し合いは素晴らしいリソースとなる。

■ステップ⑧「ブランドプロミス」を果たす

　ブランドプロミスを果たすことができなければ、どんなに気の利いた名称やロゴを使っても意味がない。すでに指摘したように、信憑性はブランド

イメージの最も重要な部分である[191]。また、単に約束を果たすだけでなく、実質的なインパクトを重視した適切な評価を通じて、本当にそれを果たしたことを証明する必要がある。約束を実行したという確信は、希望や信念ではなく、事実に基づくものでなければならない。

■ステップ⑨ 望ましい行動様式を維持する

　ご存じの通り、行動様式を生み出し、維持することは、教材を生み出し、維持することよりもはるかに難しい。我々はまず自分がブランドをきちんと体現するだけの能力を備えているかどうかをチェックし、もし備えていなければ、それを是正する方法を考え出さなければならない。しかし、望ましい行動様式を身につけることはスタート地点に過ぎない。そうした行動様式を持続させる方法を講じるべきである。つまり、人々が長期にわたって、あるいは地理的な隔たりを越えて、望ましい行動様式——ブランドを伝え、強化するような振る舞い——を維持できるように取り計らう必要があるのだ。

　これは、スタッフをどう育成し、どんなサポートを与えるかという問題である。組織での日々の生活のプレッシャーの中で、どうやってスタッフの心にブランドメッセージを刻み付ければいいのだろうか？　このことは、ラーニング部門が地理的に分散していたり、外部の技術顧問がプログラムの開発や提供を支援していたりする場合に、とりわけ重要であり、かつ困難であると言える。それゆえ、こうしたケースにおいては、よりいっそうの努力が要求される。

■ステップ⑩ ブランドの動向を監視し、微調整を行う

　ブランド開発の初期工程の最終ステップは、ブランドの監視計画を作成することである。こうした計画には、公式の査定、非公式のアンケート、顧客やステークホルダーからのフィードバックの収集などが含まれる。特に重要なのは次の2点である。第一に、データ収集に関して、時間や手間をかけすぎないこと。そして第二に、データを集めただけで満足しないこと。その

データに基づいて行動を起こす必要がある。つまり、データに従って、プログラムやコミュニケーション施策、行動様式を微調整しなければならないのだ。

> ### ラーニング部門のブランディング
> **ラーニング部門のブランドを開発する際に考えるべき問い**
>
> 1. ラーニング部門は、自らの部門の果たすべき役割、提供すべきサービス、生み出すべきインパクトに関して、ビジネスサイドとの間にどんなブランドプロミスを交わしているか？
> 2. ラーニング部門の戦略、プログラム、ルックス、ネーミング、立地や施設、行動様式には、どれくらいの一貫性があるか？
> 3. ラーニング部門が使用している配色、タイトル、ロゴはどんな印象を与えているか？
> 4. 学習の目的や価値についての現在のコミュニケーション活動は、ビジネスリーダーたちの学習活動への関与をどれくらい促しているか？
> 5. ラーニング部門のスタッフは望ましい行動様式をどの程度理解しているか？ そのことは社内におけるこの部門のイメージにどんな影響を及ぼしているか？
> 6. ラーニング部門のスタッフの一貫した行動様式を維持するためにどのようなサポートが行われているか？ とりわけ、スタッフが地理的に分散している場合のサポートは行き届いているか？
> 7. エンゲージメント計画において、どのようなコミュニケーションチャネルを活用するのか？
> 8. 学習ブランドの構成要素（戦略、プログラム、ルックス、ネーミング、立地や施設、行動様式）のインパクトを監視するために、どのようなプロセスを設けているか？

まとめ

「ブランディングなんてしょせん飾り物に過ぎない。ただ見た目を取り繕っているだけだ」——そう言い張る人々もいるだろう。だが、ブランディングはただの飾り物ではないし、そうあってはならない。ラーニング部門のようにイメージが大事で、イメージに依存する組織にとっては特にそうである。本章では、企業内学習のブランディングとは、学習の重要性を単に「言葉でアピールする」だけではなく、一貫した学習の提供によってそれを「体現する」ことだと訴えてきた。多くのラーニング部門のブランディングが大改革を必要としていることは、最新の調査結果からも明らかである。強力なブランドを構築し、維持するというプロジェクトに対して、多額の資金を投じる必要はない。しかし、このプロジェクトには、周到な計画と明確な焦点、一貫した取り組みが要求される。その見返りは苦労を補って余りあるものである。一方、ブランディングに関して何の策も講じなかった場合は、厳しい報いを受けることになるだろう。

企業内学習が行動変化や業績向上に重点を置くようになるにつれて、学習の成果を維持することが重要課題になってきている。それは学習者の積極的な関与に大きく左右される要素でもある。ラーニング部門は学習に対してますます大きな責任を負わされている。その一方で、部門の成功は、ますます学習者のモチベーションに左右されるようになってきているのだ。こうした難問を前にして、ただ手をこまねいているだけでは、失敗は避けられない。ブランディングはその解決策の鍵を握る部分である——明確なブランド戦略を持たない限り、成功できる見込みはほとんどないだろう。

私はラーニング・ソリューションの開発や提供をテーマにした第2〜3章において、ラーニング部門は従来の学習観から脱却すべきである、つまり行動変化と業績向上を重視し、テクノロジーではなくペタゴジーに焦点を合わせるべきである、と主張した。また、本章と、評価と報告をテーマにした前章では、顧客やステークホルダーの学習観を変化させる必要があることを訴えてきた。次章ではガバナンスというテーマを取り上げ、いったん行動や業績の変化が起きた後に、その軌道を維持するためには何が必要かを考察し

ていこう。

[ケーススタディ]
ナイキのラーニングのブランド戦略

　ナイキのラーニングのブランド開発に関するこのケーススタディは、私が提示してきたモデルに厳密に従っているわけでもなければ、あらゆる問題を網羅しているわけでもない。しかしそれは、世界有数の企業ブランドの中で、独自の強力な「企業内学習ブランド」を築き上げるという興味深い仕事の一端を垣間見せてくれる。この先の文章を読む前に、まずはYouTubeでナイキUの紹介ビデオ※を見ることを強く勧めたい。私のリアクションは「おおっ！　これぞインパクトのあるブランドだ！」だった。

　2009年、ナイキは全社的な再編成の真っただ中にあった。その一環として、グローバル人材開発部門（GTD=Global Talent Development）は、かつてのバラバラな学習チームの寄せ集めから、幅広いソリューションを提供するグローバルな機能部門へと変貌を遂げた。この新しい部門の使命は単純明快だった——それは、ナイキの従業員に各自の任務に欠かせないスキル（リーダーシップ能力、管理能力、職務能力）を与えることに他ならなかった。

　ナイキはアンドリュー・キルショーをCLOとして招聘し、この部門を率いてもらうことにした。就任後、彼は3カ月にわたってGTDの業務の系統的な分析を行い、70人の部下と主要な顧客やステークホルダーから提案や助言を募った。こうした初期の会話を通じて、キルショーはこの部門の現状をしっかりと把握し、中核的な支持者を獲得した。「それはアピール活動というよりも、むしろ聞き込み調査だった。私は情報を得るのと同時に、彼らの支持を取り付けることに成功したのだ」と彼は語っている。

　キルショーはこの部門の成功の鍵となる2つの課題を特定した。第一に、彼は一定の運営モデルを作り上げる必要があった——その運営モデルは、部門

※ www.youtube.com/watch?v=NOtzCPJ8-tA

全体に通じる中心的な課題を軸にしつつ、同時に各事業部門や地域の個別のニーズを満たすものでなければならなかった。これには微妙なバランス感覚が必要だった。中央を重視しすぎると、ローカルなニーズを満たせなくなるし、ローカルなニーズを重視しすぎると、一貫性や共通戦略に欠けた部門になってしまうからだ。さらにキルショーは、単に適切な運営モデルを見極めるだけでは足りないことに気付いた——つまり、部下たちが、分散したグループとして機能しつつ、同時に一つの部門としての自覚を持てるよう、まさに微妙なバランス感覚をもって歩んでくれるよう、支援する必要があるのだ。これが第二の課題である。さらに、新チームに関してキルショーが真っ先に気付いたのは、ナイキが世界各国で事業を行っているにもかかわらず、彼らにグローバルなマインドセットが欠けていることだった。「彼らはグローバルなチームの一員としての役割をきちんと理解できていなかった——グローバルなマトリックス組織の一部としてではなく、それぞれが別個の存在として機能していたのだ」

この2つの課題を解決するためには、GTDという部門とその活動を1つに束ね、かつ、ローカルな活動を可能にするような何かを生み出す必要がある——それはチームのメンバーに、グローバルに考え、ローカルに行動することを促すものでなければならない。つまり、彼は新たな運営モデルだけではなく、すべてを接着させる魅力的なブランドを必要としていたのである。「ナイキでの最初の3カ月間、私はこう聞いて回った——『あなたはGTDについてどう思うか？』人々の答えはたいていあいまいだった。中にはこうした質問を採用活動の一環だと受け止める者もいた。GTDが再編成を行ったにもかかわらず、内部顧客は明らかにその事実に気付いていなかった。我々は、ナイキ社内の3万8000人以上の従業員を対象にした新ブランドの創造という素晴らしい機会に恵まれたのだ」

キルショーは自らの構想と詳細な計画をHRの幹部チームに提示し、彼らの賛成と支持を取り付けた上で、主要なステークホルダーだけでなく、グローバルなHRビジネスパートナーのコミュニティにも話を持ちかけた。しかし、大きなチャンスと万全の協力体制を得たにもかかわらず、解決すべき問題はまだいくつか残っていた。なかでも注目すべきなのは「世界最大級

のブランド企業にとって、学習ブランドはどのようなものであるべきか」という問いだった。

　ブランディング作業の指針として、キルショーとそのチームは、自分たちが理想だと考えるブランドを構成する5つの要素（すなわち、顧客からどんな風に思われたいと思っているか）を特定した。以下がその結果である。

1. 気軽にアクセスできる。
2. 一緒に仕事がしやすい。
3. 単に学習を提供するだけでなく、学習の触媒となってくれる。
4. 適切な学習を、適切な時に、適切な方法で提供してくれる。
5. ナイキの歴史や遺産によって1つにまとまっている。

　専門的ノウハウの必要性に気付いた彼らは、社内のマーケティング部門や、外部のブランドエージェンシーの支援を仰ぎ、ブランドのムード（そのブランドが呼び起こすさまざまな感情）や、ネーミング、ビジュアルイメージなどを決めていった。彼らは、学習ブランドもまた、ナイキの企業ブランドと同様に、スポーツに関連した、ダイナミックで、型破りなイメージを持ったものでなければならないと考えていた。名称に関しては、（たとえばマーチャンダイジング・ユニバーシティやリーンビジネスソリューション・ユニバーシティのような）いくつかの社内大学の存在を踏まえて、「ナイキU」という包括ブランド名を選んだ。しかし、キルショーとそのチームは、「U」に単なる「ユニバーシティ」以上の意味を込めることにした。彼らは「U」は「you（ユー、あなた）」や「us（私たち）」「unleashing potential（潜在能力を解き放つ）」「unconventional learning（型破りな学習）」「unlimited capability（無限の能力）」を表すものであると主張し、より多面的で文化的に受け入れやすいメッセージを打ち出したのである。

　ナイキUのブランドは、意図的に、HR部門のサブブランドではなく、ナイキ社全体を反映するものとして考案されていた。こうした設定は、ナイキUが学習を促進する触媒であり、各部門の学習者たちを結び付けていくものである、というブランドの真実に基づくものだった。また、それは、

HRのスタッフだけでなくナイキの全従業員がナイキの学習コミュニティを積極的に引っ張っていく責任を負っていることを知らしめるものでもあった。

次のステップはビジュアルイメージと市場参入戦略（プログラムの構成やネーミング）の策定だった。スポーツ関連企業であることを踏まえて、それぞれのプログラムは「トラック（走路）」と称されることになった。たとえば「ザ・リーダー・トラック」や「ザ・マネジャー・トラック」、「ザ・プロ・トラック」といった具合である。そして、各プログラムの受講者には、教材一式の入った「ザ・コーチのジム・バッグ」が渡される。その後、キルショーとそのチームは、部門の枠を超えた実践コミュニティを招集し、ブランド経験やビジュアルイメージをスタッフの任務や運営プロセス、コミュニケーション施策、学習経験にどのように組み込んでいくかを検討した。キルショーはヴァージンアトランティック航空のようなブランディングの達人を手本にしたいと思っていた。つまり、あらゆるタッチポイント（接点）において、ありきたりの競合とは違った独自のサービスを打ち出したいと考えていたのである。それは単なる新しいロゴやテンプレートだけの問題ではなかった。そして2012年、この学習コミュニティは、ナイキUイントラネットサイトの導入と同時に、全社に向けて新ブランドを立ち上げたのである。

前述のように、キルショーはまず、ラーニング部門としてどうすればナイキのビジネス全体に付加価値をもたらすことができるかを見極め、自らのチームやステークホルダー、ビジネスリーダーたちを幅広く巻き込んで、解決策を考え出した。次に、彼は現在のラーニング部門がどう見られているかを確認した上で、理想のブランド像を思い描いていった。さらに、ラーニング部門とその活動をこのブランドイメージに同調させ、組織全体に統一感を与えるようにした。その後、ようやく彼は会社全体を巻き込み、プロジェクトをスタートさせたのだった。新たなブランドを構築することは非常に骨の折れる仕事である。しかし、その威力にはすさまじいものがある。さらにGTDという部門にとって、それは戦略的に極めて重要な意味を持っていた。なぜなら、ブランドのおかげで組織が1つに束ねられ、より柔軟で、ローカライズ度が高く、バラエティに富んだサービスを提供することが可能になったからだ。そして、冒頭に挙げた紹介ビデオを思い出してほしい。こう

したビデオがあらゆる企業において有用かどうかは分からない。しかし、それが強烈なインパクトを与えるものであることは否めないだろう。

第7章

企業内学習のガバナンス
よりよい監視とアカウンタビリティの実現を目指して

　本書はこれまでに、信任を伴う明確なラーニング戦略を策定する方法、戦略の実行方法、戦略実行に必要な人材、学習の価値の評価と報告といったテーマを取り上げてきた。しかし、こうした価値をまとめ上げ、長期にわたって維持するためには、一体どうすればいいのだろうか？　その答えは「ガバナンス」である。決してわくわくする言葉ではないが、ガバナンスは避けては通れない、重要な道であり、きちんと検討すべきテーマである。

　ラーニング部門は、その成長過程において、遅かれ早かれガバナンスの必要性に直面することになる。ここで話題にしているのは通常の意思決定チャネルのことではない。ラーニング部門の活動を監督する意思決定機関のことであり、それは通常の階層的な指揮命令系統からは分離された、あるいは独立した機関である。通常の意思決定チャネルを通じて良好なラーニングのガバナンスを実現している企業は一部にすぎず、ほとんどの企業では意思決定チャネルが既存の組織構造の中に埋没してしまい、ラーニング業務全体の監督任務を充分に果たすことができていない。こうした場合、何らかの新たな手が必要である。

　ガバナンスの必要性を痛感するきっかけはさまざまである。たとえば、社内各所でラーニング・プログラムが重複していたり、複数のLMSが並行していたりすることに気付いたのをきっかけに、非効率的な支出の削減に真剣

に取り組み始める企業もある。一方、能力開発に関して、より戦略的で全社を巻き込んだアプローチを生み出したいという意欲に突き動かされ、ガバナンスの実行に乗り出す企業もある。こうした動きは、往々にして、CLOやはっきりした中央ラーニング部門が存在しない場合に生じる。

いずれにせよ、ガバナンスとはさまざまな事柄を1つにまとめることであり、いかにして企業がビジネス全体を考慮しながら体系的に学習を行っていくかということに関わるものである[192]。それは、学習活動とビジネス目標の戦略的整合性をいかに確保し、局所的なニーズと全社的なニーズのバランスをいかに効果的に保つかということでもある。また、ガバナンスとは上記のすべてを可能にし、全社にとって学習をより有効に機能させるための体制やプロセス、慣習を指しているとも言える。

良好なガバナンスの効用

ラーニング業務における良好なガバナンスの効用を指摘する研究は数多く存在している。全般的に言えば、ガバナンス体制（例：運営委員会〈ステアリング・グループ〉）の存在とラーニング部門の有効性の間には強い関係があるという調査結果が出ている[193]。つまり、成果を出していると見なされているラーニング部門は、良好なガバナンスを行っているということだ。ガバナンスが具体的にどうやってラーニング部門のパフォーマンス改善をもたらしているのかを端的に示す資料は存在しない。しかし、数々の研究結果や経験から判断して、良好なガバナンスには次のような8つの効用があると考えられる。

①効率性

おそらく最も明らかなメリットであり、最も短期間で達成することが可能なメリットでもある。さまざまなサプライヤーとの取引においてスケールメリットを生み出すことや、プログラムを絞り込んで重複や過剰をなくすこと、適切なリソーシングによって目標を達成することなどが含まれる。これはガバナンス体制の確立を促す最大の動機であり合理的根拠でもある。そうなる

のも無理はない。なぜなら大企業の場合、効率性の欠如による損失は何百万ドルにものぼる可能性があるからだ。

②整合性

　ガバナンス委員会の設置によって、ラーニング業務と（全社レベル・事業部門レベル双方の）ビジネス目標の整合性を取ることが可能になる。こうした「整合性」はおそらく2番目に最もよく上げられるガバナンスの効用である。これに関連するメリットとして挙げられるのが、ガバナンス委員会のおかげで、社内各所のラーニング活動が整合性の取れたものになり、さまざまなラーニング・プログラムが互いの長所を打ち消し合ったり、目標から逸脱してしまったりするのを防ぐことができるという点である。さらに、良好なガバナンスは、ともすれば悪化しがちな組織間の縄張り争いを防いだり、調停したりするのにも役立つことが示されている。

③オーナーシップ（当事者意識）

　取締役会のような形のガバナンス機関を活用することによって、社内の広い範囲をラーニング業務に巻き込むことが容易になり、ラーニングに関する責任意識をラーニング部門やHR部門の外部にまで広げることができる。その結果、会社全体がラーニング業務に対して当事者意識を持つようになる。「職場環境は行動変化を維持する上で極めて重要な意味を持つ」という研究結果を踏まえれば、こうした当事者意識の共有は実質的かつ継続的な業績向上を生み出すための必須要素だと言える。

④アカウンタビリティ（説明責任）

　調査結果によれば、ガバナンス体制の存在と、企業においてラーニングの測定・評価プログラムが確立されている可能性との間には強い相関関係があるという[194]。ガバナンスは、投資や価値にスポットを当てることによって、結果的にアカウンタビリティへの意識を高めてくれる。もう一つ、人々があまり気付いていない事実がある。それは、ガバナンスによって、より高度な評価システムが可能になり、それ自体がアカウンタビリティを促進すると

いう点だ。つまり、ガバナンスに伴って導入される、より一貫性のあるプロセスや整備されたインフラは、標準化されたデータへのアクセスを改善し、学習投資のビジネスインパクトの分析・報告能力を高める働きを持っているのである。

⑤質

最低基準を設定し、成功事例の共有を促進し、学習の成果の可視性を高めることによって、ガバナンスは学習への取り組みの質を全社的に改善することができる。

⑥調整

全社を対象としたラーニングプロジェクトが増加するにつれて、ラーニング部門が企業文化の変革やチェンジ・マネジメントといった課題に取り組む機会がますます多くなっている。これらのケースでは、関連する多くの事業部門やチームが、プログラムの開発、提供、管理を積極的に支援してくれない限り、プロジェクトの進展や成功は望めないだろう。こうしたさまざまなステークホルダーを1つにまとめるガバナンス体制を設ければ、彼らをプロジェクトに巻き込み、その働きを調整するのが格段にスムーズになる。

⑦コミュニケーション

適切なガバナンス体制になってラーニング部門の仕事の可視性を高めることや、各事業部門へのコミュニケーションチャネルを確保することが容易になる。また、ラーニング部門へのフィードバックが促進され、結果としてラーニング部門がさまざまな学習ニーズを見極めやすくなる。私がかつて一緒に仕事をした某自動車金融サービス会社は、ガバナンスに関する興味深いエピソードを提供している。それは企業内アカデミーのガバナンス組織が、先見の明やオープンなコミュニケーションの提供を通じて、ビジネスに多大なる貢献を果たしたことを示す実例である。

過酷なグローバル市場でビジネスを行う多くの企業と同様に、この会社もまた、基幹事業における利益等の減少や循環的な業績不振に苦しんでいた。

図 7.1　効果的なガバナンス構造を通じて企業内学習を持続させる

家の形の図：
- 屋根部分：アカウンタビリティ、質、オーナーシップ、整合性
- 左壁：コミュニケーション
- 右壁：調整
- 床：効率性、リソーシング
- 中央：ラーニング部門

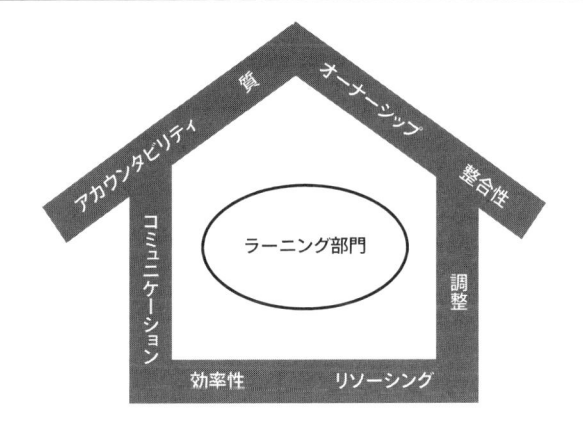

ラーニング活動を監督する独立のガバナンス委員会をつくることで、ラーニング部門がその全社的な役割を効果的に果たすことを可能にする多くの利点がもたらされる。

ある時、ガバナンス組織のメンバーの一人が、会社は景気循環に左右されない収入源を確保するためにフリートマネジメントシステムの開発に乗り出すべきであると予見し、その考えを企業内アカデミーに伝えた。しかし、フリートマネジメントの専門家は、社内にも社外労働市場にも不足していた。一部の従業員がいずれフリートマネジメント業務へ異動できるよう、同アカデミーはこの専門分野に関するラーニング・ソリューションを開発した。こうしておけば、いざというときに新しい業務にスムーズに移行できるからだ。それから2年後、同社はフリートマネジメント事業を行う2つの企業を買収した。この買収とその後のマネジメントを支えたのは、あらかじめこの業務に就くための研修を積んできた従業員たちだった——ガバナンス組織の先見の明が見事に功を奏したのである。

⑧リソーシング

　ラーニング活動に対して本社予算が準備されていない企業においては、ガバナンス組織が必要な資本[195]やリソースの獲得に貢献する場合がある。たとえば、私が最近一緒に仕事を行ったある企業では、ラーニングに関する

予算やリソースは各事業部門に分散した形で管理されていた。しかし本社のラーニング部門がパフォーマンス・マネジメントを向上させるための全社的な学習ニーズを見つけ出した。本社のラーニング部門は、ガバナンス組織を通じて各事業部門のリーダーの合意を取り付け、プログラムの開発費用、プログラムへの各部門の従業員の参加に関わる費用、プログラムの運営を管理する臨時スタッフの調達に関わる費用などを確保することができた。

良好なガバナンスに向けた課題

　ガバナンスの効用を示すこの長いリストを眺めていると、ある疑問が浮かんでくる——なぜ多くのラーニング部門にとって、効果的なガバナンス体制を確立することはそれほど難しいのだろうか？　ビジネスサイド全般のラーニングに対する関心が低く、関与を避けようとする姿勢を持っていることが最も一般的な理由の一つとして挙げられるだろう。自社の能力の将来について真剣に考えているごく一部を除いて、最高幹部たちの多くは、ラーニングのガバナンスを自らの任務の一つとは考えていない。実際、2010年に発表されたCIPD（英国公認人材開発研究所）の調査によれば、幹部たちは概してラーニングやタレント・マネジメントを企業にとっての重要課題と見なしてはいるものの、こうした課題について公式の議論を継続的に行っている幹部は全体の20%であり、取締役会レベルでそれを行っている幹部に至っては、わずか10%に過ぎなかった。

　興味深いことに、私はこれとは正反対の難題に直面したことがある——つまり、幹部の関心があまりにも強すぎて、トラブルを招いてしまったケースである。こうしたトラブルは、たとえばCEO自身がその部門の発案者である場合など、ラーニング部門とCEOの結び付きが強い場合に生じることが多い。これらの部門は社内において非常に高い地位を占めているため、通常はガバナンスに関する悩みなど存在しないと思われている。しかし私は、この種のラーニング部門がCEOのオモチャと見なされ、現実のビジネスから遊離した存在になってしまっているのを何度も目撃してきた。場合によって

は、彼らはHR部門とも絶縁状態になっていた。憤慨したHR部門は、これらのラーニング部門に相談もせずに、パフォーマンス・マネジメントや後継者育成、タレント・プールの開発といったHRの中核業務を続行していたのである。実際、あるグローバルな大手銀行と一緒に仕事をしたとき、私はこれと同じような状況に出くわしたことがある。その銀行の企業内ビジネススクールは、CEOによって設立され、長年にわたってCEOの直属の組織として位置付けられていた。だがその後、HRの直属の組織とした方が、目標の達成度が上がるだろうとの判断が下された。こうしたポジショニングの変化と、新たな学習リーダーの出現によって、同ビジネススクールは、より包括的なガバナンス体制の整った組織へと変貌した。近年の報告によれば、社内におけるこのスクールに対する支持率は上昇し、そのラーニング・ソリューションはより統合されたものになったという。

　社内政治と金銭面の問題は必然的にガバナンスの課題をさらに増やしている。私が一緒に仕事をしたある多国籍石油ガス会社のエピソードを紹介しよう。同社のラーニング部門のガバナンス組織は、精製部門の主要なニーズを見極め、学習サービスの強化を図ろうとした。しかし、より小規模な探査部門の方が利益率が高く、しかも探査部門のトップたちは取締役会でより強い立場にあったために、全社規模のラーニング・ソリューションの大半は、探査部門のニーズに合わせて決められていた。また、精製部門よりも人員数がはるかに少ないにもかかわらず、探査部門には全社の学習予算の大半が割り当てられていた。ガバナンス組織は結局こうした状況を変えることができなかった——彼らは社内政治に負けたのである。その結果、精製部門は引き続き業績の問題を抱えることになったのだった。

　これに関連する根本的な課題がコントロールの問題である。ガバナンスの原理や「大義」との整合性は、常にローカルレベルにおける不安をかき立てる。各事業部門は上層部からのコントロールによって、プログラムの効果を高めているローカル色が損なわれてしまうことを懸念している。また、学習をコントロールしようとする上層部の高圧的で無分別な行為が、こうした懸念をさらに助長しているケースもよく見かける。

ガバナンスを実行する

　効果的なガバナンスを実行しようとしている企業は、数々の難問に直面してはいるものの、結果的により良好なガバナンスへと近づきつつあるようだ。最近の研究によれば、調査の対象となった企業の59%は、何らかの形のガバナンス委員会を設けているという。2000年度の調査結果と比較すれば、ガバナンスの導入率は大幅に増加したと言える[196]。こうしたガバナンス重視の原動力になっているのが、昔ながらの2つの課題、すなわち金銭面の問題とコントロールである。近年の景気後退はむしろガバナンス推進への刺激になっている。なぜなら、緊縮財政はコスト意識を高め、結果的にコントロールのニーズを増大させるからだ。しかし、この潮流は景気回復後もなお続いているように思われる。一部の研究者は、ガバナンス体制確立への最大の原動力として、ラーニング部門のテクノロジーへの投資が増大しつつあることを挙げている。要するに、こうした多額の投資を行っている組織は、何らかの形の監視機関の設置を必要とするのだ。その裏付けとして、上記の研究によれば、ガバナンス委員会を持った企業の82%は、同委員会にIT関係の代表者を招いているという。

　したがって、中央ラーニング部門のガバナンスであれ、特定の学習プロジェクトのガバナンスであれ、全社的なの学習活動のガバナンスであれ、ガバナンスの導入は、潮流として勢いを増しているようだ。こうした傾向を促しているのは、予算の共有や学習リソース活用の共有（LMSなど）かもしれない。そのおかげである事業部門全体、あるいは会社全体の人々が1つに結ばれるようになったからだ。ガバナンスの第一歩は、通常、運営委員会や学習審議会の設置である。いったんこのような意思決定機関が設けられると、その機関によって決定事項を管理し、追跡するために必要なプロセスやツール、インフラが整備されていく場合が多い。

　多くの企業はとりあえずこうした体制を整えつつある。だが私としては、これらの方策を歓迎する一方で、真に効果的なガバナンスにとって不可欠なステップが1つ欠けていることを指摘したい。そのステップとは、全社規

模の共通計画の策定である。前述の調査では、59%の企業が何らかの形のガバナンス体制を設けている。しかし、調査の対象となった企業の80%以上は、全社規模のラーニング計画を立てていなかったのである。

　中心的な計画がなければ、それぞれの部署や地域の学習活動は断片化したままであり、全社的な能力開発ニーズを検討し、総合的な対策を立てる余地がなくなってしまう。真に有効なガバナンス体制を確立するためには、単に支出の監視や、主要なステークホルダーたちの相反する要求の調停を行うだけでは不十分である。共同計画を立てることを通じて、ガバナンス機関はさまざまな意見を集約するプロセスを生み出し、方向性や優先事項に関する戦略的な議論を促すことができる。その結果、より統合された包括的な学習サービスの実現を通じて、全社的なメリットを生み出すことが可能になるのだ。行動変化や企業文化の変革が目的である場合、企業全体を前進させるためには、全員が同じ方向に向かって進んでいかなければならない。

　私がこれまでに一緒に仕事を行い、調査の対象にしてきた企業の大半が、いまだにガバナンスを実現できていないと感じている理由は、こうした中央管理の計画策定や報告実施の欠如にある。では、どうすれば真のガバナンスを達成できるのだろうか？

　新たな学習ガバナンス制度を設置する場合であれ、現行のシステムの改善を目指す場合であれ、まずは何を成し遂げたいのか、なぜそうしたいのかをはっきりさせなければならない。また、自らの企業において変革への準備態勢が整っているかどうかを見極める必要がある。準備態勢が不十分であればあるほど、より説得力があり、拘束力を持ったガバナンス機関が必要になる。多くの場合、ローカルな学習委員会であれ、本社のガバナンス委員会であれ論理的な最初のステップは、ガバナンスを実行する委員会のメンバーを誰にするか決めることである。これは極めて重要なステップでもある。なぜなら、ガバナンス機関の顔触れは、長期的な成功を大きく左右する要素であり、場合によっては、ラーニング部門の存続に関わってくるからだ。

ガバナンス組織を作り上げる

　では、どんな人材が必要なのだろうか？　まず何よりも大切なのは、適切な地位と適切な態度を持ち合わせた人材を選ぶことである。彼らは社内で十分な影響力を持ち、かつラーニング計画の推進に強い責任感を持っている人物でなければならない。また、委員会のメンバーは公式、あるいは非公式にCEOの承認を受けた人物でなければならない。こうしておけば、提案を真剣に受け止めてもらえるようになるはずだ。

　多くの企業では、上記のような選出基準を設けるだけで、候補者の数をかなり絞ることができるだろう。とはいえ、この種の委員会の「常連組」のみでメンバーを構成するのは避けるべきである。単にラーニング業務に携わる人々だけでなく、各事業部門や会社全体から広くメンバーを選ぶ必要がある。

　私が数多くの企業で見かけたよくある過ちとして、ガバナンス機関のメンバーを各事業部内のHR担当者だけで構成しているケースがある。確かにHR部門のスタッフは重要な存在であり、業務レベルでは欠かせないパートナーである。しかし、彼らはガバナンス機関において支配的な権力を握るべきではない。

　理想的には、HR部門の代表は1名のみ（できれば本社HR部門のトップ）であるのが望ましい。そして残りのメンバーは社内のさまざまな部門を代表するような顔触れでなければならない。こうした人選によって、学習や能力開発は単なる一つのサポート部門の仕事ではなく、経営責任の一環であることを明確化できる。

　内部のスタッフに加えて、外部の専門家を1～2名ほどガバナンス委員会に招き入れることも有用である。それによって、内部の人間の利己的な行為を未然に防ぐことができ、意見が衝突した場合に、より客観的な助言を得られるようになる。さらに、リーダーシップ開発、経営や人材の競争優位といった分野の最先端の知識をカリキュラムに導入することが可能になる。こうした外部の専門家は、さまざまな分野から招き入れることができるだろう。

　私がかつて調査したある多国籍製薬会社は、ガバナンス機関にビジネススクールの教授を招聘していた。この教授は企業戦略の専門知識を持ち、製薬

業界に精通した人物であり、同社の上層部の意見に対して、外部から継続的に助言を与え続けていた。別の会社では、著名なコンサルティング会社のシニアパートナーがこうした役割を果たしていた。また、あるグローバルな公益事業会社はローテーション制を採用していた。つまり、さまざまな外部アドバイザーが交代で招かれ、有益な助言を与えたり、企業戦略上の新たな重点項目に関して、委員会のメンバーの間で率直な議論が交わされるように取り計らったりしていたのである。

メンバーの人数に関しては、主要なステークホルダーのすべてが代表されているべきではあるものの、あまり大人数にならないように注意しなければならない。ある研究によれば、取締役会の規模と業績の間には負の相関関係があるという[197]。つまり、取締役会の規模が大きくなればなるほど、会社の業績は下がるということだ。これは意思決定において利害の衝突が起こりやすいからであり、また、取締役会の規模が大きすぎて、メンバーの態度が受け身になりがちだからである[198]。ガバナンス委員会として望ましい人数は一定ではないが、私としては、全社規模のガバナンス委員会なら最大8～10人、事業部門レベルのガバナンス委員会なら5～6人で構成することを勧めたいと思う。

在職期間に関しては、一定の任期（理想的には2～3年以内）を設けることを推奨する。そうすれば、定期的にガバナンス機関を刷新し、能力開発計画に対して継続的に新たなアイデアや視点を取り入れることができるからだ。こうしてメンバーを入れ替えることによって、時間とともに、能力開発に造詣が深く、日常業務と能力開発を結び付けて考えることのできる人間が社内にますます増えていくことにもなる。

適切な人材を見極めることは簡単かもしれないが、彼らをガバナンス機関へ引き込むことは必ずしも簡単ではない。一部の企業では、ガバナンス委員会の一員であることがある種の栄誉だと見なされている——委員に選ばれた幹部には、CEOからじきじきに招集の手紙が届くことになっているのだ。

また、年度末や任期終了の際には、CEOから委員に対してねぎらいの言葉がかけられる。中にはガバナンス委員の任命を取締役会の議事の中に組み入れている企業もあるほどである。私の印象では、ガバナンス委員会の構成の戦略的意味を時間をかけて明確に見極めているCLOは、たいていの場合、適切な委員を引き込むことができているようだ。このような形で委員会の一員となった幹部は、自らの職務を真剣に受け止めている。私がガバナンス委員たちに対して行ったインタビューの内容から明らかなように、彼らは個人や組織の能力開発に貢献できることを、自らが後に残せる成果として、誇りに思っているのである。

ガバナンス委員会の役割

　ガバナンス委員会がどんな形を取ろうが、それが真に効力を発揮するためには、単なる支出やプロジェクトの進行状況の監視機関以上の存在になる必要がある。ガバナンス委員会はラーニング部門の戦略的パートナーとして位置付けられるべきである。その任務は、ラーニング・ソリューションのポートフォリオ全体を、単なる「部分の総和」以上のものにすること、社内のその他のさまざまなセクションと業務が重複しないように取り計らうこと、ラーニング部門を新たなアイデアやイノベーションの培養器（インキュベーター）として機能させることである。しかし、私がこれまでに出会ったラーニング部門の多くは、社内の主要部門を代表する立派なメンバーによってガバナンス委員会を作り上げたにもかかわらず、何のメリットも獲得することができないでいた。たいていの場合、その原因は、ガバナンス機関の役割が明確に定義されていないことにあった——したがって、経営陣はそれをどう活用していいか分からなかったのだ。

　ガバナンス機関の役割や責任が企業によって異なるのは当然である。とはいえ、主な検討材料として、私は6つの主要な役割とそれに伴う責任を提起したいと思う。どの役割についても、重要なのは、ガバナンス委員会がその課題（例：戦略やリスク管理）のアカウンタビリティを負うのか、それとも

CLO にアカウンタビリティを持たせ、彼らは課題に関するアドバイザーに徹するのかをはっきりと決めることである。原則として、ガバナンス委員会はアカウンタビリティを負うことを目指すべきだと私は考えている。とはいえ、多くの企業において今すぐそれを実現することは、社内政治的な観点などから考えて難しい場合もあるだろう。重要なのは、6 つのすべての役割に関して、オーナーシップやアカウンタビリティを明確に定め、合意を得ることである。では、その 6 つの役割を職務記述書のような形式で紹介していこう。

■戦略

戦略とは、十分な情報に基づいた統合的かつ意図的な選択を生み出すことであるという考え方に従えば[199]、ラーニング業務のガバナンス委員会の主要な役割の一つは、こうした選択プロセスやそれに続く意思決定に対して助言や意見を提供することだと言える。その任務とは以下のようなものである。

- 個々の事業部門はもとより、会社や業界全体の現状に対する戦略的な助言を継続的に提供する。
- ラーニング部門の活動指針、目標、スコープに関して、さまざまなステークホルダーグループの間の整合性を取る。
- ラーニング部門のスコープ、プログラムのポートフォリオ、ラーニング部門構造の間の整合性を取る。
- CLO の選定に加わり、その任務を支援する。

■計画

2 つめの役割は、ラーニング戦略の実施の計画を立てることだ。その目的とは以下のようなものである。

- 企業の年間ラーニング計画を作成する。

- 将来的ニーズを予測し、ラーニング部門が今後のラーニングの目標を能動的(プロアクティブ)に設定できるよう担保する。
- 意志決定機関としての機能を果たし、ラーニングの優先課題の選択についてのアカウンタビリティを負う。
- 企業のニーズに応えた、整合性のあるポートフォリオの構築を担保する。

■財務管理

計画のプロセスに関連する要素として、予算の管理がある。ガバナンス委員会は次のような役割を担っている。

- 支出とその見返りを調査し、ラーニング部門に財務上のアカウンタビリティを果たすように促す。
- ビジネス要件に基づいて、予算とその配分の承認・見直しを行い、投資が企業戦略の実現に結び付いているかどうか確認する。
- 必要に応じて、追加資金・リソースを調達する（例：本社管理の学習予算がほとんど、あるいはまったくない場合など）。

■運営支援

これは時として見落とされがちな役割である。しかし、ガバナンス委員会は、ラーニング・ソリューションの実施に対して決定的なサポートを行う力を秘めている。以下はその一例である。

- さまざまな事業部門に対するコミュニケーションチャネルを提供し、ラーニング部門のビジョンやミッション、重要課題を伝える。
- 顧客の代弁者としての役割を果たし、各事業部門にどのようなパフォーマンスギャップや能力開発の優先事項が存在するかについて、意見を集約する。
- 企業内学習の推進役を買って出る。ラーニング・プログラムや教材のプロ

モーションを行い、幹部が戦略実現の手段としての学習活動にコミットしている姿をアピールする。
- ラーニング・ソリューションを成功させるのに必要な社内環境を整える（たとえば、現場のマネジャーからの支援を促したり、社内文化の改善を行ったりする）。

■リスクマネジメント

「ガバナンス」という言葉を聞いて人々が真っ先に思い浮かべる任務はおそらくリスクマネジメントだろう――それには正当な理由がある。リスクマネジメントは、ラーニング業務のガバナンス委員会の主要な役割の一つだ。以下にその任務を挙げる。

- 日々のラーニング部門の運営管理に抑制と均衡を施す。
- ラーニング部門が年間計画の実施に関する潜在的リスクを特定できるように促す。
- 必要に応じてリスクマネジメント計画や緊急時対策を策定する。

■監視

ラーニング戦略や年間ラーニング計画の実施を監視することは重大な意味を持っている。なぜなら、効果的なフィードバック・ループを形成しなければ、学習活動の効果や効率を最大限に引き出すことは不可能だからだ。言い換えれば、自分が軌道を外れていることに気付かない限り、軌道修正はできないということである。ガバナンス委員会は次のような監視任務を担っている。

- ラーニング・ソリューションとビジネスの業績指標がいかに結び付けられているか、学習のインパクトがいかに測定されているかを監視する。
- ラーニング・ソリューションの評価活動を確認し、その結果が学習の継続

的な改善に役立てられることを担保する。
- 経営陣に対して定期報告を行う（年次学習報告書を含む）

ガバナンス委員会を機能させる

　さて、メンバーの選出と任務の特定はこれで済んだ。しかし、これらの要素を生かし、ガバナンス委員会をうまく機能させるためにはどうすればいいのか？　あらゆるグループのダイナミクス（力学）は、その構成によって決まる。そういう意味で、すぐに団結できるグループもあれば、周りのサポートがなければうまく共同作業を進められないグループもある。世の中にはチームワークが苦手な集団もあることを肝に銘じよう！

　最初にすべきなのは、委員会のメンバーの出席を確実にすることである。理想的には、ガバナンス委員会は四半期ごとに会議を開き、戦略や運営に関する問題を話し合うべきだろう。しかし実際問題としては、年に最低2回という数字が適切な場合が多いように思われる。そのうちの1回は第4四半期に開催するとよい。そうすれば次年度に向けて優先事項を決め、ラーニング計画をまとめることができる。また、次の会議は第2四半期に開催すべきである。その目的は、学習の提供やインパクトの状況を査定し、その進捗を評価し、フィードバックや新たな需要に基づいて、ポートフォリオや提供チャネルを軌道修正することにある。

　では、こうしたシンプルなロジスティクスから一歩進んで、情報という極めて重要な問題を取り上げてみよう。ラム・チャランは有効な取締役会がどのように機能しているかを説明し、強固な取締役会に欠かせない3つの要素の一つとして情報アーキテクチャを挙げている[200]。情報アーキテクチャとは、その会議がどんな情報を、どんなフォーマットで、どんな方法によって得ているかを指す。チャランによれば、データが多すぎる、あるいは少なすぎる場合や、その提示の仕方が不適切な場合、会議の時間の大半がデータの解釈に費やされ、中心課題やそのデータの示唆の抽出にまで手が回らなくなってしまうという。したがって、ガバナンス委員会が効果的に機能できる

かどうかは、獲得した情報の質の高さや適時性、フォーマットにかかっていると言える。私の経験によれば、残念ながらこうした問題はないがしろにされてしまっている。

次に、効果的に機能するためには、ガバナンス委員会は企画案を承認するだけのお役所的な存在から脱却しなければならない。企画案に疑問を投げかけ、意見を戦わせる必要があるのだ。そういう意味では、最初の数回はプロのファシリテーターに依頼して率直な討論を促してもらったり、合意の形成をサポートしてもらったりするのもいいだろう。また、ファシリテーターはメンバーと1対1のミーティングを行い、会議で共有されていない懸案事項が後にきちんと伝わるようにすることもできるだろう。オープンな人間関係と健全な議論を促進するためのその他の方法として、食事を共にしながらインフォーマルな情報交換を行ったり、節目となる行事をラーニング部門全体で祝ったりすることが挙げられる。

結論として、効果的なガバナンス委員会が目指すべき3つの重要な特性を挙げたいと思う。

第一に、委員会のメンバーはどのような情報を得られれば賢明な判断を下すことができるか、自覚しているべきである。

第二に、彼らは、優れた判断を導き出すために必要な、忌憚のない意見の表明を約束すべきである。

第三に、彼らは自らの有効性を監視すべきである。

最後に挙げたポイントはとかく見落とされがちだ。しかし、ガバナンス委員会は、自らがもたらす貢献や付加価値という観点から、グループとして、あるいは個人として、自己評価を行う必要がある。このことは我々を原点に立ち返らせてくれる――ラーニング業務のガバナンスの至上目的は、学習が企業全体にとって有効に働くように促すことである。いかなる目標を持つ場合も同じだが、主要業績評価指標を明確にし、それらの指標が達成できたかを確認することは極めて重要である。

企業内学習のガバナンスを実施する
ラーニング業務のよりよい監視と、
アカウンタビリティの実現を担保するために考えるべき問い

1. 適切な地位と適切な態度を持ったビジネスリーダーで構成された、あらゆる重要なステークホルダーを代表する組織としての中央ガバナンス委員会は設置されているか？
2. ガバナンス委員会の役割は明確に定義され、すべての主要なステークホルダーの合意を得ているか？　同委員会は学習の活動や費用を監視するだけでなく、ラーニング部門の戦略的アドバイザーとして機能しているか？
3. ガバナンス委員会の出席率は良好か？
4. ガバナンス委員会はどうやって情報を入手しているか？　それらの情報は良質で、トピックと関連性があり、適時性が高く、適切なフォーマットで提供されているか？　それをチェックするプロセスは整っているか？
5. 合意を得た中央ラーニング計画は存在するか？　計画の進捗状況を検討するための定期的な報告のプロセスはあるか？
6. ガバナンス委員会は現在、ラーニング・ソリューション実施へのサポートをどのように行っているか？
7. ガバナンス委員会は目下のところ顧客の代弁者として効果的に機能しているか？
8. ガバナンス委員会の主要業績評価指標は何か？　それら進捗状況を検討するためにどんなプロセスを設けているか？

まとめ

評価が「どうやって刀を研ぎ、その切れ味を確かめるか」だとすれば、ガバナンスは「その切れ味をどうやって保ち続けるか」である。いささか味気のない言葉だが、ガバナンスは学習というパズルにとって欠かせないピースだ。実際、良好なガバナンスがなければ、つまり、自らの業務をチェックし、修正するメカニズムがなければ、時間とともに、学習活動の機能的な整合性が崩れてしまうのは必至だろう。たとえ優れた戦略を立て、専門家を雇い、革新的なプログラムを生み、ラーニング業務の価値をアピールし、素晴らしいブランドを確立したとしても、それだけでは足りない。なぜなら、これらのすべてを維持するためには、良好なガバナンスが不可欠だからだ。

[ケーススタディ]
ノバルティスの良好なガバナンス

グローバル企業は非常に複雑な様相を呈していることが多い。社内に複数の企業文化が存在するだけでなく、対外的にもさまざまな文化に対処しなければならないからだ。通常、一つ一つの部署や事業部門が独自の文化を持っている上に、世界中の多種多様な社会規範を持った国々で事業を展開していかなければならない。それゆえ、巨大なグローバル企業において、汎用型のラーニング・ソリューションがめったに機能しないのは当然だと言える。

基本的に、従業員の学習ニーズは国によって異なることが多い。その場合、最良の選択は、分散型のいくつもの学習チームと一つの強固な本社（中央）ラーニング部門を融合したハイブリッドモデルを作ることである。とはいえ、ハイブリッドモデルを機能させることは至難の業だ。それは世界中に支部を持った企業内大学を設立することよりもずっと難しい。これらの異なるユニットをうまくまとめ上げ、必ず起こるであろう緊張関係を乗り越えて、プログラム重複の防止や、報告制度の標準化、最低基準の設定といったロジスティクスの問題に対処するためには、プラスアルファの要素——すなわち、

ガバナンスが必要になってくる。

　2010年、ノバルティスは中央ラーニング部門と、世界中にいくつもの分散する学習チームをつなぐ架け橋を作ろうと決意した。その架け橋とは「学習委員会」というガバナンス機関だった。上層部から全面的支持を得た同委員会は、意思決定機関として位置付けられており、中央ラーニング部門と分散型の学習チームの双方の戦略や運営を多数決によって決めていた。この学習委員会の具体的な目標は以下のようなものだった。

- 会社とHRの双方の戦略と整合した、全社規模の統合的なラーニング戦略を定め、その戦略の全社的な実施を調整し、監視する。
- 学習予算を決め、各チームが効果的に機能するようにリソースの配分を行う。
- 戦略の実施や、支出のインパクトの最大化のために必要なツールやプロセスを規定する。
- 学習方針について部門の枠を超えた意思決定を下し、それについてHR委員会から承認を得る。HR委員会の決定事項を全社において実施する責任を負う（学習委員会はHR委員会に対してアカウンタビリティを負っている）。
- 部門を超えた全社に共通して求められる、人のマネジメントに関するスキルや、その他の共通スキルのトレーニングに重点を置く。

　この委員会は各部門や地域を代表する13人の幹部によって構成されており、それぞれの部門は、取締役会メンバーの人数にかかわらず、1票ずつ投票権を持っていた。そして、こうした会議には付き物である意見の衝突が起きた場合は、議長が調停役を務めた。選出されたメンバーは、会社にとっての学習の全般的な価値を理解し、自らのエゴを抑えることができる人物たちだった。彼らは各部門のビジネスリーダーによって任命されていたり、タレント・マネジメントやHR、ラーニング業務といった部門から選ばれたりしていた。

　学習委員会の導入は多大なるメリットをもたらした。知識を共有し、スケールメリットを生かすことによって、コストは下がり、学習の基準や質は

向上した。経費削減に最も貢献したのは、プログラムの重複の解消だった。また、学習の質の向上に最も貢献したのは、専門知識が共有できたことと、一定の基準の適用に合意できたことによるものだった。さらに、一定の評価指標を設けることによって、同委員会は学習投資がもたらすインパクトについて、より幅広く高度な理解を得られるようになった。

　学習委員会は、人々を1つにまとめ上げ、議論や調停のための場を作り出し、さまざまな学習チームが機能的な整合性を保ちながら機能することを可能にしてくれた。ノバルティスは、学習委員会の提供するガバナンスのおかげで、ともすれば複雑になりがちなハイブリッド組織を効果的に機能させることができるようになったのである。

終章

未来への展望
学習にとって最適な環境を作り出す

　私はこの本の冒頭で、企業内学習が直面している危機と、それに対する不安や懸念について言及した。残念ながら、本書の執筆がもたらすカタルシスは、こうした不安をほとんど和らげてくれなかった。実際、文章という形で現状を再確認することによって、むしろその不安は強まったと言えるかもしれない。私の懸念は2つの要素から成り立っていた。まず、多大なる労力を注ぎ込んでいるにもかかわらず、企業内学習の地位がまったく改善されていないこと、そして、我々が直面している問題は、アピールの仕方やポジショニングといった、単なる表面的な事柄に過ぎないと思い込んでいる関係者がいるらしいことである。

　企業内学習の危機は表面的な事柄に過ぎないという説については、すでにこれまでの章で反論を試みてきた。現実を直視すれば、企業内学習の抱えている問題は、表面的どころか、非常に根の深いものだと言わざるを得ない。信任を伴う明確なミッションが存在しないラーニング部門は、全体の半数近くに達している。ラーニング・ソリューションの開発については、一方でいまだに従来のアカデミックな学習観に縛られながら、他方では目を奪うような最新テクノロジーにすっかり翻弄されている。その上、学習のインパクトのモニタリングを行っているラーニング部門は、全体のわずか10〜15%に過ぎない。こうした現状を踏まえれば、企業内学習の危機が表面的なもの

だとはとても言えないだろう。

「その見方は厳しすぎるのではないか」「もっと明るい研究結果も出ているはずだ」と考える人もいるかもしれない。専門誌は成功例を伝える素晴らしいケーススタディを満載している。私はこうした記事に対して複雑な感情を抱いている。誰かがどこかで画期的な学習へのアプローチを発見した——そんな刺激的な記事を読めば、いい気分になるのは確かだ。とはいえ、総じて、こうした記事の持っている華やかで前向きなトーンは、現実からはあまりにもかけ離れてしまっている。実際には、ビジネスリーダーたちのラーニング部門に対する支持率は、相変わらず低迷を続けているのだ。この評価の低さ——支持率20%程度という数字——こそ、我々が抱える課題の大きさを物語っている。この数字を単に2倍、3倍にするだけでは不十分である。我々はそれを4倍に増やし、400%という驚異的な増加率を達成しなければならない。この目標を達成して初めて、企業内学習は順調に進んでいると言うことができる。私は時々、こうした前向きなケーススタディは、無意識のうちに問題を覆い隠し、現状を打開するのに必要な危機意識を薄れさせているのではないかと思うことがある。

この流れからすると、私が冒頭で、不安だけでなく「希望」について触れたこと——すなわち、我々は大きなプレッシャーにさらされているのと同時に、問題を解決する舞台やチャンスを手にすることになったと述べたことは、意外だと思われるかもしれない。とはいえ、ビジネスリーダーたちはいまだに学習に費やす金額とビジネスのパフォーマンスとの因果関係を信じているように見える。ラーニング部門は、素晴らしい仕事も一部ではあるが行っている。そして、ラーニング部門の人材についての凝り固まったイメージ（残念ながらその一部は事実に基づいたものである）とは裏腹に、この分野にも優れた人材や専門技術は存在している。したがって希望は確かにあると言える。そして、私は先ほど述べた暗い見通しや不安ではなく、希望とともに本書を締めくくりたいと思っている。

こうした希望を支える要素の一つが、ラーニング部門が次第に個人学習から組織学習へと重点を移しつつあるという事実である。つまり、その目的が個人の能力の改善から組織全体の能力の改善へシフトしているのだ。実際、

マッキンゼーの最近の調査によれば、約60%の回答者が組織能力の開発を最優先事項に挙げているという。こうした変化はささやかなものに思われるかもしれないが、重大な意味を持っている。なぜならそれによって、企業内学習は業績アップに必要な組織能力の確保に対して、直接的な責任を負うことになったからだ。つまり、こうした変化のおかげで、ラーニング部門の存在意義が明確になり、ラーニング部門がアジェンダを自ら設定できるチャンスが生まれたのである。

衣料品小売企業のギャップ社は、学習を利用して単なる学習以上の成果をもたらしている企業の好例である。一部の企業と同様に、同社は自社幹部のために開発したリーダーシップ・プログラムを改変し、外部のパートナー組織のリーダーたちに提供している。ギャップの試みの中で特に革新的なのは、同社が北米の非営利パートナー団体に対してそのプログラムを無料で提供し、彼らが新しい戦略フレームワークを学んだり、人材開発スキルを磨いたり、アイデアの創造や探求のために同僚をパートナーとして活用する能力を身につけたりできるように支援していることである。このプログラムは、ギャップの学習ノウハウを活用し、これら提携企業や組織がギャップのビジネス生態系（エコシステム）へのインパクトを最大限に発揮できるよう、促している。こうした活動によって、ギャップのラーニング部門はより広いコミュニティとギャップとの関係の中枢として機能するようになり、ギャップのCSR（企業の社会的責任）への取り組みにおいて中心的な役割を果たすようになったのである。

我々は何を目指すべきか

本書を通じて、私は「たった1つの大提案」を唱えてきたわけではない。なぜなら、1つのアイデアだけでは、しかるべき変化を起こすのに十分ではないと考えているからだ。その代わりに、私は互いに関連のある細かいアイデアを数多く提供してきた。

私は本書の冒頭で、そのねらいは、企業内学習を新たな上昇軌道に乗せるようなティッピングポイント（転換点）を作り出すことにあると述べた。

とはいえ、数多くの変化を積み重ねたからといって、それが必ずしも現状を打開するような転換点につながるわけではないことは分かっている。また、細々としたアドバイスを大量に提供することによって「木を見て森を見ず」といった状態に陥り、本当に大切な要素が見えなくなってしまうリスクがあることも承知している。したがって、私は危機の指摘とともに始まった本書を、その危機を打開するための方策を総括することによって締めくくりたいと思う。とりわけ優先すべきなのは、次の5つのポイントである。

■ 機能主義を重視する

　私がこれまでの章でたびたび機能主義を強調してきたことを踏まえれば、この第1のポイントは当然の選択だと言えるだろう。機能主義とは、「何をするか」と「何が必要か」および何がビジネス上のニーズかを整合させることだ。そして機能主義の遵守に対しては、生半可な姿勢ではなく、常に妥協のない姿勢で臨むべきである。機能主義の導入に関して、グレーゾーンは存在しない――結局のところ、機能主義を導入できているか、できていないかのどちらかなのだ。

　過去10年間の企業内学習の話題の多くは、ラーニング部門がいかに外的な要素（会社のビジネス目標や文化、行動様式など）との戦略的整合性を取るべきかというテーマに関するものだった。これもまた、機能主義の重要な側面の一つであり、ラーニング部門の成功にとって欠かせない要素であることは間違いない。しかし、こうした戦略的整合性を業績に結び付けるためには、ラーニング部門は内的な構成要素やプロセス、人材についての機能的な整合性を保つことにも意識を向ける必要がある。外的な要素との戦略的整合性は、物事の半面に過ぎない――ラーニング部門の内部の機能的な整合性が伴わない限り、それはほとんど役に立たないのである。

　私はまた、ラーニング部門とその目標や構成要素、活動内容の機能的な整合性が保たれているかどうかを確かめるのは必ずしも簡単ではないと主張してきた。機能主義への道にはさまざまな難関が待ち受けている。その中にはラーニング目標とビジネス戦略を整合させる、というような大きく明らかな

課題だけでなく、ともすると見逃されがちな微妙な課題も存在している——それは「学習とは何か」という基本的前提の中にさりげなく潜んでいる課題である。そしてこの課題は、以下の第2のポイントにも通じている。

■アカデミックな学習観から脱却する

　企業内学習のプロフェッショナルとして、我々は従来のアカデミックな学習観に縛られるべきではない。このことは「言うは易く行うは難し」である。なぜなら、そうした学習観は我々自身の学習体験と深く結び付いているからだ。しかし、アカデミックな学習観から脱却することには大きな意味がある。なぜなら、企業内学習はアカデミックな学習とは根本的に異なったものだからだ。端的に言えば、アカデミックな学習が主にインプット（何が教えられ、何が学ばれた／吸収されたか）を重視しているのに対し、企業内学習はアウトプット（学んだ内容をどう応用するか、それらを個人や企業にどう役立てるか）に関心を持っているという違いがある。

　だからといって、企業の中に昔ながらのアカデミックな学習が存在する余地がまったくないというわけではない。技術研修や革新的なアイデアや商品の開発に関しては特にそうだと言える。とはいえ、我々はやはり企業内学習に関する考え方を根本的に改革する必要がある——ほとんどの企業において、ラーニングが通常、アカデミックな学習観のフレームワーク、伝統や期待に基づいてではなく、企業内学習のそれに基づいて生み出されることを認識する必要があるのだ。

　具体的には、この考え方の最大のポイントは「学習」から「行動変化の促進と維持」への焦点のシフトである。この点に関しては、第3章で指摘したように、ゲーミフィケーションの導入が非常に大きな意味を持つことになるだろう。また、行動経済学や心理療法といった、行動変化に関連する他分野の研究結果を取り入れていくことも重要である。読者の中には心理療法という言葉に抵抗を感じる人々もいるかもしれない。念のために断っておくが、私はリーダー本人にセラピーを受けろと言っているわけではない。ただ、我々は能動的に行動し、他の分野のアイデアにも進んで目を向けるべきだと

言いたいだけである。なぜなら、我々は行動変化の促進という本質的に極めて困難な課題に挑戦しなければならないからだ。実際、それは単に新たな知識やスキルを伝えることよりもはるかに難しい作業なのである。

■ビジネスサイドと適切な距離を保つ

　今は亡き心理学者ブルーノ・ベッテルハイムは、かつてこう言ったという——「他人の行動を変化させる場合に最も難しいのは、クライアントに感情移入し、そのモチベーションや思考を理解することではなく、クライアントから一歩離れて、何をすべきかを客観的に考えることである」。私は、企業内学習が直面しているのはまさにこうした問題であると思う。ビジネスニーズに対応し、学習の価値をビジネスサイドにアピールし、組織能力を開発することを重視する中で、ラーニング部門自体がビジネスサイドに入り込みすぎてしまい、何をすべきか客観的に考えられなくなってしまうリスクがある。もし我々がアジェンダを自ら設定できる主体としての信頼性を獲得し、それを維持したいのなら、ビジネスサイドとは違った新たな視点を提供することができなければならない。

　この点に関するもう一つの厄介なテーマは、「遺産の問題」——つまり、自分が一般にどう見られているかという自意識や、脚光を浴びたいという野心である。私は多くのHR部門やラーニング部門でこうした問題に出くわしてきた。もちろん、人々からよく見られたいというのはごく当たり前の感情だ。しかし、それが単なる動機の一つではなく、主要な原動力となっている場合は、トラブルを招く可能性がある。なぜなら、こうした自意識は人々の行動力を抑制しかねないからだ。「学習リーダーたちの最大の関心は、自らの価値を会社に示すことにある」という近年の調査結果は、予算の削減のプレッシャーや、ビジネスリーダーたちの目から見たラーニング業務の地位の低さを物語っているかもしれない。だがそれは同時に、こうした自意識を反映している可能性がある。もしそうだとすれば、由々しき問題である。

　潜在する問題は何であれ、ラーニング部門が真に付加価値をもたらしたいのなら、会社にとって欠かせない一部として機能することと、会社から一歩

離れ、客観的な判断を下し、学習に関する専門知識を先入観にとらわれずに目の前の課題に応用することのバランスをうまく取らなければならない。

■ 競争原理を取り入れる

　第5章で指摘したように、企業内学習は競合するさまざまな教材やサービスが存在する一つのマーケットであり、その質、有効性、効率を高めるためには、競争原理を取り入れる必要がある。つまり、我々はプログラムを比較し、その効果を確かめることによって、今後の方針について賢い判断を下すことができなければならない。そのためには、適切な評価と報告が必要になってくる。

　そして問題はここにある――過去40年にわたって、さまざまな議論が交わされてきたにもかかわらず、我々は概して学習評価の質を改善できていない。その主な原因として挙げられているのは、誤った不完全なモデルや、限られたリソース、専門知識の欠如である。これらの一つ一つが何らかのマイナス作用を果たしていることは間違いない。とはいえ、40年も惰性に流されてきた様子を見ると、その背景には意志の欠如――評価を避けたいという思い――があったのではないかと考えざるを得ない。綿密な評価を行えば、ほぼ全員が何かを失うことになる。ラーニング・プログラムがうまく機能していないことが分かって（あるいはその事実を認めて）得をする関係者はほとんどいない。このことが学習のインパクト評価への意欲に影響を及ぼさなかったとは考えにくい。

　もちろん、ラーニング部門だけが非難されるべきではない――失敗が許されない現在の職場環境を考えれば、彼らを一概に責めることはできないはずだ。学習とは複雑で困難な総合的課題であり、ラーニング部門の努力のみで解決できるものではないことをビジネスリーダーたちに理解してもらわない限り、現在の評価活動が改善される見込みはないだろう。こうしたメッセージは受け入れがたいものかもしれない。しかし、何とかしてそれを聞き入れてもらう必要がある。なぜなら、適切な評価活動がなければ、競争原理を取り入れることはできず、したがって十分な情報に基づいて適切な意思決定を

下すことができなくなるからだ。それができない限り、企業内学習は凡庸な地位に落ち込む危険があるだろう（あるいは、凡庸から脱け出せないだろうと言った方がいい場合もあるかもしれない）。

■ 会社に働きかけ、ラーニングへの責任を認識させる

　序章において、私はある大提案(ビッグ・アイデア)、すなわち「学習する組織」というトピックを取り上げ、それが鳴り物入りで登場したにもかかわらず、結局は失敗に終わったことを説明した。このコンセプトが推進していたのは、学習を後押しするような企業文化——すなわち、学習を可能にし、学習を促進し、その学習に報い、学習を日々の業務の不可欠な一部とするような文化を生み出すことだった。それは称賛に値する一つの理想だったが、最終的には行き詰まってしまった。その原因は、第一にこのコンセプトが実際の運営プロセスに取り入れにくいものだったからであり、第二にその目標と企業のビジネス上の優先事項を結び付けることが難しかったからだった。

　だからといってこのコンセプトが間違っていたと決めつけるべきではない。数々の欠点はあったにせよ、「学習する組織」の主張の多くは的を射たものだった。そうした主張の一つとして「学習を支える文脈や文化の重要性」が挙げられる。第2章でラーニング・ソリューションの開発を取り上げた際に指摘したように、学習の活用を促す上で、コンテクスト（文脈）的な要素（例：職場環境）は、学習イベントの質よりも重要であるという調査結果も出ているのだ。これは考えてみると驚くべき事実だと言える。

　ラーニング部門は今こそこうした結び付きをはっきりと示すべきである。自らそれを示さなければ、他に示してくれる人はいないだろう。前述のように、最近の調査によれば、「自分の会社は『管理職によるサポート』を学習プロセスの一部と見なしている」と答えた回答者は、全体の71%にのぼった。しかし、管理職に求められる役割について聞いてみると、63%の人がその役割は単に公式にプログラムへの参加を奨励することのみだと答えた。さらに、管理職が何らかの具体的なサポート（たとえば、研修の事前と事後の参加者との議論など）を行うべきだと回答した人はわずか23%しかなかっ

たのである。いくらサポート態勢を謳っていても、実際には何も行わないのであれば、それは単なるお題目に過ぎない。ラーニング部門はそのことを明確にする必要がある。

　これは多くの企業において間違いなく政治的に困難な課題だろう。しかし、ラーニング部門が成功を収めるためには、社内のさまざまな組織がラーニングに対する責任を自覚し、一定の役割を果たすように促さなければならない。それを達成するための唯一の方策は、第一に強固な信任を得たミッションを持つこと、第二に学習の企画案を利用して、行動変化の創出と維持のために各当事者が何をすべきかを明らかにすること、第三にインパクトの適切な評価活動を通じて、各当事者の貢献を査定することである。企業内学習とはラーニング部門が従業員に対して行うサービスに過ぎない──ラーニング部門はこうした考え方を甘んじて受け入れたり、暗にそれを助長したりしてはならない。ラーニング部門は会社に働きかけていく道を見つける必要がある。

ティッピングポイント

　上記の5つのポイントは、ティッピングポイントを作り出すためラーニング部門が行うべき事柄の中核を成すものである。しかし、まだ答えの出ていない問いが一つある──そのティッピングポイントは企業内学習の効果の向上という変化の他に、どんな変化をもたらすのだろうか？　その先にあるものとは何か？

　その手掛かりは、私の提案を聞いたときの学習リーダーたちの反応の中にある。概して、彼らから反論の声は上がらない。中には学習から行動変化への飛躍に対して戸惑いを示す者もいるが、これまで驚きの声や拒絶反応といったものは見られなかった。実際、彼らにとっての懸念材料はこうした提案そのものではなく、それをどう実行するかという点にある。とりわけ最後の2つのポイントを紹介したときには、時折ハッと息をのんだり、長いため息をついたりする音が聞こえてくることがあった。学習のインパクトに関して徹底的な評価を行ったり、学習プロセスにおける会社側の責任や役割を

問い直したりする場面を想像して、思わずそうした反応が出たのだろう。

　はっきりと口には出さないものの、人々はラーニング部門の窮状に関して、ある印象を抱いている——すなわち、こうした窮状はラーニング部門だけのせいではなく、会社全体の文脈にも責任があると感じているのだ。こうしてラーニング業務は負のループ、あるいはジレンマに陥ってしまう——ラーニング部門は現在の文脈の中でどのように変革を生み出すことができるか確信できていない。しかし、ラーニング部門が何らかの方法で変革を働きかけない限り、現在の文脈は永遠に変わることはないのだ。そして彼らがこうした作業を怠れば怠るほど、変革という課題はますます困難なものになっていくのである。

　こうした負のループは、低迷する企業内学習の支持率の原因とも言える。過去の軛や従来の慣習にとらわれた我々は、30年前と似たり寄ったりの方法で企業内学習に取り組んでいる。もちろん、その間にはさまざまな変化もあったが、根本的な取り組み方自体は変わっていない。しかし、もし我々が、ビジネスサイドやビジネスリーダーたちの企業内学習に対する考え方、態度や行動を本気で変えたいのなら、何とかしてこのループを断ち切らなければなならない。そして、学習のプロフェッショナルである我々には、最初の行動を起こす義務がある。

　我々が生み出そうとしているもの、そしてティッピングポイントの先にあるものは、企業内学習をとりまく文脈を変化させ、ラーニング部門の活動能力に対する負の影響をなくすことだ。「学習する組織」のコンセプトは、日々の学習プロセスにとって最適な職場環境を作り上げることを目指していた。我々が目指しているのは、企業内学習およびラーニング部門の効果を最大限に引き出すような職場環境を作り上げることだ。ラーニング部門が戦略チームの一つの中核であり、欠くことのできない一員であると見なされ、企業内学習が複雑で長期的な仕事として正しく理解され、ラーニング部門だけでなく企業全体が学習に対して責任を負うべきだという考え方が浸透している——そのような文脈を作り上げるのである。我々が生み出そうとしているのは、これまでとは違った新たな企業内学習の型、すなわち「学習する組織2.0」である。むろん、だからといって、私は本来の「学習する組織」の

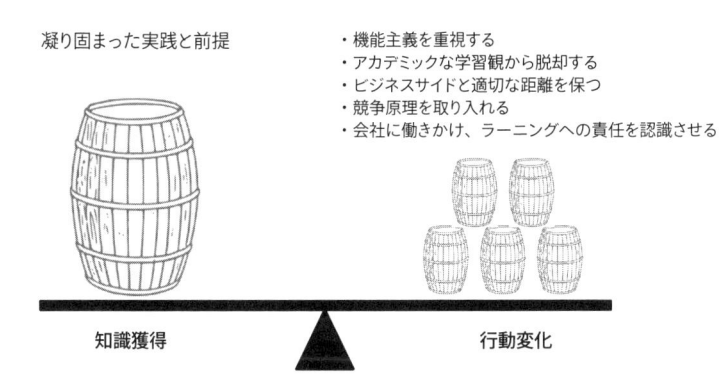

図 8.1　企業内学習のティッピング・ポイントに向かって

凝り固まった実践と前提

・機能主義を重視する
・アカデミックな学習観から脱却する
・ビジネスサイドと適切な距離を保つ
・競争原理を取り入れる
・会社に働きかけ、ラーニングへの責任を認識させる

知識獲得　　　　　　　　行動変化

ラーニング・プロフェッショナルにとっての課題は、ラーニングに対する既存の態度や行動パターンを打ち破り、ラーニング部門が企業戦略において中核的かつ統合的な位置にあるという文脈を生み出し、ラーニングを企業全体の責任事項にすることだ。

　コンセプトを軽んじるつもりはまったくない。ただ、そのコンセプトは、企業内学習（およびラーニング部門）に対するビジネスサイドの考え方や扱い方が変わらない限りは実現不可能であり、そうした変化は、学習のプロフェッショナルである我々が行動を改めない限りは起こり得ないというだけである。
　こうした変化は今、これまで以上に必要とされている。なぜなら、ラーニング・ソリューションの開発や展開は年を追うごとに難しくなってきているからだ。企業は学習への投資に対してますます多くの見返りを期待するようになっている。よりコスト効率の良いプログラムを優先し、より速い開発サイクルや、より利用しやすいコンテンツを要求するようになっているのだ。こうした傾向によって学習ソリューションへのプレッシャーが強くなり、プログラムの開発や展開に関して妥協せざるを得ない場面が増えている。企業内学習には妥協の技術——理論的にベストな選択と現実的に可能な選択のあいだの道を探ること——が付き物である。だが私は、さまざまな制約にうまく対処してきたラーニング部門が、現代のビジネス環境のプレッシャーによって、その能力を失ってしまうのではないかと懸念している。
　私は本書の冒頭で、「学習する組織」のコンセプトが失敗に終わった原因

から、新たな成功への条件を引き出すことができると述べた——第一に、我々は環境と一体化し、かつ時代に見合ったソリューションを見出さなければならない。第二にそれは実践的で簡単に展開できるものでなければならない。第三にそれは過去の軛をよりよく理解することを可能にし、より客観的なアプローチの採用を促すものでなければならない。私としては、前述の5つのポイントに、私がこれまでに挙げてきた数多くのアドバイスを加えれば、これらの条件をほぼ満たすことができるのではないかと思う。

　もちろん、これですべてが完結したわけではない。これらは第一歩に過ぎない。目標に向かって前進するにつれて、新たな問題が生じてくるはずだ。企業内学習およびラーニング部門を支援するために企業は何をすべきか？——それに対して明確で詳細な答えを出せるようになるのはまだ先のことだろう。行動変化をもたらす方法の全容を解明したり、心理学や行動経済学、心理療法といった分野のメソッドやテクニックを統合したりすることについても同様である。とはいえ、それらの話は別の機会に譲るとしよう。差し当たっては、こうして第一歩を踏み出すことだけでも、挑戦や勝利という言葉に十分に値するはずである。

謝辞

　私が本書の構想を練り始めたのは、企業で実務に携わっていた時代のことである。当時の私は、成功して有頂天になったり、失敗して謙虚になったりしながら、ラーニング業務の改善に励んでいた。しかし、こうした教訓を分かち合うことの価値を痛感するようになったのは、スイスのビジネススクール IMD の教授として働くようになってからだった。たいていの IMD の顧客企業は同じようなジレンマに苦しんでいたのである。IMD の「コーポレート・ラーニング・ディスカバリー・イベント」や私が議長を務めている「CLO ラウンドテーブル」といった場を通じて、私は単に見識を分かち合うだけでなく、思考を明確化し、本書で取り上げた項目についての理解をさらに深めることができた。

　私に貴重な経験をもたらし、本書に貢献してくれた人々に十分な感謝の念を示すためには、詳細な自伝を著さなければならないだろうが、現実的にはそれは不可能である。そこで、感謝すべき人々の名前をできるだけ多く挙げていきたいと思う。これらの人々がいなければ、本書が生まれることはなかっただろう。

　まず、同僚のゴードン・シェントンに対して深い感謝の意を表したいと思う。彼の思慮に富んだアイデアと見識は本書の第 2 章の背景を形作ってくれた。私がゴードンと出会ったのは 8 年前、ブリュッセルの欧州経営開発協会（EFMD）でのことだった。彼はヨーロッパのさまざまな多国籍企業の CLO を呼び集め、企業内大学のための CLIP 認証評価システムを開発しようとしていたのである（今やこのシステムはグローバルな企業内学習の現場における評価システムとしてすっかり確立されている）。ゴードンと私は過去 2 年の間に何日間もの議論を行い、本書の構成について話し合った。私の初期のアイデアにインスピレーションや啓発、激励を与えてくれたゴードンに対して、心から感謝の念を表したいと思う。

　企業内学習をめぐる私の旅を年代順に追っていくと、まず感謝しなければ

ならないのは、かつて所属していたダイムラークライスラー・サービスアカデミーのチームと、BP の学習・リーダーシップ開発チームの面々である。学習のプロフェッショナルによって構成されたこの 2 つのグローバルなチームの指揮をとることができたのは光栄だった。チームのメンバー一人ひとりが、私の「学習をめぐる旅」に活気を与えてくれた。そして私は企業内学習の複雑さへの理解をますます深めることになったのである。

とりわけ、同僚であり友人でもあるニク・キンリーには格別の感謝の意を表したいと思う。ニクはもともと BP のチームで出会った人物である。彼は本書の執筆に対して計り知れない貢献を果たしてくれた——原稿を批評し、修正を行い、私の考え方に対して疑問を投げかけ、意見の明確化を促してくれたのだ。彼がいなければ、私はこの本を書き上げることはできなかっただろう。

IMD の中では、私の研究や執筆に対して支援と激励を与えてくれた、IMD 学長のドミニク・テュルパン、および教授仲間であるロバート・フーイバーグとアナンド・ナラシマンに感謝の気持ちを捧げたいと思う。また、企業の一員からフルタイムの研究者への転身という人生の大きな節目を支えてくれた、ジョー・ディステファノとダン・デニソン、研究職への参入にあたって力を貸してくれたジョン・ウィークスにも心から感謝している。特に、研究出版の世界において私を導いてくれたペルシタ・エジェリとセドリック・ボシェ、および私の複数のプロジェクトを支え続けてくれている研究・編集チームに対しては格別の謝意を表したいと思う。さらに、とりわけ恩義を感じているのがリンジー・マクティーグである。彼女は最後の 1 カ月間に編集作業を行い、最終原稿を仕上げ、多大なる支援を与えてくれた。

また、本書のケーススタディで取り上げた各企業の学習リーダー——BP のアーベイン・ブリュイエール、キャップジェミニのスティーブン・スミス、ディズニー・ABC テレビジョン・グループのクレア・オブライエン、ナイキのアンドリュー・キルショー、ノバルティスのフランク・ウォルトマン——に対しても感謝の意を表したいと思う。彼らは執筆中に絶えずインスピレーションを与え、企業内学習の持つ力への信念を支えてくれた。

加えてケンブリッジ大学出版局の編集者、ポーラ・パリッシュにも謝意を

表したい。本書の的を絞り込むことができ、プロジェクトを完成させることができたのは、彼女のアドバイスのおかげである。

　最後に、学習への真の情熱を私に授け、個人や組織の能力開発という仕事の基礎を築いてくれた両親のモシェとクレアに感謝を捧げたい。また、この自己発見の旅と学習分野のキャリアを通じて私と行動を共にしてくれた、妻のロビンとわが子ダニエルとアリエルに対して、心から感謝と愛情の念を表したいと思う。

参考文献

1. Accenture (2004). *The Rise of the High-Performance Learning Organization: Results from the Accenture 2004 Survey of Learning Executives.* London: Accenture.
2. Accenture (2004). *The Rise of the High-Performance Learning Organization: Results from the Accenture 2004 Survey of Learning Executives.* London: Accenture.
3. Giangreco, A., Carugati, A, and Sebastiano, A. (2010). Are We Doing the Right Thing? Food for Thought on Training Evaluation and its Context. *Personnel Review,* 39(2), 162-177,
4. Accenture (2004). *The Rise of the High-Performance Learning Organization: Results from the Accenture 2004 Survey of Learning Executives.* London: Accenture.
5. Duke CE. (2009). *Learning and Development in 2011: A Focus on the Future.* Durham, NC: Duke Corporate Education.
6. Accenture (2004). *The Rise of the High-Performance Learning Organization.* London: Accenture,
7. CIPD (2011). *Learning & Talent Development Annual Survey Report.* London: CIPD.
8. Bersin, J. (2012). *The Corporate Learning Factbook.* Oakland, CA: Bersin & Associates.
9. Accenture (2004). *The Rise of the High-Performance Learning Organization: Results from the Accenture 2004 Survey of Learning Executives.* London: Accenture.
10. Straub, R. (1999). Knowledge Work in a Connected World: Is Workplace Learning the Next Big Thing? *Journal of Applied Research in Workplace E-learning,* 1(1), 5-11.
11. Collins, P. (2011, December). An Insider's View to Meeting the Challenges of Blended Learning Solutions. *Training & Development,* 65(12), 56-61.
12. Hofmann, J. and Miner, N. (2008, September). Real Blended Learning Stands Up. *Training & Development,* 62(9), 28-29.
13. Al-Hunaiyyan, A., Al-Huwail, N. and Al-Sharhan, S. (2008). Blended E-Learning Design: Discussion of Cultural Issues, *International Journal of Cyber Society and Education,* 1(1), 17-32.
14. Fleishman, E.A., Harris, E.F. and Burtt, H.E. (1955). *Leadership and Supervision in Industry: Monograph No. 33.* Columbus, OH: Personnel Research Board, Ohio State University.
15. Goldstein, I.L. (1980). Training in Work Organisations. *Annual Review of Psychology,* 31,229-272,
16. Kessels, J. and Harrison, R. (1998). External Consistency: The Key to Success in Management Development Programmes? *Management Learning,* 29(1), 39-68.
17. Rouiller, J.Z. and Goldstein, I.L. (1993), The Relationship between Organisational Transfer Climate and Positive Transfer of Training. *Human Resource Development Quarterly,* 4(4), 377-390, Tracey, LB., Tannenbaum, S.I. and Kavanagh, M.J. (1995). Applying Trained Skills

on the Job: The Importance of the Work Environment. *Journal of Applied Psychology*, 80(2), 239-252.
18. Hirsh, W. (2005). *Developing and Delivering a Learning Strategy*. London: Corporate Research Forum,
19. CIPD (2011). *Learning & Talent Development Annual Survey Report*. London: CIPD.
20. Bersin, J. (2010). *The Business Value of Research in Corporate Learning and Human Resources*. Oakland, CA: Bersin & Associates.
21. McKinsey (2010). *Building Organizational Capabilities*. New York: McKinsey & Company. Human Capital Institute (2011). *Driving Performance and Business Results with Collaborative Executive Development*. New York: HCI.
22. Glenn, M. (2009, April). Making Sure the Solutions Are the Right Ones: Training Needs Analysis. *Training & Development* in Australia, 36(2), 18-21.
23. Barksdale, S. and Lund, T. (2001). *Rapid Needs Analysis: The ASTD Learning and Performance Workbook Series*. Alexandria, VA: ASTD.
24. ESI (2011). *Learning Trends Report*. London: ESI International.
25. Sitzmann, T., Kraiger, K., Stewart, D, and Wisher, R. (2006). The Comparative Effectiveness of Web-based and Classroom Instruction: A Meta-Analysis. *Personnel Psychology*, 59, 623-664.
26. Bonk, C.J. and Graham, C.R. (2006). *Handbook of Blended Learning: Global Perspectives, Local Designs*. San Francisco, CA: Pfeiffer Publishing,
27. Hirsh, W. (2005). *Developing and Delivering a Learning Strategy*. London: Corporate Research Forum.
28. Brennan, M. (2003). *Blended Learning and Business Change: Key Findings*. Framingham, MA: IDC.
29. Connell, M.W. (2012). *Designing Effective Learning Experiences with Learning Science*. Boston, MA: Native Brain, Inc.
30. Brewer, R. (2010, May). Finding Greatness in Training. *ENS Today*, 3(5), 40.
31. Kolb, D.A. (1984). *Experimental Learning*. Englewood Cliffs, NJ: Prentice Hall.
32. Honey, P. and Mumford, A. (1982). *The Manual of Learning Styles*. Maidenhead: Peter Honey.
33. Noe, R.A. (2003). *Employee Training and Development* (3rd edn), New York: McGraw-Hill.
34. Hirsh, W. (2005). *Developing and Delivering a Learning Strategy*. London: Corporate Research Forum.
35. Hirsh, W. (2005). *Developing and Delivering a Learning Strategy*. London: Corporate Research Forum.
36. Emelo, R. (2011, December). The Future of Learning. *Chief Learning Officer*, 18-21.
37. Overton, L. and Dixon, G. (2011). *Learning Technology Adoption in European Businesses*. Berlin: Online-Educa.
38. Duke Corporate Education (2009), *Learning and Development in 2011: A Focus on the Future*. Durham, NC: Duke Corporate Education.

39. Kamikow, N. (2011, November). Moving at Warp Speed. *Chief Learning Officer*, 4.
40. McKinsey (2010). *Building Organizational Capabilities*. New York: McKinsey & Company.
41. Hannon, J. and D'Netto, B. (2007). Cultural Diversity Online: Student Engagement with Learning Technologies, *International Journal of Educational Management*, 21(5), 418-432.
42. Sanchez, 1., Salinas, A., Contreras, D. and Meyer, E. (2011). Does the New Digital Generation of Learners Exist? *British Journal of Educational Technology*, 42(4), 543-556.
43. CIPD (2008). *Gen Up: How the Four Generations Work*. London: CIPD.
44. CIPD (2008). *Who Learns at Work? Employees' Experiences of Workplace Learning*. London: CIPD.
45. Blain, J. (2011). *Training Today, Training Tomorrow: An Analysis of Learning Trends*. Bracknell: Cegos.
46. CIPD (2011). *Learning & Talent Development Annual Survey Report*. London: CIPD.
47. Duke CE. (2009). *Learning and Development in 2011: A Focus on the Future*. Durham, NC: Duke Corporate Education.
48. Blunt, R. (2007). Does Game-Based Learning Work? Results from Three Recent Studies. *The hiterservice Industry Training Simulation Education Conference IITSEC*, 1, 945-954. NTSA.
49. Phillips, J., Phillips, P.P. and Zuniga, L, (2000). Evaluating the Effectiveness and the Return on Investment of E-learning. In M.E. Buren (ed.), *What Works Online: 2000, 2nd Quarter*. Alexandria, VA: American Society for Training and Development.
50. Salas, E., DeRouin, R. and Littrell, L. (2005). Research-Based Guidelines for Designing Distance Learning: What We Know So Far. In H.G. Gueutal, and D.L. Stone (eds), *The Brave New World of e-HR*, 104-137. San Francisco, CA: Jossey-Bass.
51. Flood, J. (2002). Read All About It: Online Learning Facing 80% Attrition Rates, *Turkish Online Journal of Distance Education*, 3(2), 79-84.
52. Rosman, P. (2008). M-learning - as a Paradigm of New Forms in Education. *E+M Ekonomie a Management*, 1, 119-125.
53. Wentworth, D. and Green, M, (2011, July). Mobile Learning: Anyplace, Anytime. *Training & Development*, 65(7), 25.
54. Kumar, L.S., Jamatia, B., Aggarwal, A.K. and Kalman, S. (2011), Mobile Device Intervention for Student Support Services in Distance Education. *European Journal of Open, Distance & E-Learning*, 2. Available at: www.eurodl.org/?article=447.
55. Buhagiar, A., Montebello, M. and Camilleri, V. (2010). Mobile Augmented Reality in an Arts Museum. *Proceedings of Mlearn2010: 10th World Conference on Mobile and Contextual Learning*, 395-397. Valetta: University of Malta.
56. Kearney, M., Schuck, S., Burden, K. and Aubusson, P. (2012). Viewing Mobile Learning from a Pedagogical Perspective. *Research in Learning Technology*, 20,1-17.
57. Ebner, M. (2009). Introducing Live Microblogging: How Single Presentations Can Be Enhanced by the Mass, *Journal of Research in Innovative Teaching*, 2(1), 91-100.
58. Bartley, S.J. and Golek, J.H. (2004). Evaluating the Cost Effectiveness of Online and Face-

to-Face Instruction. *Educational Technology & Society*, 7(4), 167-175.
59. Bersin, J. (2012). *The Corporate Learning Factbook*. Oakland, CA: Bersin & Associates.
60. Lohman, M.C. (2009), A Survey of Factors Influencing the Engagement of Information Technology Professionals in Informal Learning Activities, *Information Technology, Learning, and Performance Journal*, 25(1), 43-53.
61. Overton, L. and Dixon, G. (2011). *Learning Technology Adoption in European Businesses*. Berlin: Online-Educa.
62. Sitzmann, T. and Ely, K. (2011). A Meta-Analysis of Self-Regulated Learning in Work-Related Training and Educational Attainment: What We Know and Where We Need to Go. *Psychological Bulletin*, 137(3), 421-442.
63. Russell, T.L. (1999). *The No Significant Difference Phenomenon. Raleigh*, NC: North Carolina State University,
64. Blunt, R. (2007). Does Game-Based Learning Work? Results from Three Recent Studies. *The Interservice Industry Training Simulation Education Conference IITSEC*, 1, 945- 954. NTSA.
65. Lohman, M.C. (2009). A Survey of Factors Influencing the Engagement of Information Technology Professionals in Informal Learning Activities. *Information Technology, Learning, and Performance Journal*, 25(1), 43-53.
66. Clark, R.E. (1983). Reconsidering Research on Learning from Media. *Review of Educational Research*, 53,445-460.
67. Sitzmann, T., Kraiger, K., Stewart, D. and Wisher, R. (2006). The Comparative Effectiveness of Web-Based and Classroom Instruction: A Meta-Analysis. *Personnel Psychology*, 59,623-664.
68. Hofmann, J. and Miner, N, (2008, September), Real Blended Learning Stands Up. *Training & Development*, 62(9), 28-29.
69. Al-Hunaiyyan, A., Al Huwail, N. and Al-Sharhan, S. (2008). Blended E-Learning Design: Discussion of Cultural Issues. *International Journal of Cyber Society and Education*, 1(1), 17-32.
70. Hofmann, J. and Miner, N. (2008, September). Real Blended Learning Stands Up. *Training & Development*, 62(9), 28-29.
71. Hofmann, J. and Miner, N. (2008, September). Real Blended Learning Stands Up. *Training & Development*, 62(9), 28-29,
72. Lohman, M.C. (2009), A Survey of Factors Influencing the Engagement of Information Technology Professionals in Informal Learning Activities. *Information Technology, Learning, and Performance Journal*, 25(1), 43-53.
73. Chu, T.H. and Robey, D. (2008), Explaining Changes in Learning and Work Practice following the Adoption of Online Learning: A Human Agency Perspective. *European Journal of Information Systems*, 17,79-98.
74. Lohman, M.C. (2009). A Survey of Factors Influencing the Engagement of Information Technology Professionals in Informal Learning Activities. *Information Technology, Learning,*

and Performance Journal, 25(1), 43-53.

75. Verpoorten, D., Westera, W. and Specht, M. (2011). Using Reflection Triggers while Learning in an Online Course. *British Journal of Educational Technology*. Online version published before printed version, doi: 10.1111/j.1467-8535.2011.01257.x.
76. Bersin, J. (2012). *The Corporate Learning Factbook*. Oakland, CA: Bersin & Associates.
77. Corporate Leadership Council (2012). *Driving the Business Impact of L&D Staff*. London: The Corporate Executive Board Company.
78. Accenture (2004). *The Rise of the High-Performance Learning Organization: Results from the Accenture 2004 Survey of Learning Executives*. London: Accenture.
79. Accenture (2004), *The Rise of the High-Performance Learning Organization: Results from the Accenture 2004 Survey of Learning Executives*. London: Accenture.
80. Accenture (2004). *The Rise of the High-Performance Learning Organization: Results from the Accenture 2004 Survey of Learning Executives*. London: Accenture.
81. Corporate Leadership Council (2012). *Driving the Business Impact of L&D Staff*. London: The Corporate Executive Board Company.
82. McGurk, J. (2011). *Business Savvy: Giving HR the Edge*. London: Chartered Institute of Personnel and Development.
83. Lawler, E.E, and Mohrman, A.M. (2003), *Creating a Strategic Human Resource Organization: An Assessment of Trends and New Directions*. Stanford, CA: Stanford University Press.
84. Ulrich, D. (1999). *Delivering Results: A New Mandate for Human Resource Professionals*. Boston, MA: Harvard Business School Press,
85. Bersin, J. (2012). *The Corporate Learning Factbook*. Oakland, CA: Bersin & Associates.
86. Bersin, J. (2012). *The Corporate Learning Factbook*. Oakland, CA: Bersin & Associates.
87. Ulrich, D. and Eichinger, R. (1998). Delivering HR with an Attitude, *HR Magazine*, June, 155-161.
88. Corporate Leadership Council (2012). *Driving the Business Impact of L&D Staff*. London: The Corporate Executive Board Company.
89. Bersin, J. (2012). *The Corporate Learning Factbook*. Oakland, CA: Bersin & Associates.
90. Kopp, B., Matteucci, M.C. and Tomasetto, C. (2012, January). E-tutorial Support for Collaborative Online Learning: An Explorative Study on Experienced and Inexperienced E-tutors. *Computers & Education*, 58(1), 12-20.
91. Enlow, S. and Ertel, D. (2006, May/June). Achieving Outsourcing Success: Effective Relationship Management. *Compensation and Benefits Review*, 38,50-55.
92. Chartered Institute of Personnel and Development (2009). *HR Outsourcing and the HR Function: Threat or Opportunity?* London: Chartered Institute of Personnel and Development.
93. Baldwin, T. and Danielson, C.C. (2000). Building a Learning Strategy at the Top: Interviews with Ten of America's CLOs. *Business Horizons*, 43(6), 5-14.
94. Sugrue, B. and Lynch, D. (2006, February). Profiling a New Breed of Learning Executive. *Training and Development*, 60(2), 51-56.

95. Sugrue, B. and DeViney, N. (2005). Learning Outsourcing Research Report. Alexandria, VA: American Society for *Training & Development*.
96. Accenture (2004). *The Rise of the High-Performance Learning Organization: Results from the Accenture 2004 Survey of Learning Executives*. London: Accenture.
97. Corporate Leadership Council (2012). *Driving the Business Impact of L&D Staff*. London: The Corporate Executive Board Company,
98. Sugrue, B. and DeViney, N. (2005). *Learning Outsourcing Research Report*. Alexandria, VA: American Society for Training & Development.
99. Galanaki, E. and Papalexandris, N. (2005). Outsourcing of Human Resource Management Services in Greece. *International Journal of Manpower,* 26(4), 382-396.
100. Greer, C,R., Youngblood, S.A. and Gray, D.A. (1999). Human Resource Management Outsourcing: The Make or Buy Decision. *The Academy of Management Perspectives*, 13(3), 85-96,
101. Anderson, C. (2009, September). Outsourcing Increase in 2010? *Chief Learning Officer*, 54-56,
102. Norman, T.J. (2009). *Outsourcing Human Resource Activities: Measuring the Hidden Costs and Benefits*. Minnesota: University of Minnesota.
103. Carter, A., Hirsh, W. and Aston, J. (2002). *Resourcing the Training and Development Function: Report 390*. Brighton, UK: Institute for Employment Studies.
104. Chartered Institute of Personnel and Development (2009). *HR Outsourcing and the HR Function. Threat or Opportunity?* London: Chartered Institute of Personnel and Development.
105. DeViney, N. and Sugrue, B. (2004). Learning Outsourcing a Reality Check. *Training & Development*, 58(12), 40-45.
106. Galanaki, E. and Papalexandris, N. (2005). Outsourcing of Human Resource Management Services in Greece. *International Journal of Manpower*, 26(4), 382-396.
107. Gainey, T.W,, Klaas, B.S. and Moore, D. (2002). Outsourcing the Training Function: Results from the Field. *People and Strategy,* 25(1), 16-22.
108. Sugrue, B, and DeViney, N. (2005). *Learning Outsourcing Research Report*. Alexandria, VA: American Society for Training & Development.
109. Anderson, C. (2009, September). Outsourcing Increase in 2010? *Chief Learning Officer,* 54-56.
110. Trondsen, E. (2005, May). Offshore Outsourcing E-Learning Content. *E.learning Age,* 24 27,
111. Kern, T., Willcocks, L.P. and Van Heck, E, (2002). The Winner's Curse in IT Outsourcing: Strategies for Avoiding Relational Trauma. *California Management Review*, 44(2), 47-69.
112. Walther, B., Jrg, S, and Wolter, S.C. (2005). Shall I Train Your Apprentice? An Empirical Investigation of Outsourcing of Apprenticeship Training in Switzerland. *Education & Training*, 47(4/5), 251-269.
113. Gainey, T.W., Klaas, B.S. and Moore, D. (2002). Outsourcing the Training Function:

Results from the Field. *People and Strategy*, 25(1), 16-22.
114. Society for Human Resource Management (2004). *Human Resource Outsourcing Survey Report*. Alexandria, VA: SHRM Research.
115. Enlow, S. and Ertel, D. (2006, May/June). Achieving Outsourcing Success: Effective Relationship Management. *Compensation and Benefits Review*, 38, 50-55,
116. Galanaki, E. and Papalexandris, N. (2005). Outsourcing of Human Resource Management Services in Greece. *International Journal of Manpower*, 26(4), 382-396.
117. Sugrue, B. and DeViney, N. (2005). Learning Outsourcing Research Report, Alexandria, VA: American Society for *Training & Development*.
118. Klaus, B.S., McClendon, J. and Gainey, T.W. (1999). HR Outsourcing and Its Impact: The Role of Transaction Costs. *Personnel Psychology*, 52(1), 113-136.
119. Enlow, S. and Ertel, D. (2006, May/June), Achieving Outsourcing Success: Effective Relationship Management. *Compensation and Benefits Review*, 38, 50-55.
120. Gainey, T.W., Klaas, B.S. and Moore, D. (2002). Outsourcing the Training Function: Results from the Field. *People and Strategy*, 25(1), 16-22,
121. Accenture (2004), *The Rise of the High-Performance Learning Organization: Results from the Accenture 2004 Survey of Learning Executives*. London: Accenture.
122. ESI (2011). Learning Trends Report. London: ESI International. CIPD (2011). *Learning & Talent Development Annual Survey Report*. London: CIPD.
123. Phillips, J.J. and Phillips, P.P. (2009, August). Measuring What Matters Most: How CEOs View Learning Success. *Training & Development*, 63(8), 44-49.
124. Campbell, J.P., Dunnette, M.D., Lawler, E.E. and Weick, K.E. (1970). *Managerial Behavior, Performance, and Effectiveness*. New York: McGraw-Hill,
125. Giangreco, A., Carugati, A. and Sebastiano, A. (2010). Are We Doing the Right Thing? Food for Thought on Training Evaluation and its Context. *Personnel Review*, 39(2), 162-77.
126. SHRM (2011). *The Ongoing Impact of the Recession - Recruiting and Skill Gap*. Alexandria, VA: SHRM.
127. Giangreco, A., Sebastiano, A. and Peccei, R. (2008). Trainees' Reactions to Training: An Analysis of the Factors Affecting Overall Satisfaction with Training. *The International Journal of Human Resources Management*, 20(1), 96-111. Iqbal, M.Z., Maharvi, M.W., Malik, S.A. and Khan, M.M. (2011). An Empirical Analysis of the Relationship between Characteristics and Formative Evaluation of Training. *International Business Research*, 4(1), 273-286.
128. Giangreco, A., Carugati, A. and Sebastiano, A. (2010). Are We Doing the Right Thing? Food for Thought on Training Evaluation and its Context. *Personnel Review*, 39(2), 162-77.
129. Pershing, J.A. and Pershing, J.L. (2001). Ineffective Reaction Evaluation. *Human Resources Development Quarterly*, 12(1), 73-90.
130. CIPD (2006). *Learning & Talent Development Annual Survey Report*. London: CIPD.
131. Sugrue, B. and Rivera, R.J. (2005). *State of the Industry: ASTD's Annual Review of Trends in Workplace Learning and Performance*. Alexandra, VA: ASTD.
132. Scriven, M. (1991). *Evaluation Thesaurus* (4th edn). Newbury Park, CA: Sage.

133. Rothwell, W.J. and Kazanas, H.C. (2008). *The Strategic Development of Talent* (2nd edn), Amherst, MA: HRD Press Inc.
134. Boverie, P., Mulcahy, D.S. and Zondlo, J.A. (1995). Evaluating the Effectiveness of Training Programs. In J.P. Pfeiffer (ed.), *The 1994 Annual: Developing Human Resources*, 279-294. San Diego, CA: Pfeiffer & Company.
135. Tannenbaum, S.I. and Woods, S.B. (1992). Determining a Strategy for Evaluating Training: Operating within Organizational Constraints. *Human Resources Planning*, 15(2), 63-81. Twitchell, S., Holton III, E.F. and Trott, J.R. (2001). Technical Training Evaluation Practices in the United States. *Performance Improvement Quarterly*, 13(3), 84-109,
136. Swanson, R,A. (2005). Evaluation, a State of Mind. Advances in *Developing Human Resources*, 7(1), 16-21.
137. Taylor, D.H. (2007, August). Why ROI on Training Doesn't Matter. *First Train*, 2(3), 18-19.
138. Spitzer, D.R. (1999). Embracing Evaluation. *Training*, 36(6), 42-47.
139. Salas, E. and Cannon-Bowers, J.A. (2001). The Science of Training: A Decade of Progress. *Annual Review of Psychology*, 52,471-499.
140. Wang, G.G. and Wilcox, D. (2006, November). Training Evaluation: Knowing More than Is Practiced. *Advances in Developing Human Resources,* 8(4), 528-539.
141. Kraiger, K., McLinden, D. and Casper, W.J. (2004, Winter). Collaborative Planning for Training Impact. *Human Resource Management,* 43(4), 337-351.
142. Giangreco, A., Carugati, A. and Sebastiano, A. (2010). Are We Doing the Right Thing? Food for Thought on Training Evaluation and Its Context. *Personnel Review*, 39(2), 162-177.
143. ESI (2011). *Learning Trends Report*. London: ESI International.
144. Abernathy, D. (1999). Thinking Outside the Evaluation Box. *Training & Development*, 53(2), 19-23,
145. Wheeler, K. and Clegg, E. (2005). *The Corporate University Workbook*. San Diego, CA: Pfeiffer.
146. CIPD (2006). *Learning & Talent Development Annual Survey Report*. London: CIPD.
147. Kirkpatrick, D.L. (1959a), Techniques for Evaluating Training Programs: Part 1 — Reactions. *Journal of ASTD*, 13(11), 3-9. Kirkpatrick, D.L. (1959b). Techniques for Evaluating Training Programs: Part 2 — Learning. *Journal of ASTD*, 13(12), 21-26, Kirkpatrick, D.L. (1960a). Techniques for Evaluating Training Programs: Part 3 — Behavior. *Journal of ASTD*, 14(1), 13-18. Kirkpatrick, D.L. (1960b). Techniques for Evaluating Training Programs: Part 4 — Results. *Journal of ASTD*, 14(12), 28-32. Kirkpatrick, D.L. (1967). *Evaluation of Training*. New York: McGraw-Hill.
148. Giangreco, A., Carugati, A. and Sebastiano, A. (2010). Are We Doing the Right Thing? Food for Thought on Training Evaluation and Its Context. *Personnel Review*, 39(2), 162-177.
149. Alliger, G.M., Tannenbaum, SA., Bennett, W., Traver, H, and Shotland, A. (1997). A Meta-

Analysis of the Relations among Training Criteria. *Personnel Psychology*, 50, 341-358.

150. Holton, F.H. (1996). The Flawed Four-Level Evaluation Model. *Human Resources Development Quarterly*, 7(1), 5-20.

151. Wang, G.C., Dou, Z. and Li, N. (2002). A Systems Approach to Measuring Return on Investment for HRD Interventions. *Human Resource Development Quarterly*, 13(2), 203-224.

152. Bates, R. (2004). A Critical Analysis of Evaluation Practice: The Kirkpatrick Model and the Principle of Beneficence. *Evaluation and Program Planning*, 27(3), 341-348.

153. Tessmer, M, and Richey, R. (1997). The Role of Context in Learning and Instructional Design. *Educational Technology, Research and Development*, 45(3), 85-115,

154. Rouiller, J.Z. and Goldstein, I.L. (1993). The Relationship between Organisational Transfer Climate and Positive Transfer of Training. *Human Resource Development Quarterly*, 4(4), 377-390,

155. Warr, P., Bird, M. and Rackham, N. (1970). *Evaluation of Management Training: A Practical Framework, with Cases, for Evaluating Training Needs and Results*. London: Gower.

156. Worthen, B.R. and Sanders, J.R, (1987). *Educational Evaluation*. New York: Longman.

157. Bushnell, D.S. (1990). Input, Process, Output: A Model for Evaluating Training. *Training and Development*, 44(3), 41-43.

158. Alliger, G.M. and Janak, B.A. (1989). Kirkpatrick's Levels Of Training Criteria: 30 Years Later. *Personnel Psychology*, 42,331-342,

159. Tan, J.A., Hall, R.J. and Boyce, C. (2003). The Role of Employee Reactions in Predicting Training. *Human Resource Development Quarterly*, 14(4), 397-411. Rowold, J. (2007). Individual Influences on Knowledge Acquisition in a Call Center Training Context in Germany. *International Journal of Training and Development*, 11(1), 21-34.

160. Alliger, G.M. and Janak, E.A. (1989). Kirkpatrick's Levels of Training Criteria: 30 Years Later. *Personnel Psychology*, 42,331-342.

161. Rouiller, J.Z. and Goldstein, I.L. (1993). The Relationship between Organisational Transfer Climate and Positive Transfer of Training. *Human Resource Development Quarterly*, 4(4), 377-390. Antheil, J.H. and Casper, I.G. (1986). Comprehensive Evaluation Model: A Tool for the Evaluation of Non Traditional Educational Programs, *Innovative Higher Education*, 11(1), 55-64.

162. Alliger, G.M., Tannenbaum, S.I., Bennett, W., Traver, H. and Shotland, A. (1997). A Meta-Analysis of the Relations among Training Criteria. *Personnel Psychology*, 50, 341-358.

163. Dixon, N.M. (1987). Meet Training's Goals without Reaction Forms. *Personnel Journal*, 66(8), 108-115.

164. Iaffaldano, M.T. and Muchinsky, P.M. (1985). Job Satisfaction and Job Performance: A Meta-Analysis. *Psychological Bulletin*, 97,251-273.

165. Phillips, J. (1996, April). Measuring ROI: The Fifth Level of Evaluation. *Technical & Skills Training*, 10-13.

166. ESI (2011). *Learning Trends Report*, London: ESI International.

167. Watkins, R., Leigh, D., Foshay, R. and Kaufman, R. (1998). Kirkpatrick Plus: Evaluation and Continuous Improvement with a Community Focus. *Educational Technology Research and Development*, 46(4), 90-96, Kaufman, R., Keller, J. and Watkins, R. (1995). What Works and What Doesn't: Evaluation beyond Kirkpatrick. *Performance & Instructions*, 35(2), 8-12.
168. Kraiger, K., McLinden, D. and Casper, W.J. (2004, Winter). Collaborative Planning for Training Impact. *Human Resource Management*, 43(4), 337-351.
169. McEvoy, G.M. and Buller, P.F. (1990). Five Uneasy Pieces in the Training Evaluation Puzzle. *Training & Development*, 44(8), 39-42. Boverie, P., Mulcahy, D.S. and Zondlo, J.A. (1995). Evaluating the Effectiveness of Training Programs. In J.P. Pfeiffer (ed.), *The 1994 Annual: Developing Human Resources*, 279-294. San Diego, CA: Pfeiffer & Company. Giangreco, A., Carugati, A. and Sebastiano, A. (2010). Are We Doing the Right Thing? Food for Thought on Training Evaluation and Its Context. *Personnel Review*, 39(2), 162-177.
170. Phillips, J.J. and Phillips, P.P. (2011, 6 August). The Myths of Return on Expectation. *Talent Management Magazine*.
171. Cascio, W.F. (1982). *Human Resources: The Financial Impact of Behavior in Organisations*. Boston, MA: Kent Publishing, Baldwin, T.T. and Ford, J.K. (1988). Transfer of Training: A Review and Directions for Future Research. *Personnel Psychology*, 41,63-105.
172. Howard, G.S. and Dailey, P.R. (1979). Response-Shift Bias: A Source of Contamination of Self-Report Measures. *Journal of Applied Psychology Measures*, 64,144-150. Conway, M. and Ross, M. (1984). Getting What You Want by Revising What You Had. *Journal of Personality and Social Psychology*, 47(4), 738-748.
173. Feltham, R. and Kinley, N. (2011, Summer). Strengths and Development Needs: Development of an Ipsative 360 Feedback Process as a New Approach to an Old Problem. *Assessment & Development Matters*, 3(2), 6-8.
174. Peterson, D.B. (1993). Measuring Change: A Psychometric Approach to Evaluating Individual Training Outcomes. Paper presented at the 8th annual conference of the Society for Industrial and Organizational Psychology. San Francisco, CA: SIOP.
175. Landsberger, H.A. (1958). *Hawthorne Revisited*, Ithaca, NY: Cornell University.
176. Dearden, L., Reed, H. and van Reenen, J. (2000). *Who Gains when Workers Train? Training and Corporate Productivity in a Panel of British Industries*. London: Institute for Fiscal Studies.
177. Michalski, G.V. and Cousins, J.B. (2001). Multiple Perspectives on Training Evaluations: Probing Stakeholder Perceptions in a Global Network Development Firm. *American Journal of Evaluation*, 22(1), 37-53.
178. Bean, R. (2009). *Winning in Your Own Way: The Nine and a Half Golden Rules of Branding*. London: Management Books 2000 Ltd;
179. Harris, P. (2008). It's Branding Time at the Learning Corral. *Training & Development*, 62(6), 41-45.
180. Cunningham, L. (2006). Branding of Learning and Development: Evidence from Research. *Development and Learning in Organizations*, 20(2), 7-9.

181. Papasolomou, I. and Vrontis, D. (2006). Building Corporate Branding through Internal Marketing: The Case of the UK Retail Bank Industry. *The Journal of Product and Brand Management*, 15(1), 37-47.
182. Expertus Inc. (2008). *Training Efficiency: Internal Marketing*. Santa Clara, CA: Expertus Inc.
183. Eccles, O. (2004). Marketing the Corporate University or Enterprise Academy. *Journal of Workplace Learning*, 16(7/8), 410-418.
184. Ettinger, A., Holton, V. and Blass, E. (2006). E-learner Experiences: A Lesson on In-House Branding. *Industrial and Commercial Training*, 38(1), 33-36.
185. Cunningham, L. (2006). Branding of Learning and Development: Evidence from Research. *Development and Learning in Organizations*, 20(2), 7-9.
186. Manning, P. (1991). Environmental Aesthetic Design: Identifying and Achieving Desired Environmental Effects, Particularly 'Image' and 'Atmosphere'. *Building and Environment*, 26(4), 331-340.
187. Appel-Meulenbroek, R,, Havermans, D., Janssen, I. and van Kempen, A. (2010). Corporate Branding: An Exploration of the Influence of CRE. *Journal of Corporate Real Estate*, 12(1), 47-59.
188. Maister, D., Gafford, R. and Green, C, (2000). *The Trusted Advisor*. London: Simon & Schuster. 『プロフェッショナル・アドバイザー――信頼を勝ち取る方程式』デービッド・マイスター、ロバート・ガルフォード、チャールズ・グリーン著、細谷功訳、東洋経済新報社、2010年
189. Doyle, P. (1998). *Marketing Management and Strategy*. Hemel Hempstead: Prentice-Hall.
190. Appel-Meulenbroek, R., Havermans, D., Janssen, I, and van Kempen, A. (2010). Corporate Branding: An Exploration of the Influence of CRE. *Journal of Corporate Real Estate*, 12(1), 47-59.
191. Harris, P, (2008). It's Branding Time at the Learning Corral. *Training & Development*, 62(6), 41-45.
192. Ricketts, G. (2005, 1 March). Governance: The Next Learning Gap, *Chief Learning Officer Magazine*.
193. Bersin, J. (2008). *The High-Impact Learning Organization: What Works in the Management, Governance and Operations of Modern Corporate Training*. Oakland, CA: Bersin & Associates.
194 Bersin, J. (2008). *The High-Impact Learning Organization: What Works in the Management, Governance and Operations of Modern Corporate Training*. Oakland, CA: Bersin & Associates.
195. Mizruchi, M.S. and Stearns, L.B. (1988). A Longitudinal Study of the Formation of Interlocking Directorates. *Administrative Science Quarterly*, 33,194-210,
196. Bersin, J. (2008). *The High-Impact Learning Organization: What Works in the Management, Governance and Operations of Modern Corporate Training*. Oakland, CA: Bersin & Associates.
197. Nanka-Bruce, D. (2011). Corporate Governance Mechanisms and Firm Efficiency. *International Journal of Business and Management*, 6(5), 28-40.
198. Jensen, M. (1993). The Modem Industrial Revolution, Exit, and the Failure of Internal Control Systems. *Journal of Finance*, 48,831-880,

199. Hambrick, D.C. and Fredrickson, J.W. (2001). Are You Sure You Have a Strategy? *Academy of of Management Executive,* 15,48-59.
200. Charan, R. (2005). *Boards that Deliver.* San Francisco, CA: Jossey-Bass.『取締役が会社の価値を高める！──競争優位を生み出すコーポレート・ガバナンス実践法』ラム・チャラン著、山内あゆ子訳、税務経理協会、2005 年

● 著者

シュロモ・ベンハー
Shlomo Ben-Hur

スイスのビジネススクール・IMD 教授。専門はリーダーシップ、タレント・マネジメント、企業内学習。イスラエルと米国の国籍を持つ。ダイムラー・クライスラー・サービス社の最高学習責任者（CLO）、BP グループのリーダーシップ開発と学習部門ヴァイス・プレジデントを務めるなど、企業エグゼクティブとして 20 年の経験を持つ。IMD では、世界の有力企業の CLO を集めた円卓会議「CLO Roundtable」の議長、企業内学習や人材育成のリーダーを対象とした 5 日間の教育プログラム「Organizational Learning in Action（OLA）」のディレクターを務めるほか、企業幹部養成のための公開短期プログラム「Breakthrough Program for Senior Executives（BPSE）」、「Advanced Strategic Management（ASM）」などでリーダーシップ教育を担当している。フンボルト大学で心理学の博士号を取得。バル・イラン大学で産業・組織心理学の修士号、心理学と政治学の学位を取得。

● 訳者

高津　尚志
Naoshi Takatsu

IMD 日本代表。エイエフエス日本協会の奨学生として高校時代にカナダに留学。早稲田大学政治経済学部卒業後、日本興業銀行に入行。フランスの経営大学院 INSEAD と ESCP に学び、国際投資銀行業務などに従事。その後、ボストン コンサルティング グループ、リクルートを経て 2010 年より現職。IMD は企業の幹部育成に特化した、もっともグローバルなビジネススクールとして知られており、日本企業を含む世界中の数多くの企業のグローバルリーダー育成や組織改革を支援している。IMD 学長ドミニク・テュルパンとの共著に、『なぜ、日本企業は「グローバル化」でつまずくのか』（日本経済新聞出版社）。

● 英治出版からのお知らせ

本書に関するご意見・ご感想を E-mail（editor@eijipress.co.jp）で受け付けています。
また、英治出版ではメールマガジン、ブログ、ツイッターなどで新刊情報やイベント情報を
配信しております。ぜひ一度、アクセスしてみてください。

メールマガジン：会員登録はホームページにて
ブログ　　　　：www.eijipress.co.jp/blog/
ツイッターID　：@eijipress
フェイスブック：www.facebook.com/eijipress

企業内学習入門
戦略なき人材育成を超えて

発行日	2014年 7月20日　第1版　第1刷
著者	シュロモ・ベンハー
訳者	高津尚志（たかつ・なおし）
発行人	原田英治
発行	英治出版株式会社 〒150-0022 東京都渋谷区恵比寿南1-9-12 ピトレスクビル4F 電話 03-5773-0193　　FAX 03-5773-0194 http://www.eijipress.co.jp/
プロデューサー	高野達成
スタッフ	原田涼子　岩田大志　藤竹賢一郎　山下智也　鈴木美穂 下田理　田中三枝　山本有子　茂木香琳　木勢翔太 上村悠也　平井萌　土屋文香
印刷・製本	シナノ書籍印刷株式会社
装丁	英治出版デザイン室
翻訳協力	熊谷小百合／株式会社トランネット　http://www.trannet.co.jp

Copyright © 2014 Naoshi Takatsu
ISBN978-4-86276-174-3　C0034　Printed in Japan
本書の無断複写（コピー）は、著作権法上の例外を除き、著作権侵害となります。
乱丁・落丁本は着払いにてお送りください。お取り替えいたします。

● 英 治 出 版 の 本　　好 評 発 売 中 ●

世界の経営学者はいま何を考えているのか　　知られざるビジネスの知のフロンティア
入山章栄著　本体 1,900 円＋税

ドラッカーなんて誰も読まない!?　ポーターはもう通用しない!?　米国ビジネススクールで活躍する日本人の若手経営学者が世界レベルのビジネス研究の最前線をわかりやすく紹介。競争戦略、イノベーション、組織学習、ソーシャル・ネットワーク、M&A、グローバル経営……知的興奮と実践への示唆に満ちた全17章。

ダイアローグ　　対立から共生へ、議論から対話へ
デヴィッド・ボーム著　金井真弓訳　本体 1,600 円＋税

偉大な物理学者にして思想家ボームが長年の思索の末にたどりついた「対話（ダイアローグ）」という方法。「目的を持たずに話す」「一切の前提を排除する」など実践的なガイドを織り交ぜながら、チームや組織、家庭や国家など、あらゆる共同体を協調に導く、奥深いコミュニケーションの技法を解き明かす。

シンクロニシティ［増補改訂版］　　未来をつくるリーダーシップ
ジョセフ・ジャウォースキー著　金井壽宏監訳　野津智子訳　本体 1,900 円＋税

ウォーターゲート事件に直面し、リーダーという存在に不信感を募らせた弁護士ジョセフ。彼は「真のリーダーとは何か」を求めて旅へ出る。哲学者、物理学者、経営者など、さまざまな先導者たちとの出会いから見出した答えとは?「サーバントリーダーシップ」「ダイアローグ」……、あるべきリーダーシップの姿が浮かび上がる。

源泉　　知を創造するリーダーシップ
ジョセフ・ジャウォースキー著　金井壽宏監訳　野津智子訳　本体 1,900 円＋税

世界13カ国で読まれたベストセラー『シンクロニシティ』。著者ジョセフに、読者からこんな問いが寄せられた。「変化を生み出す、原理原則とは何か？」答えに窮した彼は、再び旅に出る——。「U理論」の発見、大自然での奇跡的体験、偉大な探究者たちとの出会いを通して見出した万物創造の「源泉」をめぐる物語。

サーバントリーダーシップ
ロバート・K・グリーンリーフ著　金井壽宏監訳　金井真弓訳　本体 2,800 円＋税

希望が見えない時代の、希望に満ちた仮説。ピーター・センゲに「リーダーシップを本気で学ぶ人が読むべきただ一冊」と言わしめた本書は、1977年に米国で初版が刊行されて以来、研究者・経営者・ビジネススクール・政府に絶大な影響を与えてきた。「サーバント」、つまり「奉仕」こそがリーダーシップの本質だ。

リーダーシップ・マスター　　世界最高峰のコーチ陣による31の教え
マーシャル・ゴールドスミスほか著　久野正人監訳　中村安子、夏井幸子訳　本体 2,800 円＋税

世界有数のコーチたちがエグゼクティブ・コーチングの理論と経験をもとに語る、リーダーを目指す人、リーダーを育てる人への「とっておきのアドバイス」。リーダーとして、マネジャーとして、HR担当者として、メンターとして、そしてコーチとして、本当に大切なこと、いますぐ行動に移すべきことを様々な視点で語る。

TO MAKE THE WORLD A BETTER PLACE - Eiji Press, Inc.

● 英 治 出 版 の 本　　好 評 発 売 中 ●

問題解決　あらゆる課題を突破するビジネスパーソン必須の仕事術
高田貴久・岩澤智之著　本体 2,200 円+税

ビジネスとは問題解決の連続だ。その考え方を知らなければ、無益な「目先のモグラたたき」を繰り返すことになってしまう――。日々の業務から経営改革まで、あらゆる場面で確実に活きる必修ビジネススキルの決定版テキスト。トヨタ、ソニー、三菱商事などが続々導入、年間 2 万人が学ぶ人気講座を一冊に凝縮。

ロジカル・プレゼンテーション　自分の考えを効果的に伝える 戦略コンサルタントの「提案の技術」
高田貴久著　本体 1,800 円+税

ロジカル・プレゼンテーションとは、「考える」と「伝える」が合わさり、初めて「良い提案」が生まれるという意味。著者が前職の戦略コンサルティングファーム（アーサー・D・リトル）で日々実践し、事業会社の経営企画部員として煮詰めた「現場で使える論理思考」が詰まった一冊。

イシューからはじめよ　知的生産の「シンプルな本質」
安宅和人著　本体 1,800 円+税

「やるべきこと」は 100 分の1になる。コンサルタント、研究者、マーケター、プランナー……生み出す変化で稼ぐ、プロフェッショナルのための思考術。「脳科学×マッキンゼー×ヤフー」トリプルキャリアが生み出した究極の問題設定&解決法。

Personal MBA　学び続けるプロフェッショナルの必携書
ジョシュ・カウフマン著　三ツ松新監訳　渡部典子訳　本体 2,600 円+税

スタンフォード大学でテキスト採用され、セス・ゴーディンが「文句なしの保存版!」と絶賛する、世界 12 カ国翻訳の「独学バイブル」。マーケティング、価値創造、ファイナンス、システム思考、モチベーション……P&Gの実務経験と数千冊に及ぶビジネス書のエッセンスを凝縮した「ビジネスの基本体系」がここにある。

マッキンゼー式　世界最強の仕事術
イーサン・M・ラジエル著　嶋本恵美、田代泰子訳　本体 1,500 円+税

世界最強の経営コンサルタント集団・マッキンゼー。マッキンゼーはなぜ世界一でありつづけるのか。これまでクライアントとの守秘義務の徹底から、紹介されることの少なかった門外不出の仕事術を初めて明かす、ビジネスマン必携の書。

マッキンゼー式　世界最強の問題解決テクニック
イーサン・M・ラジエル、ポール・N・フリガ著　嶋本恵美、上浦倫人訳　本体 1,500 円+税

世界最強のコンサルタント集団マッキンゼーの手法の実践編。マッキンゼー卒業生による教訓と成功事例が満載！ あなたのキャリアや組織に活かせる、マッキンゼー式「ロジカル・シンキング」から「ロジカル・マネジメント」までの実践手法が盛り込まれた最強のツール&テクニック集！

TO MAKE THE WORLD A BETTER PLACE - Eiji Press, Inc.

● 英 治 出 版 の 本　好 評 発 売 中 ●

なぜ人と組織は変われないのか　ハーバード流 自己変革の理論と実践
ロバート・キーガン、リサ・ラスコウ・レイヒー著　池村千秋訳　本体2,500円+税

変わる必要性を認識していても85%の人が行動すら起こさない——？「変わりたくても変われない」という心理的なジレンマの深層を掘り起こす「免疫マップ」を使った、個人と組織の変革手法をわかりやすく解説。発達心理学と教育学の権威が編み出した、究極の変革アプローチ。

チームが機能するとはどういうことか　「学習力」と「実行力」を高める実践アプローチ
エイミー・C・エドモンドソン著　野津智子訳　本体2,200円+税

いま、チームを機能させるためには何が必要なのか？　20年以上にわたって多様な人と組織を見つめてきたハーバード・ビジネススクール教授が、「チーミング」という概念をもとに、学習する力、実行する力を兼ね備えた新時代のチームの作り方を描く。

学習する組織　システム思考で未来を創造する
ピーター・M・センゲ著　枝廣淳子、小田理一郎、中小路佳代子訳　本体3,500円+税

経営の「全体」を綜合せよ。不確実性に満ちた現代、私たちの生存と繁栄の鍵となるのは、組織としての「学習能力」である。——自律的かつ柔軟に進化しつづける「学習する組織」のコンセプトと構築法を説いた世界100万部のベストセラー、待望の増補改訂・完訳版。

U理論　過去や偏見にとらわれず、本当に必要な「変化」を生み出す技術
C・オットー・シャーマー著　中土井僚、由佐美加子訳　本体3,500円+税

未来から現実を創造せよ——。ますます複雑さを増している今日の諸問題に私たちはどう対処すべきなのか？　経営学に哲学や心理学、認知科学、東洋思想まで幅広い知見を織り込んで組織・社会の「在り方」を鋭く深く問いかける、現代マネジメント界最先鋭の「変革と学習の理論」。

人を助けるとはどういうことか　本当の「協力関係」をつくる7つの原則
エドガー・H・シャイン著　金井壽宏監訳　金井真弓訳　本体1,900円+税

どうすれば本当の意味で人の役に立てるのか？　職場でも家庭でも、善意の行動が望ましくない結果を生むことは少なくない。「押し付け」ではない真の「支援」をするには何が必要なのか。組織心理学の大家が、身近な事例をあげながら「協力関係」の原則をわかりやすく提示する。

会議のリーダーが知っておくべき10の原則　ホールシステム・アプローチで組織が変わる
マーヴィン・ワイスボード、サンドラ・ジャノフ著　金井壽宏監訳　野津智子訳　本体1,900円+税

多くのビジネスパーソンが日々、会議を「時間のムダ」と感じている。まとまらない。意見が出ない。感情的な対立が生まれる。決まったことが実行されない。それはつまり、やり方がまずいのだ。会議運営のプロフェッショナルが、真に「価値ある会議」を行う方法をわかりやすく解説。

TO MAKE THE WORLD A BETTER PLACE - Eiji Press, Inc.